Серия «Здоровая жизнь»

Сергей Ковалев

ПОШЛИ БОЛЕЗНЬ НА...

Программы самоисцеления
Простые и доступные методики работы над собой
Ни лекарств, ни врачей

Москва
АСТ • Астрель • Хранитель

УДК 159.9
ББК 88.37
К81

Оформление обложки –
дизайн-студия «Дикобраз»

Ковалев, С.

К81 Пошли болезнь на.... Программы самоисцеления. Простые и доступные методики работы над собой. Ни лекарств, ни врачей / Сергей Ковалев. – М.: АСТ: Астрель: Хранитель, 2007. – 383, [1] с.: ил. – (Здоровая жизнь)

Вы хотите научиться быть здоровым, не прибегая к услугам врача? Вы интересуетесь НЛП? Значит, эта книга вам понравится!

Сергей Ковалев предлагает доступное и понятное описание новейших методик нейролингвистического программирования, изменивших жизнь многих его пациентов. Он открывает перед вами новый путь: от болезни и неудач – к здоровью и успеху!

ISBN 5-17-040851-X (ООО «Издательство АСТ»)
ISBN 5-271-15452-1 (ООО «Издательство Астрель»)
ISBN 5-9762-1756-7 (ООО «Хранитель»)

УДК 159.9
ББК 88.37

Общероссийский классификатор продукции ОК-005-93, том 2;
953000 – книги, брошюры

Санитарно-эпидемиологическое заключение
№ 77.99.02.953.Д.003857.05.06 от 05.05.2006

Подписано в печать 05.12.2006.
Формат 84x108 1/32. Усл. печ. л. 20,16.
Доп. тираж 2000 экз. Заказ № 5117.

ISBN 5-17-040851-X (ООО «Издательство АСТ»)
ISBN 5-271-15452-1 (ООО «Издательство Астрель»)
ISBN 5-9762-1756-7 (ООО «Хранитель»)

СОДЕРЖАНИЕ

Предисловие первое, которое вовсе не обязательно читать

«Ибо не по усталости тела одного приходят к человеку горе и болезни, но по усталости души».

А. Лазарчук,
М. Успенский

...Ах, как это — тогда — было для меня радостно и ново. Выход в свет моей первой — нет, не вообще, а посвященной именно и только *психосоматическим излечениям* — книги «Исцеление с помощью НЛП». Видимо, она оказалась удачной, потому что, начиная с далекого уже 1999 года (печать первого издания), данный опус неоднократно и допечатывался, и переиздавался. Однако когда ко мне, совсем еще недавно, обратилось издательство «Астрель» с любезным предложением об очередном, но уже массовом переиздании «Исцеления с помощью НЛП», я внимательно перечитал эту книгу и понял, что больше не хочу — просто не хочу — издавать ее в том виде, в котором она была написана, так сказать, изначально. Нет, произведение сие не утратило ни своей актуальности, ни практического значения. О чем со всей очевидностью свидетельствуют, во-первых, сотни писем, полученных мною от людей, счастливо исцелившихся от множества болезней и травм (порой считавшихся *абсолютно неизлечимыми*) с помощью рекомендованных в нем методик и упражнений. А во-вторых — тысячи излеченных лично мною клиентов по более сложным и быстрым, но, в основе похожим на далее описываемые, психотехнологиям. Просто сейчас, по прошествии шести лет и как бы «с высоты накопленного опыта», «Исцеление с помощью НЛП» показалось мне излишне громоздким (почти шестьсот страниц — попробуйте-ка запросто прочитать этакий кирпич!); чересчур академично-наукообразным (не случайно его до сих пор считают одним из лучших учебников — но не по психосоматическим излечениям, а по нейролингвистическому программированию); а главное, не слишком понятным широкому кругу читателей (но ведь именно для них, жаждущих исцеления, а вовсе не для коллег — врачей и психологов, каковые немедленно вставили мое произведение в учебные программы психологических и медицинских вузов, — я ее и писал). И тогда я принял решение о кардинальной переработке данной книги — с сохранением некоторых исходных (хорошо себя зарекомендовавших) материалов и текстов, но при полной их структурной и смысловой переработке, а также дополнением материалов и текстов хотя бы частью того, что было наработано за последние годы. Результат этой переработки вы сейчас держите в руках. В чем-то совершенно новую книгу, которая безусловно и безоговорочно позволит любому человеку исцелиться и обрести здоровье. Что, не верите? Ну так просто переверните страницу...

Предисловие второе, которое обязательно надо прочесть

«Истина бывает настолько простой, что в нее никто не верит».
А. Левальд

Скажите, хотите ли вы:

- вернуть утраченное здоровье
- наконец-то полностью выздороветь и
- сохранять это вновь обретенное здоровье на долгие годы?

Если нет, положите эту книгу обратно на полку. Не потому, что не доросли, а оттого что для вас здоровье не является проблемой. А стоит ли (простите за метафору) чесать, когда (или пока?) не чешется?..

Если же да, то вам повезло — вы нашли искомое и желаемое. Потому что это не слишком объемное и совсем не академическое (в смысле общедоступности) издание, которое вы держите в руках, посвящено именно интересующему вас предмету — здоровью. А точнее, *системе нейролингвистического программирования психосоматических исцелений* (системе НЛП-ПСИ).

Не пугайтесь мудреного названия — это все только для сохранения научной строгости. В основе — несколько простых мыслей.

- У каждого из нас есть Сознание и Тело, возможности которых мы используем ограниченно и не рационально.
- При определенных условиях эти самые Сознание и Тело как бы переходят в другой **режим работы** и начинают творить чудеса — в частности, «выздоравливать» нас от весьма серьезных хворей и недугов

(поройтесь в памяти, и вы найдете там массу случаев таких вот самоисцелений).

- Поскольку лекарства нынче дороги, а врачи замучены безденежьем и оттого не слишком расположены к вдумчивой и кропотливой работе над вашим драгоценным здоровьем, достижение этого самого **режима работы наших Сознания и Тела** — их способности исцелять — несомненно, было бы кстати.

Согласны? Ну тогда, как говорится, и книгу вам в руки. Эту самую, которую вы держите. Открывайте и читайте. О том, как с помощью одной из наиболее эффективных из прикладных наук XXI века — нейролингвистического программирования — можно как минимум резко повысить эффективность всех тех обычных медицинских процедур, коими вы пользуетесь, дабы быть если и не богатым, то здоровым. А как максимум — просто излечиться и даже исцелиться, вернуть и сохранить на долгие годы свое драгоценное здоровье, не тратя времени на посещение врачей и денег на оплату лекарств. И заодно стать эффективным и счастливым: в любой области вашей жизни... Но все это — только если вы действительно захотите. А вы хотите?

А. Моруа как-то сказал, что любому человеку в течение дня предоставляется не менее семи возможностей изменить свою жизнь. Как бы в ответ И. Сельвинский горько посетовал, что всякая жизнь, какая ни есть, — это мир упущенных возможностей... Перед вами — реальная возможность сделать себя здоровым, счастливым и эффективным. Вы выбираете эту возможность? Если да, то «вперед и с песнями». Если нет, то перечитайте еще раз сентенцию Сельвинского и возвращайтесь в свою обрыдлую жизнь с ее хворями и несчастьями. Я ведь ни на чем не настаиваю. Не могу и не хочу настаивать — это не в моих правилах. Каждый решает для себя и за себя. Так что «думайте сами, решайте сами — иметь или не иметь...» Но помните, что, как утверждал А. Шопенгауэр, «Здоровый нищий счастливее больного короля».

Глава 1

ОСНОВНЫЕ ИДЕИ И ПОСЫЛКИ

«Многие вещи нам не понятны не потому, что наши понятия слабы, но потому, что сии вещи не входят в круг наших понятий».

К. Прутков

Я очень люблю, и потому часто рассказываю и пересказываю эту историю. Историю, официально подтвержденную Международной медицинской комиссией, состоящей из 25 ученых — врачей различного профиля. Историю спонтанного (т.е. совершенно внезапного и как бы даже неожиданного) исцеления от рака, описанную Р. Уилсоном /38/.

Итак, в весьма уже далеком от нас 1962 году в военный госпиталь итальянского города Верона поступил некто по имени Витторио Микелли. Причина поступления этого молодого еще человека заключалась в прогрессирующей карциноме — да такой, что вся левая сторона таза выглядела у него словно «съеденной» раком, а левая его нога должна была просто вот-вот отвалиться. Состояние Микелли непрерывно ухудшалось (несмотря на все усилия врачей), и случай этот казался попросту безнадежным.

24 мая 1963 года Витторио выписался из госпиталя и отправился в Лурд (есть во Франции такой святой источник), где совершил омовение в его чудотворной воде.

Свои переживания от этого омовения он впоследствии описывал как неожиданное распространившееся по телу ощущение тепла. А дальше начались чудеса. К Микелли вернулся давно исчезнувший аппетит, и он начал с удовольствием есть. Молодой человек почувствовал в себе новую энергию.

Примерно через месяц Витторио вернулся в госпиталь, где ему был сделан повторный рентгеновский снимок. Взглянув не него, врачи не поверили своим глазам. Оказалось, что опухоль значительно уменьшилась. А далее она просто полностью исчезла. Разрушенные тазовые кости начали восстанавливаться. И через некоторое время Витторио Микелли был совершенно здоров...

Не правда ли, весьма впечатляющий случай? Настолько впечатляющий, что хочется тут же бросить все свои дела, собрать или занять денег и немедленно отправиться в Лурд, дабы, омывшись святой водичкой, быстро и безболезненно излечиться от всех своих хворей и недугов — наличествующих и намечающихся...

Тем не менее советую вам не торопиться. Во-первых, потому что вы можете съездить во Францию напрасно — с 1858 по 1987 годы в Лурде было объявлено шесть тысяч случаев исцеления, но лишь 64 из них были признаны вышеупомянутой весьма дотошной и придирчивой Международной медицинской комиссией, так что ваши шансы действительно исцелиться не слишком высоки. А во-вторых, оттого, что ***если вы захотите, эта книга станет для вас тем, чем стал Лурд для Витторио Микелли — источником самоисцеления.***

Однако для того, чтобы это произошло, давайте для начала разберемся в основных идеях и посылках вашего будущего излечения... то есть пусть вкратце, но рассмотрим

- причины и внутренние механизмы спонтанных самоизлечений
- основы психосоматического подхода к заболеваниям и выздоровлениям

- сущность и принципы новой «выздоровленческой» науки» — нейролингвистического программирования (НЛП);
- предлагаемые в рамках НЛП модели болезни и здоровья, а также алгоритмы вашего самоисцеления.

1.1. О болезнях и их излечении

«Искусство медицины заключается в том, чтобы развлекать пациента, пока природа занимается лечением болезни».

Вольтер

Феномен спонтанных самоисцелений

Может быть, вам покажется странным это мое заявление, но в случае с Микелли (и шестьюдесятью тремя его коллегами по внезапному исцелению) нет ничего необычного. Так называемые «спонтанные ремиссии и излечения» — неожиданные исчезновения серьезнейших болезней без каких-либо видимых причин «медицинско-биологического» характера — встречаются так часто, что буквально каждый человек может назвать несколько случаев из жизненной практики (если и не своей собственной, то друзей и знакомых). Но вот что действительно любопытно во всех подобных исцелениях, так это то, что в большинстве случаев «лекарства», которые «принимали» эти самые исцеленные, были совершенно разнообразны — от собственной мочи или голубой глины до молитвы «Помилуй мя грешного» или мантры «Харе Кришна» (и т.д. и т.п.). Так что остается предположить единственное: в силу каких-то причин ***у всех этих больных произошла активизация некоего внутреннего механизма самоисцеления.***

А теперь я сделаю еще одно странное заявление: на самом деле количество случаев спонтанных излечений куда больше, чем мы об этом знаем. И более того — почти все случаи действительного выздоровления можно отнести к психосоматическим самоисцелениям. Не верите? Но тогда как можно объяснить тот простой факт, что люди, жившие задолго до нашего высокопросвященного XX века, как-то умудрялись излечиваться от весьма серьезных болезней, а не умирали в одночасье. Ведь современная биохимия очень точно и убедительно доказала, что до появления антибиотиков (т.е. до 1930 года) практически ни одно лекарство не могло быть эффективным!

А если вспомнить, что в период так называемой героической (heroic) медицины (1780–1850 годы) самыми популярными методами лечения были кровопускания (примерно по 0,5 литра за раз) и очистка кишечника с применением смертельно опасного хлорида ртути, остается только удивляться. Но не тому, что больные излечивались, а тому, что они вообще оставались живы!

Так что же спасало всех этих людей, ни с того ни с сего исцеляющихся? Правильно: тот самый, ныне широко известный плацебо-эффект (это когда нечто безвредное дается больному под видом лекарства — и больной выздоравливает!). И исцеление происходило почти исключительно за счет веры пациентов в зачастую совершенно бесполезные (хорошо еще, что не вредные) зелья, которые им давали врачи. Веры, которая включала уже упомянутый мною внутренний механизм самоисцеления.

Да здравствует плацебо!

К настоящему времени этот самый эффект (кстати, в буквальном переводе латинское слово «плацебо» означает «я хочу доставить удовольствие»!) изучен весьма широко. И уже известно, что роль плацебо могут играть не только лекарства, но и все, что мобилизует ожидания человека по поводу собственного здоровья. Что плацебо действует не только на физиологические симптомы, но и на самые различные заболевания, включая астму, артрит и даже ожирение. Что плацебо — это не только инертное вещество, типа сахарной таблетки, но еще и любое активное лекарство, с которым связываются возможности исцеления. Что не только легковерные, истеричные или сверхчувствительные люди реагируют на плацебо, а все без исключения. Что плацебо работает вовсе не за счет обмана, потому что позитивный эффект проявлялся даже тогда, когда больные знали, что им дают «пустышку». И что плацебо помогает не только при легких заболеваниях, но и в случае смертельных болезней — таких, например, как рак. А чтобы это — последнее и очень важное — стало вам до конца понятно, приведу историю мистера Райта, рассказанную доктором Ф. Вестом, /27; с. 99–100/.

«У Райта была поздняя стадия рака лимфатических узлов — лимфосаркома. У него на шее, в подмышечных впадинах, в паху и на животе были огромные опухоли размером с апельсин. Он умирал, и все, что могли сделать доктора, это давать ему обезболивающие средства. У них уже не осталось никаких надежд, но надежды остались у Райта. Он был уверен, что очень скоро должны разработать новое лекарство. Когда новое лекарство под названием кребиозен (krebiozen) должно было пройти испытание в той клинике, где умирал Райт, он упросил докторов, чтобы ему разрешили участвовать в опытах. Он добился своего, хотя, строго говоря, его не должны были включить, поскольку к испытаниям допускались только пациенты по крайней мере с трехмесячными прогнозами.

Райту было поставлено три инъекции в первую неделю. Прикованный к больничной койке уже в течение нескольких недель, через два дня после первой инъекции он вдруг стал гулять возле палаты и разговаривать с медсестрами. Опухоли уменьшились вдвое. Через десять дней он выписался из больницы, и если двумя неделями раньше он дышал через кислородную маску, то теперь летал на собственном самолете на высоте 12 000 футов. Никто из принимавших это лекарство не достиг столь замечательных результатов. Клинические испытания кребиозена продолжались, но отчеты были слабо утешительными. Лекарство следовало официально признать бесполезным.

Мистер Райт впал в депрессию, когда услышал об этом, и через два месяца пребывания в отличном здравии его опухоли выросли вновь, и он еще раз оказался близко от смерти. Его лечащий врач обнадежил его. Он сказал, что клинические испытания показали отрицательные результаты, потому что первое лекарство портилось при хранении, однако «новое сверхчистое вдвое усиленное средство должно прийти на следующий день». Это была ложь, но Райт вновь обрел надежду и с необычайным предчувствием стал ждать «новое средство». Специально создав торжественную обстановку, доктор сделал ему первую инъекцию «свежего препарата удвоенной силы», который в действительности был *водой*.

На этот раз мистер Райт выздоравливал еще быстрее. Вскоре он снова вернулся к своей нормальной жизни, летая на аэроплане в добром здравии. Водные инъекции продолжались. Через два месяца мыльный пузырь кребиозена лопнул. В прессе было объявлено, что Американская медицинская ассоциация рассмотрела результаты испытаний и пришла к заключению, что кребиозен не имеет никакой ценности при лечении раковых заболеваний. Спустя несколько дней после этой публикации Райт был доставлен в больницу в тяжелом состоянии. У него снова появились опухоли, и он скончался через два дня».

Так что вполне можно согласиться с мнением такого высокоуважаемого специалиста, как О'Риган, который утверждал /38/, что почти все медицинские методы на протяжении почти всей человеческой истории были основаны на эффектах плацебо. Впрочем, очень может быть, что и современные системы излечения тоже в большой степени основываются на плацебо-эффекте. Так, согласно данным Службы технологической оценки, в США на сегодняшний день только 20% принятых медицинских процедур прошли проверку в ходе строгих и объективных исследований с учетом эффекта плацебо. То есть возможно, что 80% того, что с нами делают врачи, помогает только потому, что благодаря нашим надеждам, связываемым с лекарством или процедурой, мы каким-то образом активизируем свой собственный внутренний механизм самоисцеления. Так что тысячу раз прав был знаменитейший А. Швейцер, утверждавший, что, мол, мы, врачи, вовсе не лечим больного, а только лишь помогаем его Внутреннему Доктору излечить болезнь...

Пожалуй, настала пора назвать этот самый механизм (или Внутреннего Доктора) — уникальный и удивительный. Так вот, имя ему — ***нейросоматический контур человеческого мозга.***

Не стану подробно объяснять вам восьмиконтурную теорию мозга-биокомпьютера Лири-Уилсона. Будет вполне достаточно, если вы примете или усвоите один-единственный факт: существования в вашей голове некоей системы, отвечающей за две крайне важные для любого человека вещи. Во-первых, за самоисцеления. А во-вторых — за ощущения сенсорно-соматического блаженства (того самого «телесного кайфа», который, увы, большинство из нас испытывает только после приема солидной порции далеко не безобидных веществ типа алкоголя или, упаси боже, наркотиков). Система эта есть у каждого из нас. Но активирована она только у немногих — «продвинутых». У тех, кто удосужился и смог это сделать.

Приведу простую аналогию: у большинства из вас, наверное, имеется компьютер. И вы привычно им пользуетесь — так же, как и собственным мозгом. Но, наверное, вы согласитесь со мной в том, что только единицы пользователей современных компьютерных систем используют их возможности в достаточно широком диапазоне. Большинство же ограничиваются десятком привычных операций, в основном сводящимся к загрузке, инсталляции и вызову очередной компьютерной игрушки.

Проблема освоения, активизации и включения нейросоматического контура нашего мозга рассматривается ныне нейронаукой как едва ли не главная для дальнейшего выживания человека и человечества. Именно она находится в центре внимания различных духовных практик, христианской науки, холистической медицины и многих других научных и околонаучных дисциплин. И есть среди этих дисциплин одна — вполне научная, — которая совсем близко подошла к решению вышеозначенной проблемы — активизации нейросоматического контура. Имя этой науки — **нейролингвистическое программирование, или просто НЛП**.

Более подробно с сущностью этого крайне любопытного и исключительно эффективного научного направления мы познакомимся далее. А пока вернемся к исцелениям и попробуем успокоить ваш разум, возможно, уже кипящий от возмущения по поводу моих «плацебных» нападок на современную медицину.

Медицина: «за» и «против»

Да, вы правы: я действительно как бы нападаю на современную медицину, причем отнюдь не только в связи с плацебо-эффектом. Хотя отнюдь не противопоставляю ей предлагаемую систему нейролингвистического программирования психосоматических исцелений и более того, призываю *не заменять* данной системой традиционное лечение, *а скорее дополнять* его. Потому что, с одной стороны, отрицать достижения современной медицины просто глупо. С другой же, так же глупо и относиться к ней как к панацее от всех соответствующих бед.

Скажите, а вы разве не обратили внимание на то, что, несмотря на колоссальные усилия врачей, количество заболеваний непрерывно растет, а самые страшные из них, как и раньше, не поддаются лечению? Что хотя продолжительность жизни человека действительно выросла, произошло это в основном за счет уменьшения детской смертности и грустноватой возможности жить дольше со всеми своими болезнями, т.е. все-таки больным, а не здоровым? Что как только мы создаем новые лекарства для борьбы с инфекциями, микроорганизмы тут же к ним приспосабливаются? И что самые что ни есть значительные успехи в медицине и здравоохранении были на самом деле достигнуты за счет нейтрализации загрязнений, очистки воды, пастеризации молока и улучшения питания? А значит, «неладно что-то в датском королевстве», и неладность эта касается не частностей, а целого. И хотя я пишу не теоретическую работу, а практическое руководство по исцелению, позволю себе отметить самые важные из несуразностей общего подхода (иначе именуемого парадигмой) современной медицины.

Итак, во-первых, она лечит не человека, но только лишь его тело (но болеет-то не тело, а человек!).

Во-вторых, она ведет человека **от** болезни, а не **к** здоровью (но ведь «не быть больным» — это вовсе не значит «быть здоровым»!).

В-третьих, она привычно ориентируется на рецепты, вместо того, чтобы искать возможности (но ведь именно вне привычных подходов в основном и лежат возможности исцеления!).

В-четвертых, в основном объясняет то, почему заболел человек, вместо того, чтобы выяснить, как он мог стать здоровым (ведь даже профилактическая медицина — это все-таки профилактика болезни...).

Именно поэтому современной медицине очень много известно о механизмах заболеваний, но крайне мало — о механизмах здоровья. И она легко может обосновать то, *почему* человек заболел, но совсем ничего не может сказать о том, *как* он сохранил здоровье.

Между тем в любой эпидемии гриппа при прочих равных болеют вовсе не все поголовно, и все, что, например, лично мне (и, надеюсь, и вам) хотелось бы знать, так это то, как сохранить здоровье, а не то, почему это я вдруг заболел.

Вот и получается, что нынешняя система здравоохранения, похоже, изрядно запуталась и просто-таки заблудилась в этой своей парадигме. И ныне уверенно и целеустремленно ведет нас в никуда — ну совсем как в том анекдоте, где стюардесса успокаивает испуганных пассажиров следующими словами: «У вас нет никаких причин для беспокойства. У нас отличный самолет, высокопрофессиональный экипаж и полные баки горючего. Так что все в порядке — за исключением того, что мы заблудились...»

В результате получается, что основные возможности для исцеления находятся все-таки не в медицине, а в нас самих. А как же иначе объяснить ну прямо-таки необъяснимые факты из общемировой медицинской статистики /27/. Например, в Израиле в 1973 году был месяц, когда количество госпитализированных сократилось на 85%, а смертность упала на 50%, достигнув самого низкого своего уровня. Знаете, чем оказался знаменателен этот месячный период? Месячной же забастовкой врачей! Кстати, предыдущее падение смертности в том же Израиле наблюдалось двадцатью годами раньше, также во время «врачебной» забастовки. А когда в 1976 году в округе Лос-Анджелес медицинские работники бастовали против слишком высоких, с их точки зрения, выплат за преступную небрежность врача, смертность упала на 20%, и было проведено на 60% меньше операций!

Основы нового подхода

Я далек от мысли, что вот так, сразу, смогу предложить новую парадигму развития современной медицины. Да и задача у этой книги чисто практическая — организация вашего собственного исцеления. Однако для того, чтобы оно осуществилось, вам, а не врачам, нужно кое-что пересмотреть и переосмыслить.

Во-первых, это то, что касается собственно психосоматического подхода к исцелениям. А во-вторых, это то, что затрагивает некоторые исходные предпосылки относительно болезни и здоровья.

Что касается **психосоматического исцеления** (в буквальном смысле **излечения тела через душу**), то здесь вам вполне достаточно будет просто понять, что в чем-то и где-то мы сами (сами!) создаем либо болезни, либо здоровье в собственном теле, поскольку оно является как бы прямым отражением наших эмоций, чувств, мыслей, действий, слов и убеждений.

Что вплоть до клеточного уровня наш замечательный организм безусловно и безоговорочно реагирует на все вышеперечисленное, и в буквальном смысле строит себя по образу и подобию этого вышеперечисленного.

И что само по себе наше тело как бы ведет с нами постоянный диалог, буквально подсказывая языком своей физиологии, какие именно психологические проблемы и характеристики нам надлежит разрешить или изменить.

Давайте рассмотрим очень интересный список /43; с. 96—99/, который пусть в первом приближении, но все-таки позволит вам определить психологические проблемы, приведшие к нарушению в деятельности вашего драгоценного организма.

- «Волосы символизируют силу. Проблемы с волосами — признак хронического страха. Когда человек испуган, он как бы втягивает голову в плечи, словно пытается защититься от нападения. При этом создается сильное напряжение в плечевом поясе, распространяющееся и на голову, что в свою очередь блокирует питание волосяных мешочков.

- Уши. Проблемы возникают тогда, когда в жизни происходит нечто такое, чего наотрез не хочется слышать. Боль в ушах сигнализирует о выраженном раздражении, источником которого является то, что вам приходится слышать.
- Глаза. Проблемы с глазами означают символический протест против того, что приходится видеть, в частности, в себе самом или собственной жизни. Возникающие микронапряжения в глазных мышцах изменяют фокус, и зрение рассеивается. Когда привычка к подобной физиологической реакции становится прочной, соответственно и изменения делаются стойкими.
- Шея. Отражает такую способность мышления, как его гибкость. Проблемы с шеей могут указывать на упрямство и ригидность, «упертость» в собственные установки.
- Горло. Самоутверждение. Недаром существуют такие общераспространенные выражения, как: «отдать за кого-то свой голос», про иного говорят: «у него совсем нет своего голоса». Кашель зачастую выражает бессознательное сопротивление. Проблемы с самоутверждением психосоматически проявляются в болезнях горла.
- Спина. Телесный символ поддержки и защиты.
- Легкие. Способность участвовать в трансформации жизненной энергии. Обеспечение жизненного пространства. Проблемы с легкими могут отражать бессознательный страх перед жизнью.

Астма — это сигнал нежелания жить самостоятельно, страх перед откровенностью, искренностью и боязнь перемен.

- Грудь. Материнский принцип. Встречаются ситуации, которые метафорически характеризуют — «задушить своим вниманием», «задушить своей любовью». Проблемы с грудью связаны с данным проявлением.
- Сердце. Любовь. Нарушение сердечной деятельности связано с недостатком чувства любви и безопасности, невниманием к собственным чувствам, эмоциональным самоподавлением, боязнью открыться спонтанным чувствам, заниженной самооценкой по типу «не достоин любви».
- Сосуды. Регуляция жизненного тонуса. Гипертония развивается как следствие самоуверенного желания взять на себя непосильную нагрузку, одержимости трудом без отдыха и передышек, потребности оправдать ожидания окружающих, стремления к утверждению собственной значимости перед другими, что является проявлением склонности к перфекционизму.
- Зубы. Сила. Решительность. Первое соприкосновение с незнакомой информацией. Подготовка к перевариванию. Размельчение информации. Проблемы с зубами отражают нерешительность и несамостоятельность. Иногда потеря зубов может означать символическую кастрацию, как самонаказание вследствие чувства вины, реактивно возникшей на стремление к наслаждениям. Здесь обращает на себя внимание примечательное совпадение, что сладости, от которых якобы «портятся зубы», и «наслаждение» — слова одного корня.
- Желудок. Усвоение новой информации. Расстройства желудка отражают тенденцию застревать в прошлом, привязанность к старым идеям и неготовность взять ответственность за настоящее. Гастрит возникает на фоне длительной раздражительности. Изжога — свидетельство подавленной агрессивности.

- Поджелудочная железа. Переработка и усвоение сладостного чувства любви. Диабет развивается как следствие потребности в контроле и сопротивления принятию и усвоению любви.
- Печень. Фабрика организма по переработке негативной, токсической информации. Неразряженный гнев приводит к нарушению деятельности данного органа.
- Желчный пузырь. Переработка агрессии в таких ее вариантах, как злобность и раздражительность. Выражение «желчный характер» психосоматически весьма точно.
- Толстая кишка. Освобождение от лишнего, переваренного и потому отжившего свое прошлого. Колиты и запоры являются непосредственной реакцией на избыток накопленных чувств, переживаний и жизненного опыта, с которыми субъект не желает расставаться.
- Почки. Выведение токсической информации — страхов, разочарований, осуждения, критики. Соответственно нежелание избавляться от указанных качеств способствует нарушению функции почек.
- Мочевой пузырь. Выделение переработанной, токсической информации.
- Надпочечники. Трансформация страхов, тревог, беспокойств в силу.
- Ноги. Опора. Связь с землей. Мы держимся на ногах не только на земле, но и в жизни. Проблемы с ногами означают слабую связь с опорой, недостаточно прочную уверенность в себе и своей позиции.
- Простуда. Сигнализирует о сбое иммунной системы, стремлении слишком много успеть. Организм вынужден сделать остановку, паузу, прервать спешку.
- Суставы. Эмоциональная подвижность.
- Несчастные случаи не являются случайными, они создаются нами же самими. Наши подсознательные импульсы, формирующие систему соответствующих убеждений, буквально привлекают несчастный случай. Заметьте, что с одними постоянно случается

что-то, в то время как другие проживают жизнь без единой царапины. Несчастный случай, режете ли вы палец или попадаете в автомобильную аварию, — это всегда проявление агрессии, направленной на себя. Несчастные случаи — это также восстание против того, кого мы хотим наказать, это выражение обиды. Мы так злимся, что хотим кого-то ударить, а вместо этого ударяем себя. Чувство вины всегда ищет наказания, и оно является в виде несчастного случая.

Боль есть выражение чувства вины. Вина всегда ищет наказания, наказание же создает боль (в конечном итоге несчастный случай — тоже боль)».

Ну а в части новых предпосылок болезни и здоровья, хочу предложить вам те из разработанных специалистами по нейролингвистическому программированию, которые позволят вам совершенно по-другому воспринять проблему вашего исцеления /27; с. 88–89/.

«Ваш организм обладает естественным здоровьем.

«Большая часть активности организма направлена на выживание и восстановление самого себя. Каждый раз, когда мы порежемся, мы становимся свидетелями процесса выздоровления, наблюдая, как рана заживает сама собой. Кожа срастается, и рана пропадает. Даже в худших обстоятельствах, несмотря ни на что, наш организм будет стремиться выжить и выздороветь. Он способен вылечить себя от любой болезни, выполнив определенную работу. Проблема лишь в том, чтобы знать, какую работу необходимо провести. Нездоровье и болезнь — это состояния, в которых организм выведен из равновесия. Выздоровление — это возвращение к здоровью, к состоянию равновесия. При этом подразумевается, что вы можете доверять своему организму. Те сообщения, которые он передает вам в виде боли или болезни, представляют собой сигналы о том, что что-то не в порядке и требует внимания. Организм — это не своенравный враг, стремящийся при первой возможности вас свалить.

Вы можете извлечь урок из любой болезни.

Оцените удивительную способность вашего организма выздоравливать и вспомните о том, что происходило до вашей болезни. Какие факторы, по вашему мнению, способствовали заболеванию? Некоторые из них не поддаются вашему контролю. Но есть и такие, которые вы в состоянии изменить сами.

Разум и тело представляют собой одну систему.

Ваши мысли действуют на ваше тело, а то, что вы делаете со своим телом, оказывает влияние на ваши мысли. Это дает возможность управления теми процессами, которые протекают в вашем теле и разуме. Вы можете избегать тех мыслей, которые ухудшают ваше здоровье, и лелеять те, которые улучшают его.

Симптомы представляют собой сигналы.

Узнайте, что эти сигналы значат, вместо того, чтобы сразу же избавляться от них. Когда вы прислушиваетесь к тому, что говорит вам ваше тело, вы совершаете подстройку к самому себе, еще глубже познавая себя»».

О причинах наших болезней

Нет, я не о микробах, неблагоприятной среде, плохой наследственности и многом другом, чем занимается современная медицина. А о том, почему при прочих равных в этой самой патологии один человек заболевает, а другой остается совершенно здоровым.

Так вот, с этакой — более широкой — точки зрения в нынешнем XXI веке любая болезнь рассматривается в том числе как:

- ***сигнал о неверности и неправильности стиля и способов жизни и деятельности данного конкретного индивида***, а также о возникших проблемах и неблагополучиях: своеобразное предупреждение со стороны сознания и тела;

- ***способ получения человеком каких-то необходимых ему выгод*** — весьма, конечно, причудливым и, в полном смысле этого слова, болезненным образом.

По опыту знаю, что такой вот неожиданный подход к человеческим болезням вызывает у людей не только недоумение, но даже и сопротивление — временами яростное. А вам для целей исцеления нужно не столько умственно понять, сколько всем сердцем принять две вышеприведенные абсолютные истины. Так что давайте разберемся.

Начнем с первой причины наших болезней — сигнальной и, кстати, отчасти уже упомянутой. Так вот, можно (и нужно) рассматривать болезни как сообщение о проблемах.

От себя — к себе.

Сообщение это проявлялось ранее в каких-то других формах. Но вы его проигнорировали. И тогда оно стало грубее и превратилось в болезнь тела. Дальнейшее игнорирование сообщения делает вашу болезнь острее. А вы продолжаете заниматься не причиной, а следствием, усугубляя свое состояние. Образуется своеобразный порочный круг, разорвать который вы сможете только тогда, когда выясните, с чем связана ваша болезнь. И устраните причину вашего недуга.

Для простоты, предположим, что вы пьете. Не просто так, как некоторые — редко и «интеллигентно». А так, как пьют нынче почти все — «по-черному». Через несколько лет своей веселой жизни вы можете начать ощущать тревожные сигналы со стороны собственной печени, которой явно не нравится этакий ваш разухабистый стиль жизни.

Если вы и дальше будете, игнорируя требования своего тела, систематически и целенаправленно разрушать собственный организм, сигнал усилится и приобретет другую, более резкую форму — например, алкогольного ожирения печени. А если и это не поможет, вскоре, рано или поздно, раздастся «последний звонок» в виде, например, цирроза, который вы уж точно не сможете игнорировать, так как ваш собственный организм как бы поставит вопрос ребром: пить или жить.

Конечно, это весьма упрощенный пример. На самом деле болезнь как сигнал жизненного неблагополучия и неверности пути или способов действий зачастую имеет куда более изощренный характер — в плане связи между неблагополучием и «сигналящей» о нем болезни. Так, по мнению Л. Хэй /42/, основными психологическими причинами, вызывающими большинство недугов тела, являются придирчивость, гнев, обида и сознание вины.

Если, к примеру, человек занимается критикой достаточно долго, то у него часто появляются такие заболевания, как артрит.

Гнев вызывает недуги, от которых организм как бы вскипает, сгорает, инфицируется.

Надолго затаенная обида разлагает, пожирает тело и в конечном счете ведет к образованию опухолей и развитию раковых заболеваний.

Чувство вины всегда заставляет искать наказания и приводит к боли.

Именно эта почтенная дама создала удивительную вещь: огромный список или, точнее, справочную таблицу, в которой каждой болезни «приписана» психологическая проблема, ее породившая. Вы найдете этот список в вышеупомянутой книге Л. Хэй /42/ «Исцели свое тело» и, безусловно, внимательно изучите. Однако, дабы не откладывать этого важного дела в долгий ящик, прямо сейчас я предлагаю вам изучить составленную уже другим автором «короткую версию» этого списка /40/. Очень может быть, что-то из включенного в него станет для вас откровением. Учтите при этом, что я привожу данный краткий список психологических проблем, порождающих соответствующие болезни, не как справочник, а как информацию к размышлению и руководство к действию...

Теперь о второй причине наших болезней — пресловутых дополнительных выгодах.

Заболевание	Возможная проблема
Нежелательные привычки	Бегство от себя. Недостаточная любовь к себе
СПИД	Отрицание себя. Сексуальное самообвинение
Аллергия	Отрицание собственных способностей
Проблемы со спиной	Недостаток поддержки
Рак	Обида, горе, ненависть
Простуда	Замешательство. Слишком многое происходит сразу
Запор	Застревание в прошлом. Невозможность раскрепостить старые идеи
Диабет	Потребность контролировать
Проблемы с глазами	Печаль. Нежелание что-то видеть
Ожирение	Защита от чего-то
Грипп	Реакция на массовые негативные убеждения
Проблемы с сердцем	Недостаток любви и безопасности. Эмоциональная замкнутость
Инфекционные заболевания	Раздражение, злость, досада
Проблемы с почками	Осуждение, разочарование, неудача
Болезни легких	Недостаток пространства. Неумение жить самостоятельно
Проблемы с животом	Боязнь нового. Неспособность усваивать новые идеи
Проблемы с зубами	Нерешительность. Неумение принимать решения
Проблемы с горлом	Неспособность высказываться самостоятельно
Опухоли	Старые травмы или потрясения. Угрызения совести
Язвы	Убежденность в собственной неполноценности

Отечественным читателям об этом во всеуслышание сообщила все та же Л. Хэй.

О том, что в любом недуге есть надость — иначе его бы у нас не было. О том, что симптом любой болезни есть чисто внешнее проявление каких-то внутренних причин.

И о том, что для того, чтобы исцелиться, нам надо уйти вглубь и уничтожить истинную — психологическую! — причину болезни.

Современная медицина, по мнению Л. Хэй, борется только с внешними проявлениями болезни, а это то же самое, что срывать сорняк, не уничтожая его с корнем. Корнем здесь выступает именно неудовлетворенная нужда, или надобность человека. Так что если вы уничтожите нужду, вы уничтожите и болезнь — ведь без корня растение умирает...

И в нейролингвистическом программировании, и в холистической медицине, и в духовных практиках (и т.д., и т.п.), принят именно такой подход к проблеме болезней: что человек сам их создает, дабы таким странным образом добиться удовлетворения каких-то своих потребностей — «вторичных выгод» на жаргоне психотерапевтов.

Поскольку иным, менее «болезненным» способом он их удовлетворить не может (обычно из-за своеобразной цензуры: когда норм общества, а когда и своего сознания). И тогда его собственное бессознательное, отлично понимающее, чего на самом деле данный индивид действительно хочет, включает механизм болезни, каковая и удовлетворит эту самую его нужду.

При этом совесть человека, как говорится, чиста — он ведь сознательно не пошел против норм общества и не поступился своими принципами. Хотя на самом деле именно это и сделало его бессознательное, которое просто не собирается об этом сообщать, дабы не усугублять и без того неблагоприятную ситуацию еще и угрызениями совести.

Чтобы понять вышеописанное, представьте себе семью, живущую по модели, которую известный психоаналитик Р. Скиннер в своей написанной в соавторстве с

Дж. Клиизом книге /36/ ехидно окрестил «Тарзан и Джейн». Согласно этой негласно принятой (в том числе и у нас в России) модели, муж должен преимущественно выступать в ипостаси бесстрашного добытчика жизненных благ, тогда как жена — в роли скромной домохозяйки. К сожалению, ни первого, ни вторую это в конечном счете не устраивает. Мужу, например, давно уже в тягость «тарзанья» жизнь в деловых джунглях, которых он, кстати, просто побаивается. А жене напрочь осточертело существованис в пространстве между кухней и спальней, так не похожее на феминистические экзерсисы телепередачи «Я сама». В результате всего этого напряжение — и в жизни каждого из этих супругов по отдельности, и в совместной их жизни — нарастает. И когда оно достигает некой критической точки, на помощь приходит бессознательное мужа, которое просто «заболевает» его, дабы он (на вполне законных основаниях!) хоть на время избавился от необходимости добывать и добиваться. И отдохнул от роли Тарзана в уюте семейного логова. В это время его жена получает прекрасную возможность «потарзанить» — не только ухаживая за приболевшим мужем, но и улаживая его неотложные деловые проблемы. Довольны оба. Взаимные вторичные выгоды от болезни — налицо.

А самое любопытное здесь то, что если такая вот болезнь мужа как способ решения взаимных проблем устроит обоих супругов, то она превратится в самовоспроизводящийся механизм и будет появляться и проявляться с периодичностью смены времен года — например, раз в квартал или раз в полгода! К стыду своему признаюсь, что я, весьма здоровый человек, годами укреплявший свое тело восточными единоборствами и даосским направлением цигун, вплоть до недавнего времени болел какой-то загадочной смесью ОРЗ и ОРВ: точно два раза в год и в одни и те же месяцы. До тех пор, пока не понял, что таким жестким способом мое бессознательное «вышибает» меня из беличьего колеса безумно перегруженной жизни, дабы я даже не то чтобы отдохнул, но просто остановился, оглянулся и подумал. Болезнь эта немедленно ушла навсегда, как только я взял за правило делать себе недельные каникулы ровно два раза в год — в те самые месяцы...

Однако спешу предупредить вас о важном. Хотя почти любая болезнь человека ориентирована на получение вторичных выгод, невыгодность самой этой болезни может намного превосходить «вторичновыгодность» от ее существования. Здесь достаточно упомянуть о том, что согласно К. и С. Саймонтонов /35/, рак — смертельная болезнь — очень часто усугубляется и даже как бы «запускается» именно вторичными выгодами. Потребностями и нуждами, которые иначе человек удовлетворить не может — чтобы его пожалели, чтобы его полюбили, чтобы его вернули и приняли, чтобы от него отстали и т.д., и т.д. Так не проще ли определить и удовлетворить все эти потребности, не обрекая себя на болезни и смерть?

Ну вот пока и все по поводу болезней и их излечения. Пора приступать к описанию того, как и почему столь желаемое вами исцеление быстро и эффективно осуществляется в нейролингвистическом программировании. Однако перед этим (а вообще-то отныне и далее) — несколько упражнений, которые дадут вам возможность лучше понять вышеописанное и просто начать исцеляться...

Позволю себе сделать, однако, несколько замечаний по поводу этих упражнений.

Первое — о том, что их тщательное и вдумчивое выполнение совершенно необходимо для вашего исцеления, ибо «ни одно лекарство не поможет больному, если он откажется его принимать» (Б. Грасиан). А предлагаемые упражнения и есть это самое лекарство...

Второе — о том, что структура упражнений тщательнейшим образом продумана и тысячи раз проверена, так что если у вас по ее поводу появляются хоть какие-то сомнения, лучше честно спросите себя: а вы действительно хотите исцелиться? Не скрою: со своими клиентами я работаю по иным, заведомо более коротким схемам и модулям (и даже с применением совсем других психотехнологий). Но на то я и Мастер – Тренер искусства нейролингвистического программирования, а вы таковым, увы, не являетесь...

И третье — о том, что «упражнения по разделу» и описания психотехнологий, как бы являющихся сутью этих упражнений, не случайно «разведены» в тексте этого раздела. Только после того, как будет прочтен весь без исключения его текст — очень возможно, что и не один раз, — вы окажетесь в состоянии «принять лекарство», сиречь сделать соответствующие упражнения...

Упражнение 1.

→ Используя собственный опыт, а также как следует расспросив родственников и знакомых, вспомните или найдите не менее десятка случаев спонтанных самоисцелений, дабы понять и даже поверить в то, что они действительно существу-

Упражнение 2.

→ Немного поройтесь в литературе, посвященной истории медицины, и составьте хотя бы не очень большой список странных лекарств, которые когда-то использовались врачами (начать можете с помета летучей мыши, сушеных пауков и толченого зуба крокодила). Закончив, хорошенько подумайте об эффекте плацебо и о том, как он работал, работает и будет работать (и ныне, и присно, и во веки веков...).

2-5117

Упражнение 3.

→ Объясните кому-нибудь из родственников и знакомых основы нового подхода к исцелениям — но только обязательно притворившись, что вы их сами понимаете. Очень может быть, что в результате вы действительно кое-что поймете — и о психосоматическом подходе, и о новых предпосылках болезни и здоровья.

Упражнение 4.

→ Пользуясь двумя вышеприведенными списками, попробуйте понять, о чем сигнализировала ваша болезнь? Может быть, о неверности стиля и способов жизни?

Упражнение 5.

→ Определите — хотя бы в первом приближении, — какие именно вторичные выгоды дарят вашим родственникам и знакомым присущие им болезни. Закончив этакий «болезнетворный психоанализ», подумайте о себе и о собственном заболевании...

1.2. Что такое НЛП

«Целью всей деятельности интеллекта является превращение некоторого «чуда» в нечто постигаемое».

А. Эйнштейн

Сущность нейролингвистического программирования

Сущность НЛП как науки (очень кратко, но достаточно для начала) можно свести к трем положениям. Согласно первому из них, нейролингвистическое программирование представляет собой как бы *модель* психологических процессов и поведения человека — модель, построенную на вполне отчетливой компьютерной аналогии. По данной модели человеческий мозг может быть представлен в виде сверхмощного компьютера, а индивидуальная психика — как набор программ. Эффективность жизнедеятельности человека (и в том числе его здоровье) определяется качеством его «программного обеспечения», и может быть существенно повышена за счет перехода на более совершенные «программы» психической деятельности с одновременным исключением «программ» несовершенных.

Согласно второму, немного странному, положению НЛП, содержание человеческого опыта (являющееся основным предметом «классической психологии»), в деле программирования человеческой психики, не столь уж и важно.

Нейролингвистическое программирование уделяет основное внимание организации этого опыта — тому, как человек строит свой опыт; какие процессы лежат в основе данного построения; и как всем этим можно управлять. Именно в связи с этим «классики» нейролингвистического программирования часто предлагают рассматривать использование этой науки как своеобразный образовательный процесс: переобучение мозга. Большинство реакций людей на внешние и внутренние раздражители являются стереотипными и автоматическими — но далеко не всегда полезными и эффективными («экологичными», как говорят энэлперы).

Путем замены старых «программ» на новые НЛП создает более продуктивные формы поведения и реагирования на внешние и внутренние условия и обстоятельства.

И наконец, согласно третьему положению НЛП, смысл и предназначение нейролингвистического программирования можно выразить в виде простой метафоры. Если вы покупаете какую-нибудь сложную вещь — телевизор, компьютер и т.п., то в обязательном порядке требуете инструкцию по пользованию этой самой вещью. Иначе вам просто не удастся воспользоваться всеми возможностями, которые заложены в любом сложном изделии. Но тогда как же жаль, что Мать-Природа, снабдив нас таким прекрасным инструментом, как мозг, то ли забыла, то ли не захотела приложить к этому изделию подробную инструкцию по пользованию. Соответственно, нейролингвистическое программирование и является наукой, которая как бы разрабатывает инструкции по использованию возможностей человеческого мозга. Инструкции по управлению мозгом — своим и чужим.

Пресуппозиции НЛП

Если вы поняли или приняли к сведению изложенное выше, можно пойти дальше и заняться изучением *пресуппозиций* нейролингвистического программирования: некоторых базовых положений, от которых как от печки и надо «танцевать». Всего их существует более десятка, но мы с вами остановимся только на трех важнейших:

«Карта — это не территория»;

«Сознание и тело — части единой биокибернетической системы»;

«Убеждение — это самооправдывающееся пророчество или самореализующееся предсказание».

Согласно первой пресуппозиции, ни одна «карта» (т.е. описание какой-то реальности или ее фрагмента) не может полностью охватить «территорию» (эту самую реальность или ее фрагмент).

А это значит, что медицинская «карта», в которой вы со своей болезнью варитесь уже в течение весьма долгого времени и все никак не исцелитесь, просто не в состоянии охватить «территорию» излечения и здоровья! И вам следует не отчаиваться, а просто искать новые «карты» — те, в которых эта самая «территория» излечения и здоровья будет, наконец, представлена (т.е. у вас появится реальная возможность исцелиться). Одну из этих новых «карт» — пусть даже и не очень точную — я вам и представляю под именем нейролингвистического программирования...

Согласно второй пресуппозиции (и вопреки заблуждению Декарта, почти стопроцентно разделяемому медиками), Сознание и Тело — вовсе не «две большие разницы», а наоборот, нечто единое и взаимосвязанное. Как, вы не знаете об ошибке великого Декарта? Да ведь именно он впервые ввел это убийственное разделение!

Еще более двух с половиной тысяч лет назад не менее великий Гиппократ учил, что все, что оказывает воздействие на сознание, влияет и на тело, и наоборот. И может быть, именно поэтому слабенькая (с нашей точки зрения — ни тебе таблеток, ни уколов) медицина древних все же лечила людей. И очень неплохо лечила — пусть даже в силу плацебо-эффекта. А в XVII веке об этом забыли, и все благодаря пресловутому Декарту, который «разделил» человека на две отдельные части: Тело (soma) и Сознание (psyche). И более того, утверждал поистине чудовищную вещь, которая едва ли не стала главным постулатом современной медицины. То, что тело представляет собой механизм, построенный из нервов, мускулов, вен, крови и кожи, так что если бы даже в нем совсем не было разума, оно не прекратило бы выполнять свои функции...

Как говорится, комментарии излишни — особенно если вспомнить, что пресловутый и уже не раз упомянутый эффект плацебо является следствием прямого воздействия Сознания на Тело. Воздействия, которое способно заменять собой не только таблетки, но и хирургические операции!

Да-да, именно их. Так, в одном из экспериментов с реальной и фиктивной (якобы сделанной) операцией, заметное улучшение наблюдалось у 65% прошедших настоящую операцию, и у 100 (!)%, фиктивно оперированных /27/... Для нас, правда, главное здесь то, что если Сознание и Тело — части одной биокибернетической системы, то, изменяя Сознание, мы вполне можем изменить (исцелить!) и это самое Тело. И что полное и подлинное излечение Тела требует полноценного исцеления Сознания...

Тем из вас, кто заинтересовался вопросом о том, *почему* это происходит и не удовлетворился концепцией нейросоматического контура, поясню, *как* это работает.

В современной медицине (той, которая действительно современная) принята так называемая *гипоталамо-гипофизарная* теория. Согласно ей, у каждого из нас есть гипоталамус — своеобразный «контролер», воспринимающий и передающий далее сигналы от различных отделов головного мозга. А еще у нас есть гипофиз — одна из важнейших желез внутренней секреции, контролирующая и «подправляющая» иммунную систему.

Воздействуя на Сознание, мы как бы изменяем (с болезни на здоровье) «программы» гипоталамуса, который, воздействуя на гипофиз (точнее — на всю гипофизарную систему), за счет вырабатываемых гормонов и биологически активных веществ, доводит все эти новые «программы» буквально до каждой клетки нашего дорогого и горячо любимого Тела!

Ну а согласно третьей пресуппозиции нейролингвистического программирования, то, во что верит человек, имеет тенденцию сбываться. И если он верит в выздоровление, то почти стопроцентно выздоровеет — практически без каких-либо процедур и лекарств.

А если не верит, то никакие, пусть даже суперсовременные и сверхнадежные достижения медицинской науки могут оказаться бессильны. Как не без ехидства заметил Л. Орр, человеческий мозг ведет себя так, как если бы он состоял из двух частей: Думающего и Доказывающего. Думающий (а точнее, Верящий или Убежденный) может верить во что угодно — в Бога, черта, коммунизм, демократию, а также в излечение от ревматизма вследствие плевка любимой тещи точно в центр поясницы. Доказывающий же все это доказывает. Доказывает все, во что верит Думающий.

Я позволю себе здесь привести весьма пространную цитату очень уважаемого и уже упоминавшегося мною автора — Р. Уилсона /39; с. 25–26/.

«Думающий может думать практически обо всем. Как показала история, он может думать, что Земля покоится на спинах бесконечных черепах, или что она внутри пуста, или что она *плывет в пространстве*... Сравнительная религия и философия показывают, что Думающий может считать себя смертным, бессмертным, одновременно смертным и бессмертным (реинкарнационная модель) или даже несуществующим (буддизм). Он может думать, что живет в христианском, марксистском, научно-релятивистском или нацистском мире — и это еще далеко не все варианты.

Как часто наблюдалось психиатрами и психологами (к вящей досаде их медицинских коллег), Думающий может придумать себе болезнь и даже выздоровление.

Доказывающий — это гораздо более простой механизм. Он работает по единственному закону: что бы ни думал Думающий, Доказывающий это доказывает.

Вот типичный пример, породивший невероятные ужасы в этом столетии: если Думающий думает, что все евреи богаты, Доказывающий это докажет. Он найдет свидетельства в пользу того, что самый бедный еврей в самом захудалом гетто где-то прячет деньги. Подобным образом феминистки способны верить, что все мужчины (включая голодных бродяг, которые живут на улицах) эксплуатируют всех женщин (включая английскую королеву).

Если Думающий думает, что Солнце вращается вокруг Земли, Доказывающий услужливо организует восприятие так, чтобы оно соответствовало этой идее; если Думающий передумает и решит, что Земля вращается вокруг Солнца, Доказывающий организует свидетельства по-новому.

Если Думающий думает, что «святая вода» из Лурда излечит его люмбаго, Доказывающий будет искусно дирижировать сигналами от желез, мышц, органов и т.д. до тех пор, пока организм вновь не станет здоровым.

Конечно, довольно легко понять, что мозг других людей устроен именно так, намного труднее осознать, что точно так же устроен наш собственный мозг».

И не случайно, согласно данным последних исследований, все наиболее современные методы лечения успешны и эффективны при наличии двух условий.

Во-первых — уверенности врача в предлагаемом курсе лечения.

А во-вторых — убежденности пациента в том, что у этого доктора и с помощью данного курса он действительно вылечится. Непосредственный физиологический эффект лечения оказался не очень-то и важным...

Методы нейролингвистического программирования

Теперь о методах НЛП. Вообще-то все психотехнологии (так мы их обзываем) НЛП можно подразделить на техники низшего, среднего и высшего уровней. В этой книге вы, в основном, будете работать с базовыми методами нейролингвистического программирования (хотя и познакомитесь с некоторыми «продвинутыми»), которые исходят из очень интересного положения:

Любые сложные явления, происходящие в Сознании и Теле человека, можно свести к системе элементарных процессов и кодов деятельности его мозга, изменение которых, в свою очередь, изменяет и эти самые явления.

Согласно НЛП, буквально все программы психики человека (и в том числе — болезни и здоровья) вполне можно разложить на элементарные, поддающиеся изменению составляющие, каковые потом можно будет собрать заново — но уже в нужной последовательности. С точки зрения нейролингвистического программирования психику человека можно представить в виде этакого набора элементов типа конструктора «Лего». Из данного набора можно собрать практически все что угодно — в том числе, разумеется, и то, что необходимо для вашего выздоровления.

Но, к сожалению, во-первых, у многих из нас эта самая сборка была осуществлена крайне неудачно, так что в результате получилось невесть что. А во-вторых, практически у всех в получившихся (весьма уродливых) «конструкциях» не хватает некоторых весьма важных элементов, которые, по той или иной причине, были нами забыты или потеряны.

Но элементы эти не исчезли совсем. Они просто спрятались в дальних уголках и глубинах нашего бессознательного.

Изучая элементы психики, которые, складываясь в последовательности, и образуют наши программы, специалисты по нейролингвистическому программированию обнаружили, что любой человеческий опыт состоит из:

визуальных образов и восприятий;

внешних и внутренних звуков и голосов;

приходящих извне или изнутри ощущений,

а также различных логических конструкций.

В общем-то это вполне естественно, ибо, как известно, имеется пять основных способов, с помощью которых мы познаем окружающий мир: ***зрение, слух, ощущения, вкус*** и ***запах.*** Наиболее важными являются первые три из них — визуальный (V), аудиальный (A) и кинестетический (K) каналы получения информации, а также четвертый, свойственный только людям (а не всему прочему живому): логический или, иначе, дискретный (Д) — формулы, графики, схемы и тому подобные достижения человеческого разума.

Так вот, по НЛП, именно эти самые V, A, K и D — образы, звуки, ощущения и логические модели, называемые ***модальностями***, по-разному организуясь и сочетаясь, не только создают наш опыт, но и определяют схемы реагирования или, иначе, способы поведения в мире, являясь как бы своеобразными кодами программ человеческой жизнедеятельности.

А это значит, что для того, чтобы изменить эти самые программы, часто вполне достаточно, не особо вдаваясь в то, откуда и как они появились, просто *поменять последовательность, организацию и конкретное содержание соответствующих VAKD*!

При этом нужно учитывать один существенный момент. А именно тот, по которому для того, чтобы договариваться с кем угодно, иногда просто достаточно (и всегда необходимо) говорить на его языке. Использовать подходящие, привычные тому, с кем мы собираемся договориться, выражения и коды. И здесь важно то, что два полушария человеческого мозга работают совершенно по-разному. Совсем различно осваивают действительность. И «разговаривают» на абсолютно разных языках.

Левое полушарие, условно соответствующее сознанию, понимает и использует слова и знаки.

Правое же, отвечающее и соответствующее бессознательному, «разговаривает» и «мыслит» только образами, символами и ощущениями, причем закодированными вполне определенным образом.

В результате большинство ваших (и других) объяснений, увещеваний и словесных внушений, если и достигают подсознания, то только посредством сознания и очень-очень нескоро. А в целом ряде случаев попросту не доходят до «блока управления» соответствующим процессом (чтобы проверить это, попробуйте точно так же «уговорить» забарахливший компьютер заработать нормально).

Как вы уже знаете, в нейролингвистическом программировании для этого используются своеобразные коды бессознательного. Но главное здесь то, что в любом случае работа с любой же патологией напоминает в НЛП именно «ремонт» засбоившего компьютера: вошел в операционную систему, нашел вирус или дефектный файл, убрал ненужное, добавил необходимое, перезагрузил «биокомпьютер» — и все.

Быстро, беспроблемно и с немедленной проверкой работоспособности...

Возможности человеческого бессознательного

Почему мы заговорили о бессознательном? А вы разве еще не поняли? То, что и ваша болезнь, и возможности ее излечения находятся отнюдь не в сознательной части вашей психики, а иначе вам не нужна была бы эта книга — вы бы просто как следует помыслили и сразу стали здоровым. К сожалению (но, может быть, и к счастью), программы и болезни, и здоровья давно уже стали достоянием вашего бессознательного. Не случайно то самое тело, которое вам надлежит исцелить, ученые называют *овеществленным бессознательным.*

Вы, конечно же, знаете о существовании у человека сознательной и бессознательной частей его психики. Однако, возможно, даже не подозреваете, что, по мнению специалистов по НЛП, только 6% планов и программ человеческого поведения являются сознательно-осознанными. 94% этих самых планов и программ действуют и функционируют на бессознательном уровне.

Объясняя это, энэлперы обычно опять-таки приводят компьютерную аналогию. Из чего состоит любой компьютер? Из дисплея, на котором отображается выводимая информация и который «психологически» соответствует зоне непосредственного осознания. Из оперативной памяти, которая может считаться полным аналогом осознаваемой части нашей психики. И из системного блока с хард-диском, на котором содержится вся накопленная конкретным компьютером информация, и который как раз и соответствует бессознательному.

В анализе соотношения и ролей сознательного и бессознательного специалисты по нейролингвистическому программированию безоговорочно констатируют примат последнего — по целому ряду причин, из которых упомяну только три.

Во-первых, быстродействие бессознательной части человеческого Разума на несколько порядков (!) выше быстродействия части сознательной (т.е. сознание, увы, тугодумно, в то время как бессознательное мыслит молниеносно и безошибочно).

Во-вторых, в сознании хранится только очень небольшая часть накопленной индивидом информации, в то время как в бессознательном человека находится абсолютно полная запись всех событий и сведений, которые он почерпнул на жизненном пути (вы только представьте, сколь компетентными вы были бы, если бы помнили, ну хотя бы все те книги, которые прочли, — а ведь и они в полном объеме записаны на хард-диске вашего мозга-компьютера).

В-третьих, по данным так называемой трансперсональной психологии, в определенных режимах работы именно бессознательное человека оказывается способным подключаться как бы к гигантской системе «Интернет» — Коллективному Бессознательному. И черпать из него информацию, зачастую недоступную не только индивидуальному сознанию, но и коллективному сознанию большинства живущих в настоящее время на Земле представителей человечества. Ныне многие обоснованно считают, что все великие Прозрения, Пророчества и Предсказания были получены людьми именно из того, что вслед за Тьярдом де Шарденом и Вернадским принято называть *ноосферой*.

А теперь — простой вывод из вышесказанного. Если 94% планов и программ нашего поведения находятся в бессознательном, то примерно столько же причин психологических и физиологических патологий помещаются именно там. Воздействовать на них сознательно-волевыми усилиями — дело заведомо безнадежное. Куда проще *договориться* с бессознательным, дабы все, что нужно, взять и изменить. Так как это рекомендует сделать нейролингвистическое программирование.

Теперь о том, почему нейролингвистическое программирование оказалось столь эффективным не вообще (вообще — в плане создания человеческого совершенства — оно *фантастически эффективно*), а, так сказать, в частности: для осуществления психосоматических исцелений. Да потому, что согласно современным воззрениям, любая болезнь имеет как бы три ипостаси своего существования: *материальную, энергетическую и информационную.*

Первая, которой и занимаются врачи, — это некие чисто физиологические (и патологические) изменения в организме человека.

Вторая, являющаяся прерогативой экстрасенсов и целителей, — это определенные сбои в энергетических параметрах функционирования данного организма: от пресловутых меридианов (в теле) до не менее пресловутой ауры (вне оного).

А вот третьей ипостасью болезни — информационной — (т. е. некой *системой программ и кодов болезни* уже в бессознательном человека) как раз более и успешнее всего занимаются именно энэлперы (специалисты по НЛП), работающие с системой программ и кодов, составляющих информационную суть жизнедеятельности человека. Но ведь именно эта — информационная — ипостась болезни и считается ныне важнейшей. Не верите? Ну тогда попробуйте объяснить, почему ваш организм всего за семь месяцев полностью обновляющий все без исключения (все-все-все) свои мягкие ткани, по истечении этих самых семи месяцев воспроизводит приобретенную им (и вами) патологию? А, наконец-то дошло...

Правильно, потому что эта самая патология уже как бы записана или зафиксирована в программах и кодах информационной жизнедеятельности ваших Сознания и Тела. И без изменения этих самых кодов и программ ваше излечение будет как минимум очень долгим. Поскольку станет осуществляться буквально «с точностью до наоборот», то есть по цепочке «физиология-энергетика-информация», вместо единственно верной и правильной «информация-энергетика-физиология». Более того, если начать именно с информации, улучшением энергетики и физиологии особо заниматься просто не придется. Организм — в процессе своего постоянного самообновления — сам справится с этой задачей. В полном соответствии с известной поговоркой: «Были бы кости (в данном случае — информационный «костяк» изменения), а мясо нарастет...»

«Мерседес» вашего выздоровления

Теперь поговорим более конкретно о том, как именно вы будете работать, дабы исцелиться.

Скажите, вам нравятся «Мерседесы»? Мне так да, хотя в силу явно завышенной их стоимости я являюсь давним, убежденным и последовательным поклонником автомобилей марки «Ауди». Тем не менее охотно пользуюсь «Мерседесом-SK» — но не автомобилем, а созданной мною моделью (на базе ранее разработанных в нейролингвистическом программировании), согласно которой любое связанное с человеком явлсние можно описать в этакой трехлучевой эмблеме вышеупомянутой и весьма уважаемой фирмы (см. рис. 1).

Рис. 1

Применим данную модель к вашей болезни и выздоровлению. Прежде всего отметим, что заболели вы (и продолжаете болеть) в некоем *окружении* — людей, вещей и прочего. Потому что то, что означенное окружение вызвало (и, возможно, до сих пор вызывает) у вас *хронический стресс*. А лежащая на стыке классической медицины и психологии новая наука, которую скромности ради вежливо окрестили «психоиммунологией», давно уже утверждает, что причиной большинства тяжелых заболеваний (включая рак) как раз и является психологический стресс, который подавляет иммунную систему организма, в результате чего она оказывается не способной справиться с вредными воздействиями окружающей среды (вирусами, инфекциями, атипичными клетками и т.п.). Так, по изложенным в книге воззрениям известных специалистов по психосоматическим исцелениям К. и С. Саймонтонов /35/, схема развития тяжелых заболеваний выглядит следующим образом (см. рис. 2).

Надеюсь, вам понятно теперь, что до тех пор, пока с помощью предлагаемых в этой книге методов и психотехнологий вы в этаком «антистрессовом» ключе не разберетесь со всем своим окружением, никакие таблетки и процедуры не помогут вам всерьез и надолго исцелиться...

А сейчас «нырнем» в «звезду» (это я про рис. 1) и займемся анализом роли и места в вашем заболевании и выздоровлении ***образов вашего Я*** (т.е. самого себя).

Так вот, первый и, пожалуй, самый важный элемент модели «Мерседес-SK» — это система Образов Самого Себя (ОСС), в данном случае связанная с вашей болезнью и выздоровлением.

В чисто психологическом плане это близко к тому, что в современном «человековедении» называют ***идентификацией***, как совокупностью представлений о себе и своем Я-образе, объединяющей и организующей состояния,

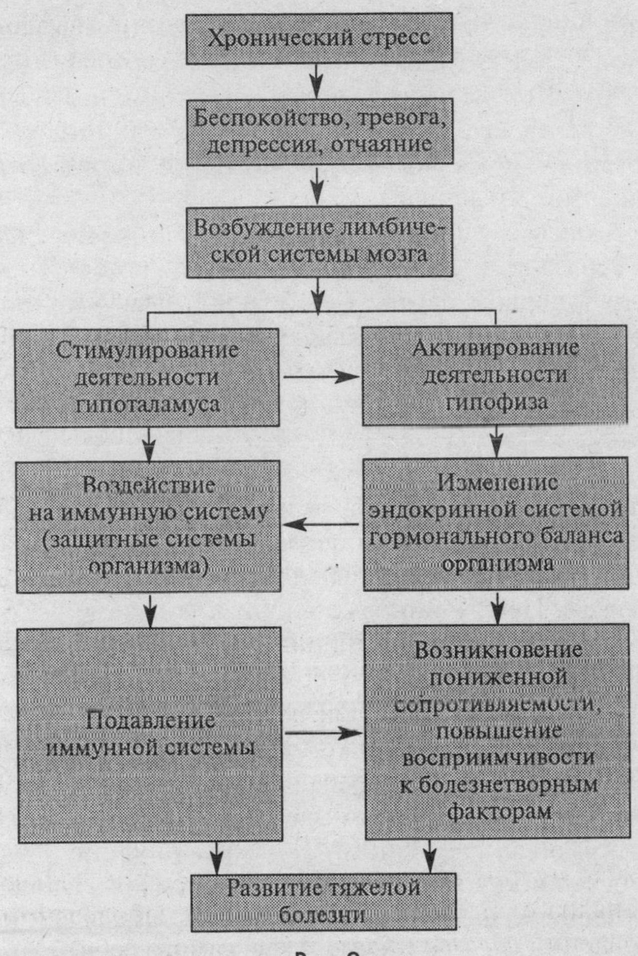

Рис. 2

поведение и убеждения человека. Все эти Образы Самого Себя как бы *операционализируют* различные стороны нашей идентичности и *репрезентируют* (представляют) отдельные грани «большого» Я-образа.

Впрочем, о некоторых теоретических аспектах ОСС мы с вами поговорим далее, а пока позвольте вопрос. Неужели вы не понимаете, что существует гигантская разница между такими представлениями о себе, как «Я больной человек» (добавьте еще: старый, глупый и никем не любимый) и «Я здоровый человек, временно утративший часть своего здоровья» (или даже такими, как «Я гипертоник» и «Я человек, у которого иногда бывает повышенное давление»)?

Ведь как вы судно назовете, так оно и поплывет, а если более серьезно, то, извините, и ежу должно быть понятно, что в первом случае («Я больной человек» или «Я гипертоник») все системы вашего Сознания и Тела будут стремиться соответствовать подобным самоидентификациям, и в результате бодро и целенаправленно сведут вас в могилу.

Тогда как в случае втором («Я человек, временно утративший часть своего здоровья» или «Я человек, у которого иногда бывает повышенное давление») эти же самые системы приложат все силы для того, чтобы убрать ваше нездоровье! Не случайно же японцы, живущие в Соединенных Штатах Америки и привыкшие к крайне вредной западной диете с высоким содержанием холестерина и жиров, но сохранившие свои традиции и продолжающие между собой говорить на родном языке, сохранили заодно и «среднеяпонские» высокую продолжительность жизни и низкий уровень сердечных заболеваний (то есть одной только самоидентификации «Я все равно японец» оказалось достаточно, чтобы сохранить долголетие и здоровье).

А в нашумевшем исследовании Э. Лайгер /27/, когда группу мужчин в возрасте от 75 лет и старше поместили в условия, соответствующие их жизни двадцать лет назад, все его участники поразительно помолодели. И сама вышеупомянутая исследовательница объяснила это омоложение тем, что все эти мужчины начали идентифицировать себя более молодыми!

Открою вам страшный секрет: практически все без исключения современные системы оздоровления (речь, как вы понимаете, идет о нетрадиционных) базируются на элементах нейролингвистического программирования (или используют их, сами того не подозревая). Но серьезного успеха добиваются лишь те из них, которые строят свою работу на изменении Образов Самого Себя. Например, это система М. Норбекова, где главным являются или выступают образы всемогущества и молодости/здоровья. Однако если бы все эти авторы хоть немножечко изучили НЛП в части психотехнологий создания ОСС (а вы эти психотехнологии изучите досконально), их системы имели бы куда больший эффект, чем нынче...

А теперь прикиньте: какой такой Образ Самого Себя присутствует у вас в связи с вашей болезнью? Что, не «больного», но «пациента»? Все равно плохо. Ведь пациент — это тот, кто болеет, а значит, все равно продолжая (пусть даже бессознательно) думать о себе как о больном, вы будете продолжать болеть, а может, и загонять себя в эту болезнь все глубже и глубже...

Теперь пойдем дальше и займемся «секторами» «Мерседеса SK» — и прежде всего ***состоянием***. Казалось, о нем просто особо не нужно говорить, поскольку чем иным является любая болезнь, как не набором весьма болезненных состояний. Однако речь идет о состояниях не только Тела, но Сознания. А ведь еще римский врач Гален — двадцать шесть столетий назад! — отметил, что женщины-меланхолики чаще заболевают, чем женщины-сангвиники. Что вы там так забеспокоились, дорогой читатель? А, вы тоже меланхолик... Ну так срочно прекращайте бояться. Во-первых, потому, что все выше- и нижеописанное является не правилом, а тенденцией, так что если у вас что-то даже и совпадет (в плане присущих вам личностных черт, определяющих предрасположенность к болезням), то это вовсе не значит, что вы обязательно заболеете — исключений более чем достаточно. А во-вторых, оттого, что именно эта книга (та, которую вы сейчас читаете), непременно и обязательно снабдит вас целым набором методов так называемого *личностного* *редактирования*, способных легко уменьшить и даже начисто убрать любую «вредность» (или неэкологичность) ваших состояний — опасную, как теперь выясняется, не только для других, но и для вас...

Почему состояний, а не того же темперамента? Да потому, что все дело заключается не столько в темпераменте, сколько в состояниях счастливости, которых у сангвиников куда больше. Ибо во все века и времена счастливые, беззаботные и жизнерадостные оптимисты жили дольше и с куда большим здоровьем, чем несчастные, озабоченные и безрадостные пессимисты. И не случайно Л. Лешен, очень известный исследователь психологии онкобольных, выделил следующие характерные особенности людей, заболевающих раком (по: /33/):

1. Неспособность выражать свой гнев, особенно в целях самозащиты.
2. Ощущение своей неполноценности и нелюбовь к самому себе.
3. Напряженность в отношениях с одним или более родителей.
4. Наличие тяжелой эмоциональной потери, на которую они реагировали чувством беспомощности, безнадежности, подавленности и стремлением к изоляции.

А К. и С. Саймонтоны выявили следующие устойчиво повторяющиеся психологические свойства онкобольных.

5. Значительно развитую способность затаивать обиды и неспособность прощать.
6. Чувство жалости к себе.
7. Слабую способность устанавливать и поддерживать значимые долговременные отношения.
8. Слаборазвитый образ «Я».
9. Чувство отвергнутости в детстве одним или обоими родителями.

Теперь перейдем к ***поведению***. Нет, не к теории, согласно которой любое поведение делится на *внешнее* (действия) и *внутреннее* (процессы в психике и в соматике), из чего следует, что ваша болезнь также реализует себя и протекает в этом внешнем и внутреннем, которое нужно изменить. А к чистой практике — возникновению вашей болезни. Давным-давно люди обратили внимание на то, что одной из важнейших причин, определяющих, заболеет человек или нет, выступают его поведенческие индивидуальные особенности и стиль жизни. Так, М. Фридман и Р. Розерман описали тип личности, который наиболее подвержен сердечно-сосудистым заболеваниям. Данный тип личности они назвали «Тип А».

Согласно итоговому описанию /33/, «Тип А» чрезвычайно настойчив, склонен к соперничеству и нетерпелив в отношении сроков выполнения какой-то работы (причем эти сроки часто бывают нереальны). Нередко люди, относящиеся к этому типу, — выдающиеся личности, но за их «выдающностью» часто скрывается глубоко спрятанное ощущение собственной незащищенности и малоценности. Чтобы успокоить себя, они ведут постоянный подсчет своих достижений: насколько больше денег они заработали в этом году по сравнению с прошлым, какой их социальный статус по сравнению с другими и т.п. Или (в зависимости от того, являются ли эти люди продавцами, юристами, хирургами или проповедниками) субъекты «Типа А» подсчитывают, сколько товара они смогли продать, сколько процессов выиграли, сколько провели операций или сколько спасли грешников...

Другая отличительная черта «Типа А» — это скрытая враждебность к людям, которая легко выходит на поверхность в критических ситуациях и чаще всего направлена на тех, кто «ниже»: подчиненных, семью или близких друзей (но очень редко на начальство или других людей, облеченных властью).

Наконец, еще одной характерной (и убийственной для их здоровья) чертой людей «Типа А» является «болезненная спешка» — то есть ощущение, что они всегда должны что-то делать и не «тратить время зря».

И как все это — описанное выше? Достаточно ли вам этого, чтобы понять, что до тех пор, пока вы не измените свои патологические поведенческие особенности (хотя приведенные выше характеристики кажутся едва ли не качествами личности человека, в основе их лежат так называемые *заученные последовательности способов реагирования*), что любая ваша болезнь, если и уйдет, то не скоро и не далеко?

Если да, то обратимся к ***убеждениям.*** Ибо именно они оказывают колоссальное влияние на нашу жизнь. Ни для кого не секрет, что если человек по-настоящему верит, что он может что-то совершить или чего-то добиться, то он обязательно это самое «что-либо» и совершит, и добьется. Но если он убежден в невозможности чего-нибудь, это самое чего-нибудь вряд ли станет его достоянием.

Поскольку вы уже познакомились с принципом «убеждение — это самореализующееся пророчество», вряд ли стоит объяснять, что «верования» имеют самое прямое отношение к предмету нашего разговора — «психологическим» самоисцелениям. Приведу всего один пример, чтобы вы в этом убедились. В ходе одного очень интересного исследования /6/ было опрошено 100 человек, сумевших излечиться от рака — причем в заключительной его, практически неизлечимой стадии. Исследователи пытались выявить некий единый фактор, определивший исцеление всех этих людей.

Между этими людьми не было ничего общего. Они сильно различались по полу, возрасту и социальному происхождению. Курсы лечения, которые получали эти больные, также были весьма различны. Одни из них подвергались обычным врачебным процедурам: хирургическим операциям, химиотерапии и облучению. Другие прибегали к нетрадиционным методам типа акупунктуры. Некоторые следовали специальным диетам. Кое-кто встал на путь психологии или религии. Были и такие, кто вообще ничего не делал.

Выяснилось, что ***единственное, что было общего у*** всех этих ***100 исцеленных от смертельной болезни — это истовая вера в то, что их действия принесут желаемый результат.***

Вот только не слишком обольщайтесь — по принципу «ну теперь я поверю и выздоровлю». Дело в том, что вера ваша должна быть воистину истовой и даже неистовой. Ибо похоже, что нейросоматический контур человеческого биокомпьютера устроен таким образом, что любое, пусть даже незначительное неверие он воспринимает как команду «прекратить операцию самоисцеления». А человек представляет собой столь сложное и многоуровневое образование, что сплошь и рядом веруя во что-то «де юре» или сознательно, одновременно не верит в это «что-то» «де фактум», или бессознательно (вспомните-ка столь излюбленную многими и весьма типичную реакцию на неудачи — «в глубине души я в это никогда не верил...»).

А вот в НЛП эта столь необходимая вера создается если и не легко, то вполне надежно. Лично для меня очень показательным оказался пример излечения Р. Дилтсом («авторитетом» современного НЛП) его собственной матери /18; с. 11–12/.

«В 1982 году в жизни моей матери наступил переломный момент. Очень многое в ее жизни менялось. Ее младший сын уезжал из дому, и она старалась понять, что для нее значит его отъезд. Юридическая фирма, где работал мой отец, начала разваливаться, и он собирался открывать свое дело. Ее кухня, сердце ее дома, сгорела, и она чувствовала себя из-за этого подавленной и расстроенной, потому что кухня была «ее местом» и частично показывала ее положение в нашей семье. В довершение всего этого она много работала в качестве медсестры у нескольких врачей, и все время она говорила: «Умираю, хочу в отпуск».

На фоне всех этих стрессов и изменений в ее жизни произошел рецидив рака груди с метастазами черепа, позвоночника, ребер и таза. Прогнозы врачей были неблагоприятны. Они сказали, что сделают все возможное, чтобы «она чувствовала себя спокойно».

Мы с матерью провели четыре долгих дня, работая над ее убеждениями о ее болезни и о себе. Я использовал все подходящие методы НЛП. Для нее это было изнурительно. Когда мы не работали, она только ела и спала. Я помогал матери менять ряд ограничивающих убеждений, помогал ей смягчить основные конфликты, произошедшие в ее жизни из-за всех перемен. В результате той работы, что мы провели над ее убеждениями, она смогла добиться поразительных улучшений здоровья и решила не пить таблеток, не лечиться облучением и другими традиционными средствами. В то время, как я пишу эту книгу (7 лет спустя), она находится в нормальном здравии и симптомов рака больше нет. Она может по несколько раз в неделю проплывать по полкилометра, она живет счастливой полноценной жизнью: путешествует в Европу, даже снимается в рекламных роликах. Она всех нас воодушевляет в плане возможностей человека неизлечимо больного».

Ну вот, пожалуй, и все об основных положениях и посылках. Теперь мы переходим к исцелению. Тому, которое тысячи раз за свою более чем двадцатилетнюю практику осуществлял я. И тому, которое в первый, но, безоговорочно, удачный, раз осуществите вы...

Однако и здесь я позволю себе несколько замечаний. Первое — о том, что ваше исцеление будет проходить по четкому и многократно проверенному алгоритму, приведенному ниже на рис. 3. Так вот, не пугайтесь кажущейся его сложности и даже громоздкости. Ибо, во-первых, исцелиться вы можете даже и не доходя до конца списка (то есть ваше излечение может произойти в любой, а не обязательно финальной стадии работы по данному алгоритму). А во-вторых, вам что, не надоели шарлатаны, подсовывающие некие почти мгновенные исцеления, на поверку оказывающиеся очередной пустышкой? Я же предлагаю вам излечиться всерьез и надолго...

И второе — о том, что для вашего исцеления будет задействован целый сонм психотехнологий современного нейролингвистического программирования. И бояться их нечего. Худшее, что может произойти в случае неграмотного использования какой-либо техники НЛП, это то, что просто ничего не произойдет. А для того, чтобы использовать эти психотехнологии грамотно, достаточно просто дочитать до конца текст раздела, поскольку многие пояснения и уточнения идут вслед за описанием конкретной техники. И поверьте: разобраться в особенностях конкретного (практического) применения психотехнологий НЛП куда проще, чем, например, в инструкции к современному холодильнику...

Упражнение 6.

→ Попробуйте понять, что исцеление — это всего-навсего система инструкций Сознанию и Телу, изложенных на понятном им языке, придумав для этого систему аналогий, именуемых в НЛП метафорой (например, ремонт заболевшего компьютера, восстановление разрушенного дома, расчистку и переустройство запущенного сада — и т.п.).

Упражнение 7.

→ Объясните кому-нибудь из близких или знакомых суть трех главных пресуппозиций НЛП, причем строго применительно к болезни и здоровью.

Упражнение 8.

→ Тренировки ради попробуйте разложить на образы (V), звуки (A), ощущения (K) и мысли (D) признаки проявления вашей болезни.

Упражнение 9.

→ Используя модель «Мерседес SK», хотя бы в первом приближении запишите образы Я, состояния, особенности поведения и убеждения, которые, как вам кажется:
— вызвали вашу болезнь;
— продолжают ее поддерживать.

Рис. 3 Алгоритм самоисцеления

Глава 2

Цель — выздоровление

«Человеку, который не знает, куда плыть, ни один ветер не будет попутным».

Сенека

С чего начнем? Ну, во-первых, с *прояснения*: того, что действительно представляет собой ваша болезнь, а также для чего и зачем она у вас возникла.

А во-вторых — с перестройки вашего к ней *отношения*: со своеобразного изменения ориентации (разумеется, не сексуальной). *С обвинения — на цель* или, более конкретно, *с проблемы — на решение*.

Все здесь очень даже просто — если, конечно, вдуматься и понять. Серьезная болезнь — это всегда тяжелое испытание для любого человека. И практически все, проходя через это испытание, склонны обвинять всех и вся в том, что именно они виноваты в случившемся. Что уж тут поделать, если основной закон каузальной атрибуции (не пугайтесь — это всего-навсего отрасль психологии, занимающаяся тем, как и кому люди приписывают причины происходящего) утверждает, что все хорошее мы склонны объяснять собственными усилиями, а все плохое — кознями окружающих и/или неблагоприятными обстоятельствами.

Все здесь было бы почти нормально, если бы не одно «но» (и очень большое): любое обвинение является исходным пунктом цепочки так называемого негативного мышления. Неизбежно и непреложно заводящего в тупик, тот самый, в котором вы уже находитесь со своей пресловутой болезнью. И даже если вы являетесь столь кротким существом, что никого, кроме себя, не обвинили (а самообвинение — это все равно обвинение...), то и в этом — практически нереальном — случае не избежали следующей цепочки: констатация проблемы → мучительные поиски ответа на вопрос «Что случилось?» и «Почему случилось?» → ограничение себя и своей жизни → провал.

Да-да, именно провал. Как я уже говорил, неизбежный и непреложный. И все потому, что сколько бы вы не задавали «умных» вопросов по проблеме, все они приведут к тому, что вы только глубже увязнете в ней и отсрочите момент принятия решения.

Грубо говоря, если уж вы упали в яму, вряд ли стоит (по причине полной непродуктивности)

обвинять дорожников в том, что они ее не заделали;

задаваться вопросом, почему они этого не сделали (или почему именно вы в эту яму упали);

а также размышлять об ограничениях, которые пребывание в этой яме накладывает на вашу жизнь.

Может быть, *вместо* всего этого стоит принять решение выбраться из ямы? И тогда проблема как бы даже исчезнет (а она всегда исчезает, когда принимаешь решение). Вы вместо «Почему?» зададитесь удивительно продуктивным вопросом «Как?» (в данном случае — как из этого можно выбраться?), вместо ограничений начнете искать возможности, и даже временные неудачи будете расценивать не как провал, а только лишь как обратную связь с тем, что надо будет сделать по-другому...

А нужно все это еще и для того, чтобы бы изменили направление своего движения. Ведь до сих пор вы упорно, но бесплодно пытались *уйти* ***От*** *болезни*. А теперь вам (всего-навсего) нужно *пойти* ***К*** *здоровью*.

Это только кажется, что разница между «от» и «к» не очень-то существенна. На самом деле она принципиальна и кардинальна.

Итак, когда-то вы заболели и пришли к врачу. Зачем? Ну, конечно же, затем, чтобы избавиться **от** болезни. Но избавиться **от** чего-то вовсе не значит **к** чему-то прийти. Если вы воскресным вечером после проведенного на природе уик-энда собираетесь вернуться домой, вам не удастся сделать это, просто идя **от** леса, в котором вы так хорошо провели свое время. Вам обязательно нужно идти **к** остановке автобуса, станции электрички или стоящей неподалеку машине. Самолет, летящий **от** аэродрома и не знающий конечной точки своего маршрута — другого аэродрома, на котором он сможет приземлиться, — летит в никуда: **к** аварийной посадке где-нибудь в тайге.

Да, человек — это, конечно же, не самолет. Но если он идет от чего-то, не зная, к чему он собирается прийти, вероятность успеха «путешествия» становится воистину мизерной.

Нейролингвистическое программирование, моделируя эффективность и совершенство, давно уже установило, что единственно действенным является именно движение **к**, а не **от**; приближение **к** позитиву, а не удаление **от** негатива. В условиях нынешнего базара, который мы ошибочно называем рыночной экономикой, миллионы людей занялись бизнесом. Примерно 80% из них — чтобы уйти **от** нищеты. И только 20% — чтобы прийти **к** богатству. Как вы думаете, кто из них добился большего успеха и преуспел?

Поясню одну из причин, по которой движение **к** позитиву намного эффективнее удаления от негатива. Она — в очень своеобразной, но почему-то малоизвестной многим особенности работы нашего мозга, который как бы не понимает частицы ***не*** и заложенного в ней момента отрицания. В результате вы сплошь и рядом программируете себя с точностью до наоборот. И уходя ***от чего-то***, вы, как это ни странно, именно ***к этому*** и приходите.

Вы не хотите быть больным? Как это понятно и естественно! Но только лишь уходя от болезни, вы периодически, непременно и непреложно думаете именно о ней — о том, от чего вы уходите. И, по сути, программируете свой мозг на поддержание и воспроизводство столь ненавистного вам болезненного состояния. Ведь услышав ваше «не болеть!», он сразу же воспроизвел все, что связано с «болеть», и замер в ожидании следующей команды. Которой так и не поступило. И «зависшее» в вашем биокомпьютере «болеть» (постоянно подпитываемое вашим «не болеть, не болеть, не болеть» в виде воспринимаемого им «болеть, болеть, болеть»), рано или поздно переполнит чашу (ну если хотите — его, биокомпьютера, терпения), и он как минимум предпримет усилия для сохранения вашего болезненного состояния, **от** которого вы пытаетесь уйти. До тех пор, пока не услышит команду **к** («стать здоровым»), которую теперь, после столь долгого программирования на «болеть» вам придется повторять уже многократно — пока ваш биокомпьютер вам не поверит. А точнее — «переверит» заново...

Вообще-то это едва ли не главная патология нашей с вами жизни — движение **от**, а не **к**, в результате чего к этому **от** мы в конечном счете и приходим. Попробуйте произвести нехитрый психологический эксперимент. Где-нибудь в компании попросите присутствующих подумать о том, чего они хотят в жизни. А после того, как они об этом подумают, предложите поднять руки тем, кто на ваш вопрос «чего вы хотите?» ответили «я не хочу...»

И убедившись, что таковых большинство, в порядке тренировки энэлперского мышления объясните им, почему, например, упорно твердя про себя «я не хочу прозябать и быть бедным», они в конечном счете приходят именно к бедности и прозябанию...

Так вот, после уже анонсированного и совершенно необходимого прояснения причин и вторичных выгод вашего заболевания, именно переориентацией вас От к К мы и займемся. В первом разделе этой главы — так сказать, в общем, особо даже не затрагивая методы НЛП. А во втором — вполне конкретно, с тщательным построением вашего «К» (он же желанный результат, т.е. здоровье) и обязательной проработкой всего того, что необходимо, чтобы этот результат стал достижимым...

Должен предупредить вас об одной опасности, связанной с тем, что вы будете делать. А суть ее в том, что уже после выполнения всего того, что описано в этой главе, вы скорее всего начнете выздоравливать. А самые нетерпеливые могут просто взять и выздороветь...

Итак, далее вам предстоит:
- определить и даже как-то переработать преимущества и смысл вашей болезни;
- переопределить свое отношение к ней с От на К, сиречь с проблемы на решение;
- создать хорошо сформулированный результат — собственное излечение;
- сформулировать готовность к самоисцелению и приступить к его нейролингвистическому программированию.

2.1. Первые шаги в здоровье

«Даже если вы на правильном пути, вас задавят, если вы будете просто сидеть на дороге».

У. Роджерс

Определение преимуществ и смысла болезни

«Если звезды зажигают, значит, это кому-нибудь нужно», — утверждал В. Маяковский. И был абсолютно прав. Ибо верите ли вы в это или не верите, но в этом мире нет ничего случайного. Все, что происходит, —

закономерно. Абсолютно все. А то, что мы называем случайностью, есть не более чем закономерность более высокого порядка — недоступного пока нашему пониманию. И жизнь человека — по крайней мере в части процесса познания — и представляет собой открытие все новых и новых закономерностей нашего бытия.

Ваша болезнь тоже не случайна. И даже не в плане того, что явилась закономерным Следствием какой-то Причины. Просто пришла она к вам — а точнее, вы ее *сами приобрели* — потому, что была вам нужна и даже необходима. Ибо несла в себе определенный смысл — для вашей собственной жизни. И позволяла удовлетворить вполне конкретные потребности этой самой жизни, которые иным образом вы удовлетворить не могли. И если вы не обнаружите все эти потребности и не удовлетворите их иным, более экологичным образом, она останется с вами навсегда...

С одной стороны, проблема уже известных вам так называемых *вторичных выгод* заболевания решается довольно просто. Так, К. и С. Саймонтоны /35/ утверждают, что существует пять основных областей потребностей и смыслов болезни, ибо любая болезнь:

1. «Дает разрешение» уйти от неприятной ситуации или от решения сложной проблемы.
2. Предоставляет возможность получить заботу, любовь, внимание окружающих.
3. «Дарит» условия для того, чтобы переориентировать необходимую для разрешения проблемы психическую энергию или пересмотреть свое понимание ситуации.
4. Предоставляет стимул для переоценки себя как личности или изменения привычных стереотипов поведения.
5. «Убирает» необходимость соответствовать тем высочайшим требованиям, которые предъявляют к нам окружающие и мы сами.

Для того, чтобы вы смогли разобраться в проблеме вторичных выгод применительно к собственной болезни, данные авторы предлагают несложную *технику определения вторичных выгод заболевания,* которая решает две основные задачи:

— определения потребностей, которые удовлетворены благодаря болезни и

— поиска путей удовлетворения этих потребностей иным образом (без участия болезни).

Возьмите лист бумаги и перечислите пять главных преимуществ, которые вам дала самая серьезная из всех ваших болезней (преимуществ может оказаться и больше).

Преимущества моей болезни

1. ____________________

2. ____________________

3. ____________________

4. ____________________

5. ____________________

Просмотрите составленный вами список и подумайте, какие потребности лежат в основе преимуществ, предоставленные вам болезнью: ослабление стресса, любовь и внимание родных и близких, возможность высвободить свою энергию и т.д.

Затем попытайтесь определить те правила и представления (убеждения, фиксированные идеи), которые мешают вам удовлетворить эти потребности, не прибегая к болезни (более тщательно мы проработаем их далее).

Когда лично я вынужден был наконец-то заняться своей гипертонией (160 на 110; сейчас 120 на 70), то с помощью этой техники почти сразу как-то даже просветленно осознал, что основная ее вторичная выгода для меня — это как раз то, что периодически возникающее высокое давление периодически же «убирает» необходимость соответствовать тем высочайшим требованиям, которые я сам себе предъявил...

И сразу после этого понял, что данная методика, на мой взгляд, явно нуждается в дополнениях. Первое из них связано с тем, что, несмотря на очевидный факт существования целого букета причин заболевания, среди них всегда присутствует некое Главное Преимущество (ГП), запускающее болезнь, и Преимущества-Следствия (ПС). При этом Главное Преимущество выступает своеобразным ядром «молекулы» вторичных выгод болезни (см. рис. 4), и зачастую переопределение одного только этого ГП приводит к исчезновению связанных с ним ПС.

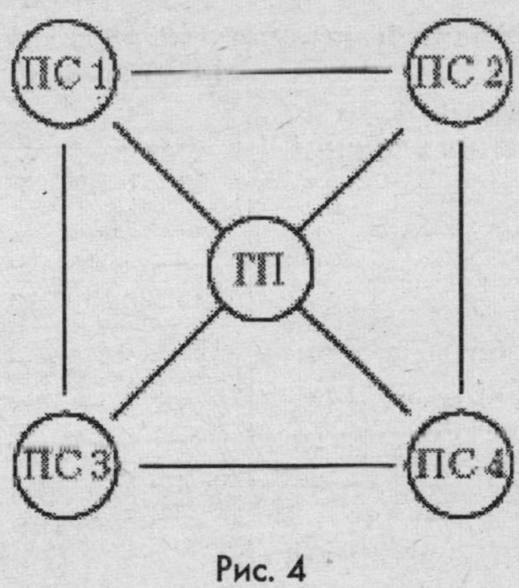

Рис. 4

Так что, дабы не растрачивать силы попусту, попробуйте определить свое собственное Главное Преимущество, дабы его-то и проработать в первую очередь. Только учите, что вообще-то вам нужно определять не одно, а два Главных Преимущества:

- ***возникновения*** болезни и ее
- ***сохранения***.

Дело в том, что сплошь и рядом случается так, что болезнь возникает в силу какой-то одной вторичной выгоды (например, ухода от ответственности). Но, возникнув и укоренившись, сохраняется уже ради какого-то другого преимущества (например, удерживания внимания близких). Так что попробуйте разобраться и с тем и с другим. С помощью несложной *техники оценки вероятности преимуществ возникновения и сохранения болезни.*

Преимущества болезни	**Вероятность того, что это преимущество выступает в качестве Причины ВОЗНИКНОВЕНИЯ моей болезни**
1. Уход от неприятной ситуации или решения сложной проблемы	Маловероятно — Весьма вероятно 1 2 3 4 5 6 7 8 9 10
2. Получение заботы, любви и внимания окружающих	Маловероятно — Весьма вероятно 1 2 3 4 5 6 7 8 9 10
3. Обретение условий для переориентации, необходимой для решения проблем энергии или пересмотра понимания ситуации	Маловероятно — Весьма вероятно 1 2 3 4 5 6 7 8 9 10
4. Получение возможностей и стимулов для переоценки себя как личности или изменения привычных стереотипов поведения	Маловероятно — Весьма вероятно 1 2 3 4 5 6 7 8 9 10
5. Исчезновение необходимости соответствовать высочайшим требованиям и стандартам, которые предъявляю я сам или окружающие	Маловероятно — Весьма вероятно 1 2 3 4 5 6 7 8 9 10

Оценивайте вероятность того, что данное конкретное преимущество является причиной вашей болезни так, приняв 10 за 100% вероятности, 9 — за 90% и т.д. А закончив, сделайте то же самое уже для сохранения вашей болезни.

Преимущества болезни	**Вероятность того, что это преимущество выступает в качестве Причины СОХРАНЕНИЯ моей болезни**
1. Уход от неприятной ситуации или решения сложной проблемы	Маловероятно — Весьма вероятно 1 2 3 4 5 6 7 8 9 10 __________
2. Получение заботы, любви и внимания окружающих	Маловероятно — Весьма вероятно 1 2 3 4 5 6 7 8 9 10 __________
3. Обрстсние условий для переориентации, необходимой для решения проблем энергии или пересмотра понимания ситуации	Маловероятно — Весьма вероятно 1 2 3 4 5 6 7 8 9 10 __________
4. Получение возможностей и стимулов для переоценки себя как личности или изменения привычных стереотипов поведения	Маловероятно — Весьма вероятно 1 2 3 4 5 6 7 8 9 10 __________
5. Исчезновение необходимости соответствовать высочайшим требованиям и стандартам, которые предъявляю я сам или окружающие	Маловероятно — Весьма вероятно 1 2 3 4 5 6 7 8 9 10 __________

Преимущества, которые вы оценили как наиболее вероятные причины возникновения и сохранения болезни (по отдельности), скорее всего и окажутся теми самыми Главными Преимуществами, с коими вам надлежит разобраться в первую очередь. Например, ГП *сохранения* моей гипертонии оказался реально предлагаемый ею уход от неприятной ситуации и решение действительно важной проблемы: как жить, чтобы жить, а не только работать...

Прояснение смысла заболевания

Однако очень может быть, что ваша болезнь не сразу поддастся такой вот вторично-выгодной (или «потребностной») расшифровке. Что ж, в этом случае вам придется проделать несколько больший путь и заняться тем, что с полным правом можно назвать *прояснением* — в данном случае уже больше *смысла* вашего заболевания, а также механизмов, которые *удерживают* его в вас.

Самый простой вариант здесь — воспользоваться *техникой прояснения* Ш. Гавэйн /12/. Технику эту я рекомендую выполнить в два этапа. На первом из них в порядке тренировки разберитесь с проблемами по реализации *любой* вашей цели (или с сопротивлением внутри вас, препятствующим ее достижению). Ну а на втором сделаете это уже для случая болезни.

1. *Возьмите лист бумаги и напишите сверху: «Причиной, по которой я не могу обладать тем, что я хочу, является...»*

А сразу же после этого, не откладывая, начните записывать любые мысли или фразы, которые могут закончить предложение. Запишите любые сентенции, которые придут вам в голову, даже если они будут казаться глупыми или бестолковыми.

2. *Теперь проделайте то же самое, только указав на этот раз конкретное название интересующего вас*

«предмета». «Причина, по которой я не могу излечиться (избавиться от своего болезненного состояния), заключается в том...»

И продолжайте записывать мысли и суждения.

3. *Далее присядьте спокойно на несколько минут с вашим списком и посмотрите, выглядит, звучит или ощущается ли какая-либо из перечисленных вами причин значимой для вас. И обдумайте, какие ограничения вы накладываете на себя.*
4. *А теперь напишите список всех наиболее негативных взглядов, какие вы можете найти в себе:*

- *относительно себя самого,*
- *по отношению к другим людям,*
- *по отношению к вашим взаимоотношениям, а также*
- *по отношению к миру и жизни.*

Снова присядьте спокойно со своим списком и обдумайте — и эти идеи и то, какую они над вами имеют власть.

Эриксоновская гипнотерапия (родная сестра НЛП) для определения смысла и вторичных выгод человеческих болезней использует другие, более сложные процедуры, с одной из которых я вас познакомлю.

Попробуйте самостоятельно и, конечно же, максимально честно ответить на следующие вопросы относительно вашей болезни (по: /22/), как бы «разворачивающие» психические аспекты этого вашего заболевания в плоскость «смысл и потребности». И очень может быть, что в результате использования этой *техники определения смыслов и выгод болезни* многое для вас станет ясно.

1. *Что болезнь значит для вас?*
2. *Что означает для вас избавиться от болезни?*
3. *Как болезнь помогает вам, или какие выгоды и компенсации вы получаете от болезни?*
4. *Каким образом болезнь дает вам больше силы и контроля?*

5. *Как болезнь помогает вам чувствовать себя в безопасности?*
6. *Чего болезнь помогает вам избежать?*
7. *Каким образом болезнь предоставляет вам возможность получать больше внимания и любви?*
8. *Какие чувства помогает вам выразить болезнь?*
9. *Каким вы были до того, как появилась болезнь?*
10. *Что происходило в вашей жизни, когда появилась болезнь?*
11. *Как все изменилось после того, как появилась болезнь?*
12. *Что произойдет, когда не будет болезни?*
13. *После того, как болезнь исчезнет, какой будет ваша жизнь через год (через 5, 10, 20 лет)?*
14. *У кого еще когда-нибудь была ваша болезнь или есть сейчас?*

Краткосрочная позитивная терапия

Теперь, более или менее разобравшись с вторичными выгодами, потребностями и смыслами вашей болезни, начнем переориентацию ваших мозгов с **От** (болезни) на **К** (здоровье). И для первого шага в переориентации воспользуемся рекомендациями так называемой краткосрочной позитивной психотерапии /21/. Основные ее положения выглядят следующим образом:

1. ***Причины ваших проблем*** (как и у каждого человека) ***лежат в прошлом. Но в вашем опыте заложены и ресурсы для разрешения этих проблем.***

То есть подлинные причины вашего заболевания находятся где-то там, в туманном и далеком прошлом. Зато в этом же самом прошлом (и далеком, и близком) «бесхозно» лежат невостребованные кладези ресурсов, так необходимых вам сейчас.

2. К сожалению, ***анализ причин проблемы*** обычно ***сопровождается самообвинительными переживания-***

ми и обвинениями других — прежде всего своих близких. Именно ***это препятствует выявлению и активизации ресурсов человека для решения проблемы.***

В этом плане большинство людей напоминают тех глупых пожарных, которые вместо того, чтобы тушить пожар, начинают яростно выяснять, отчего загорелось и кто в этом виноват...

3. ***Рамки любой концепции*** (не важно — медицинской или психотерапевтической) ***всегда уже, чем*** ваши ***индивидуальные особенности и опыт конкретного человека*** и людей из его окружения. Поэтому ***любая принимаемая концепция лечения может навязывать нереалистичные и неэффективные решения в силу*** элементарной ***ее догматичности. И только интуитивный опыт*** — ваш и терапевта — ***подсказывает и реализует эффективные решения проблем.***

Так что будьте гибкими и не становитесь фанатами какой-либо системы исцеления — включая, кстати, и НЛП. Ни в коем случае не рассматривайте ее в качестве последнего шанса на здоровье.

Помните, что если что-то не сработало, нужно просто попробовать что-то другое.

И куда больше доверяйте собственной интуиции, нежели рецептам, книгам, лицензиям и сертификатам — равно как и интуиции терапевта, который может использовать нечто, не укладывающееся в сформировавшуюся в вашей голове «карту» лечения.

4. Мы вряд ли способны освобождаться от всех болезней и проблем, но ***у любого из нас есть возможность сменить «черное» видение своей проблемы*** (а также жизни и мира) ***на более позитивное и***, если хотите, ***диалектическое мировоззрение.*** Именно и только ***это способствует преодолению проблем.***

А вот конфронтация, ***борьба с проблемой, как правило, неэффективна. Только ее принятие — путь к решению.***

То есть даже вашу доставляющую вам столь много неприятностей болезнь не стоит рассматривать как «врага» — ведь неприятности, которые доставляет некто или нечто, переведенные во «вражеский стан», имеют тенденцию становиться хроническими. И если вы поссорились со своим организмом или с его частью, то точно так же, как в случае ссоры с каким-то человеком, до тех пор, пока вы будете испытывать к своему организму или его части неприязнь и поддерживать враждебные отношения, этот организм, или его часть будет поступать «от противного» — нежелательным вам образом.

В современной духовной психологии есть очень важный постулат: ***«Мы становимся всем тем, чему сопротивляемся».*** Так что если вы истово и враждебно сопротивляетесь болезни, не принимая ее как данность — неизбежную и закономерную в силу пока не известной вам причины, — вы вряд ли сможете исцелиться. Но худой мир всегда лучше доброй ссоры. Так не проще ли помириться со своей болезнью, дабы после договориться с ней по-хорошему?

«Три кита», или основные принципы краткосрочной позитивной психотерапии, вкратце ***можно сформулировать следующим образом***:

- ***опора*** только ***на положительное*** в жизни человека, на его многочисленные ресурсы;
- ***использование*** только ***положительных подкреплений*** в работе с больным и его близкими;
- ***позитивистский*** (в философском смысле этого слова) ***подход***: «никаких рамок и ограничений — главное, чтобы это работало».

Чтобы вышеприведенные теоретические положения краткосрочной позитивной психотерапии не остались для вас голой абстракцией, далее вы обязательно проделайте упражнения, созданные на основании вышеприведенных принципов и положений.

Первое из них, которое я назвал ***техникой позитивации,*** базируется на трех важнейших «прикладных принципах» данной терапии.

• ***«Новое позитивное название».***

Обязательно придумайте какое-то новое название для своей болезни — дайте ей какое-то хорошее имя. Это позволит вам отказаться от конфронтации с болезнью, каковая (конфронтация, а не болезнь) и так уже завела вас в тупик.

Примите вашу болезнь. И на этой самой «основе принятия» найдите конструктивное решение (что вполне реально).

• ***«Проблема как решение».***

Здесь мы, конечно, несколько забегаем вперед. Однако все-таки попробуйте уже сейчас ответить на следующие вопросы: «Чему научила вас ваша болезнь?» и «В чем она была полезна для вас?»

• ***«Знаки улучшения».***

Категорически и полностью переключите ваше внимание с симптомов болезни на признаки улучшения — так вы сможете избежать ловушки «полива сорняков» (это когда вместо только лишь появляющихся «цветов» (признаков выздоровления) вы «поливаете сорняки» (знаки уходящей болезни), которые, кстати, в поливе вовсе не нуждаются...) и косвенно усилить механизмы самоисцеления.

Заодно не поленитесь еще раз исследовать, что происходит с вами и в вашем окружении, когда болезнь отсутствует. А также то, как вы все-таки узнаете, что болезнь исчезла — по каким конкретным признакам (опишите их!).

Второе упражнение — ***техника предварительного поиска ресурсов***.

Ответьте письменно прямо сейчас на следующие вопросы по поводу вашей болезни:

• *Что раньше помогало вам преодолевать болезнь?*

- *Как эту болезнь преодолевали ваши родственники и знакомые?*
- *Что сейчас помогает вам преодолевать болезнь, хотя бы временно?*
- *Кто или что могло бы вам помочь в преодолении болезни?*

Теперь, используя «опору на прогресс» — методику активизации ваших «внутренних санитаров», как следует обдумайте вот что:

- *Был ли в последнее время такой период, когда болезнь исчезала или заметно уменьшалась? Была ли ремиссия?*
- *Как вы думаете — почему? Что способствовало ремиссии? (Тщательно опишите и исследуйте любые, пусть даже совершенно неправдоподобные, причины.)*
- *Что вы могли бы сделать, чтобы закрепить причины и механизмы ремиссии?*

Ну а в заключение сделайте* трехшаговую ***технику «Фантазии о будущем»,*** которая как раз и позволит вам приступить к созданию вашего «Большого «К»

Ответьте на следующие вопросы:

- *Когда вы поправитесь?*
- *Когда болезнь начнет уходить?*
- *Когда она уйдет совсем?*

Обязательно определите конкретные даты — в противном случае вашему бессознательному просто не за что будет «зацепиться». Не волнуйтесь — ваш организм сам подскажет вам числа!

- *Что может этому способствовать? Здесь пофантазируйте — например, предположите, что я встречаюсь с вами после назначенной вами даты исцеления и*

---

* Простите, если кому-то это режет слух, но, например, фраза «сделать клиента» на нашем профессиональном жаргоне значит «излечить».

начинаю очень настойчиво расспрашивать вас о том, что вас исцелило, а вы мне отвечаете, что помогло вам... Таким образом вы можете сформулировать развернутую программу вашего исцеления.

- *Как вы будете благодарить всех людей, включенных в вашу замечательную программу исцеления, за их помощь? А после того, как вы разработаете эту «программу благодарностей», начните «авансом» ее реализовывать — ну, по крайней мере, в воображении. Это крайне важно для того, чтобы «задействовать», а заодно и «почистить» ваше микросоциальное окружение: всех тех любимых и близких, которых, увы, вполне могли использовать в возникновении и сохранении вашей болезни...*

«Раскрутка» выздоровления

А теперь следующий шаг к исцелению. Шаг, который позволит вам после изменения ориентации с От на К буквально сдвинуться с места! Для этого вам необходимо очень сильно захотеть *идти в здоровье*, а захотев — *определить, как в него идти.*

Знаете, почему *еще* вы не достигли своей цели — желаемого исцеления? По двум причинам.

Первая – это то, что цель ваша кажется (вам же) довольно тривиальной.

Ну не приперло еще, не так уж и плохо вы себя чувствуете. А это значит, что исцеление можно как бы отложить «в долгий ящик», представив лекарствам и врачам почетное право долго и нудно уводить вас от болезни в никуда.

Ну а вторая — это то, что достижение вашей цели (весьма желаемой) вам же самому по каким-то причинам представляется невозможным. Что вас либо раздражает, либо удручает, но все равно полностью расхолаживает.

Что, знакомо, причем не только по болезни? Так вот, для того, чтобы буквально «выйти из ступора», вам необходимо сделать то, что в нейролингвистическом программировании именуется «раскруткой»: «вверх», «вниз» и/или «в сторону».

В НЛП под «раскрутками» понимается намеренное *изменение масштаба (уровня) или позиции рассмотрения проблемы или цели.* Это просто способ работы с проблемой или целью (у нас именно с целью), при которой «означенная» проблема или цель в зависимости от того, что мы хотим, либо укрупняется (раскрутка «вверх»), либо уменьшается (раскрутка «вниз»), либо переводится в параллельную плоскость (раскрутка «в сторону»). И все для того, чтобы буквально сдвинуться с мертвой точки или обнаружить другие возможности разрешения.

Помните пресловутого римского сенатора, непрестанно твердившего: «Карфаген должен быть разрушен!»? И ведь дотвердился, и разрушили, и все потому, что не нашли достойной отповеди. А ведь была она — эта самая «раскруточная» отповедь, позволившая бы сильно поколебать твердокаменную убежденность непоименованного сенатора. В виде раскрутки «вверх»: «А что это дает Риму?» Раскрутки вниз: «А как конкретно мы будем разрушать Карфаген?» И раскрутки «вбок»: «А что нам делать с Александрией?» или «А может, нам разрушить Иерусалим?»

Вот и вам необходимо будет сделать следующее:

В первом случае (если цель — исцеление — кажется тривиальной и не особо интересной) просто последовательно задайте себе вопрос: «Если я достигну своей цели, то что это мне дает?» Например, я в свое время, работая с собственной гипертонией, раз за разом задавая себе этот вопрос, «взлетел» на такие уровни бытия, после знакомства с которыми оставаться в болезни было просто глупо («исцелюсь от гипертонии → стану здоровым → обрету дополнительную активность → смогу сделать все, что захочу → реализую свою миссию на Земле → уйду счастливым...»).

А что выздоровление даст лично вам? К чему именно вы сможете прийти с его помощью? Что станет тогда доступным и возможным?

Так вот, ответить на все эти вопросы вы сможете только после раскрутки вверх. А в результате обретете мощнейшую мотивацию на исцеление и поймете, что здоровье — это наше все, и воистину «здоровый нищий счастливее больного короля» (А. Шопенгауэр).

Ну а во втором случае (если цель — исцеленис — кажется пугающе или раздражающе недоступной) также последовательно задайте себе вопрос: «Как конкретно я могу исцелиться?» И подробно разберитесь с тем, что обнаружится — с каждым из выявленных направлений исцеления.

Например, когда я задал сам себе этот вопрос по поводу пресловутой гипертонии, почти сразу же пришли три, может быть, и неожиданных, но вполне логичных ответа: «Снизить вес», «Прекратить волноваться» и «Меньше напрягаться». Последовательная раскрутка «вниз» просто изменила всю мою жизнь. Потому что, например, «раскручивание» темы снижения веса («Как мне снизить свой вес?») привело меня из любимой домашней «качалки» в профессиональный фитнес-центр и почти полностью изменило структуру питания. Раскручивание «прекратить волноваться» подтолкнуло к обретению с помощью методов НЛП абсолютного спокойствия где угодно, когда угодно и с кем угодно. А раскрутка вниз темы «меньше напрягаться» упорядочила мою жизнедеятельность, начиная от продолжительности сна (6–7 часов вместо обычных до этого 4–5) и кончая «каждодвухмесячными» одно-двух недельными отпусками (увы, в отличие от вас, я, психотерапевт и коуч, не очень-то и могу позволить себе отдыхать в выходные — слишком уж много тех, кто нуждается в исцелении, а в будни работает «от сих до сих»).

Только учтите: при раскрутке вниз вы буквально до конца должны «раскрутить» каждое из вскрывшихся направлений, придя в итоге к системе или совокупности вполне конкретных действий...

Созидающие здоровье визуализации

«Все, что можно детально представить, осуществимо». Эти слова писателя А. Бессонова, которые он вложил в уста своего героя — офицера Александра Королева, — я давно уже сделал базовым принципом собственной жизни. Но несколько в другой редакции: «Все, что я детально представлю, осуществится». Ибо вы даже не подозреваете о том, какой потрясающей силой обладают наши подкрепленные желанием мыслеобразы. Потому что именно мыслеобразы программируют наше бессознательное — да так, что оно, однажды включившись (по достижении определенного уровня желания и при выполнении условий создания правильных мыслеформ), далее уже как автопилот начинает вести нас к цели.

Именно поэтому теперь — в заключение этого раздела — приступим к самой что ни есть практичной практике (пусть и предварительной), воспользовавшись тем, что можно назвать концепцией созидающих визуализаций Ш. Гавэйн /12/.

Концепция эта уже помогла буквально сотням тысяч людей обрести желанное и желаемое, так что вы здесь не станете исключением.

Работать с созидающими визуализациями надо как с действом, состоящим из трех шагов (этот вариант применения созидающих визуализаций можно использовать не только для достижения здоровья, но и *любой* цели).

1. ***Установите вашу цель***

Выберите нечто, что вы хотели бы иметь, над чем желали бы работать, реализовать или создать. Ваша цель может относиться к любой сфере: вашей работе, дому, взаимоотношениям, изменениям себя, увеличению благосостояния, более счастливому состоянию психики, улучшению здоровья, улучшению физического состояния и т.д. и т.п.

2. Создайте четкий образ или идею этой цели

Создайте максимально полную мысленную картину будущей ситуации — в точности такой, какой вы хотите ее видеть.

Вам следует думать о ней в настоящем времени как об уже осуществленной. Представьте себя в этой ситуации таким, каким вы хотите в ней быть, затем включите в ситуацию столько деталей, сколько сможете.

3. Часто фокусируйте на ней свое внимание

Как можно чаще мысленно возвращайтесь к своей мысленной картине по поводу желанной цели — как в моменты расслабления и медитации, так и посреди дня, когда вам просто случилось о ней подумать. Таким образом вы сделаете ее неотъемлемой частью вашей жизни.

Для практической реализации всего этого (и подкрепления процесса созидающих визуализаций) Ш. Гавэйн предлагает два метода:

1. Создание Идеальных Условий и
2. Составление Карты Ценностей.

Техника Создания Идеальных Условий помогает в репрезентации (представлении) этого необходимого вам образа результата: посредством письменных слов, помогающих вам более четко представить, что вы действительно хотите.

Подумайте о любой цели, которая является для вас важной, и опишите эту цель — как можно более ясно и в одном предложении.

Напишите под ним: «Идеальные Условия» и начните описывать ситуацию точно такой, какой вы хотели бы ее видеть, когда ваша цель будет осуществлена и достигнута.

Описывайте их в настоящем времени, как если бы ваши идеальные условия уже существовали, и используйте столько деталей, сколько вам захочется.

Когда закончите, напишите внизу: «Это или нечто лучшее теперь стало проявленным для меня совершенно приемлемыми и гармоничными способами», затем добавьте любые другие позитивные утверждения по поводу вашего желания и подпишитесь своим именем.

После этого сядьте в тишине, расслабьтесь и визуализируйте ваши идеальные условия на расслабленно-медитативном уровне ума.

Сохраните описание ваших идеальных условий. Пусть они будут в вашем блокноте, на письменном столе, рядом с кроватью на стене. Часто перечитывайте их и делайте соответствующие изменения, если возникнет такая необходимость. Вспоминайте о них во время выполнения упражнений и просто когда для этого представится возможность.

Второй рекомендуемый Ш. Гавэйн метод — *техника Составления Карты Ценностей* — позволяет физически, наглядно и реально отобразить образ желаемой вами цели или реальности, которую вы воссоздаете с помощью подручных средств. Еще раз подчеркну: не в воображении, а реально, например, нарисовав ее карандашом или красками, сделав коллаж, или же использовав картинки или слова, вырезанные из журналов, открыток, фотографий и т. п.

Главное здесь — это чтобы ваша Карта Ценностей максимально наглядно показывала вас в ваших идеальных условиях.

Ш. Гавэйн приводит некоторые указания, которые помогут вам в создании наиболее эффективных карт ценностей.

Рис. 5. «Карта Ценностей»

1. ***Делайте Карту Ценностей для одной цели или сферы вашей жизни***, *чтобы вы могли быть уверенным в том, что включили все элементы без чрезмерного усложнения. Это позволит вашему уму фокусироваться более четко и с большей легкостью, чем если бы вы поместили все ваши цели на одной карте ценностей.*
2. ***Сделайте ее любого размера, который является для вас удобным.*** *Возможно, вам захочется хранить ее в блокноте, повесить на стену или носить в кармане, дипломате или сумочке.*
3. ***Убедитесь в том, что вы не забыли поместить себя на этой картинке.*** *Для достижения наибольшего эффекта реализма используйте собственную фотографию. Покажите себя находящимся в окружении желаемого, взаимодействующим с желаемым или обладающим этим желаемым.*
4. ***Покажите ситуацию в ее идеальной, завершенной форме*** *— так, словно она уже осуществилась. Вам нет необходимости указывать на то, как это должно произойти. Карта Ценностей должна быть как бы уже законченным продуктом. И не показывайте в ней ничего негативного или нежелательного.*
5. ***В своей Карте Ценностей используйте большое количество красок***, *чтобы увеличить ее силу и воздействие на ваше сознание и подсознание.*
6. ***Покажите себя в окружении вполне реальных вещей и предметов***. *Сделайте так, чтобы Карта Ценностей выглядела убедительной для вас самих.*
7. ***Поместите на свою Карту Ценностей позитивные утверждения***. *Например (для случая здоровья), напишите «Это я совершенно здоровый и превосходно чувствующий себя в любимой обстановке».*

Не забудьте также поместить на карту и «космическое» утверждение Ш. Гавэйн: ***«Это или нечто лучшее***

теперь стало проявленным для меня, совершенно приемлемым и гармоничным способом ради блага всех, кто с этим связан».

После того как вы создали репрезентацию вашей цели в описании Идеальных Условий и изображении Карты Ценностей, вам остается только тратить по несколько минут каждый день на то, чтобы спокойно смотреть на свою Карту и время от времени в течение дня размышлять о ней. Это почти все, что вам необходимо (хотя и не все, что достаточно).

С тем, чтобы описанное выше стало нам более понятно, Ш. Гавэйн приводит возможные идеи по конкретному содержанию Карты Ценностей, из которых я воспроизведу только три, имеющие отношение к целям нашей книги.

Здоровье. *Изобразите себя безупречно здоровым и принимающим участие в любой деятельности, которая бы свидетельствовала о вашем совершенном здоровье.*

Вес и физическое состояние. *Изобразите себя великолепно чувствующим человеком с идеальным телосложением (вырежьте фотографию из журнала, где фигура на фотографии напоминала бы вам вас самих, если бы вы оказались в своем идеальном состоянии, и наклейте на тело фотографию вашей головы!). Вы можете даже добавить к этому заявление, написав его в кружке, выходящем изо рта, как это делается в комиксах, с тем, чтобы указать на «сопутствующие» ощущения, например:*

«Я великолепно чувствую себя и выгляжу замечательно. Теперь мой вес — шестьдесят килограммов и я в превосходном физическом состоянии».

Собственный образ и красота. *Изобразите себя таким, каким вы хотите себя видеть — красивым, спокойным, наслаждающимся жизнью, заботливым и любящим. Включите те слова и символы, которые обозначают для вас все эти качества.*

Упражнение 10.

→ Найдите возможные вторичные выгоды от вашего заболевания — его возникновения и сохранения — и определите, как вы можете их реализовать другим, заведомо более экологичным образом.

Упражнение 11.

→ Осуществите детальное прояснение смысла своей болезни по техникам Ш. Гавэйн и эриксоновской гипнотерапии.

Упражнение 12.

→ Проделайте все рекомендованные мною упражнения краткосрочной позитивной психотерапии с обязательной письменной фиксацией их результатов.

Упражнение 13.

→ «Раскрутите» ваше выздоровление «вверх» и «вниз», создав эффективную мотивацию на исцеление, а также определив конкретные способы его осуществления.

Упражнение 14.

→ Приступите к регулярному применению созидающих визуализаций всех признаков здоровья с обязательным созданием Идеальных Условий и Карты Ценностей.

2.2. Результат, который вы хотите обрести

«Большинство людей не знают, чего они хотят. Но точно знают, что то, что они имеют, это не то, что они хотят».
Дж. Гриндер

От наличествующего к желаемому

А теперь займемся почти НЛП, в коем — открою вам страшную тайну! — вышеупомянутое «От» и «К» давно уж нашло свое выражение в четкой модели, которую я для простоты называю «НС-ЖС». Графически ее можно отобразить следующим образом (см. рис. 6):

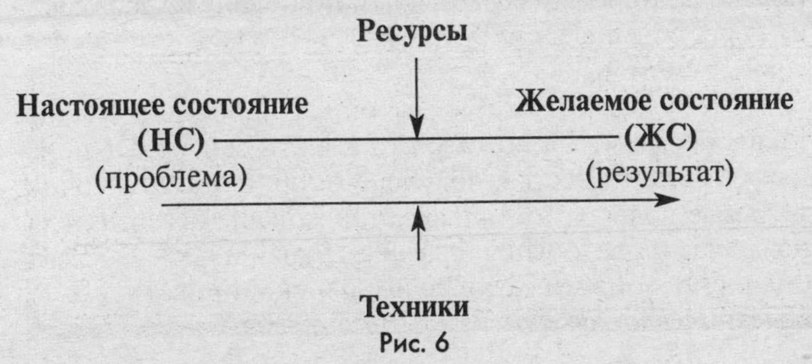

Рис. 6

Модель «НС-ЖС» удивительно проста, но очень эффективна (и не только в выздоровлении, а где угодно). Например, сейчас, «стартуя» в исцеление, *вы находитесь в вашем настоящем состоянии (НС)* — болезненном и проблемном. Если вы действительно хотите не просто уйти от болезни, а прийти к здоровью, нужна цель — некоторое *желаемое состояние* здоровья *(ЖС)* — тот результат, которого вы хотите добиться.

Для того, чтобы это продвижение осуществилось, вам, во-первых, нужно точно знать, куда вы идете — т.е. *результат* ваш *должен быть определен и описан.* Во-вторых, *вам нужны ресурсы — любые средства, которые могут быть задействованы для достижения результата*: физиология, состояния, мысли, чувства, стратегии, переживания, люди, события или вещи. Ну а в-третьих, *вам необходимы техники — приемы и методы работы с мозгом*, с помощью каковых вы сможете добиться желаемого состояния.

Начинать работу с этой моделью надо с описания настоящего состояния, чтобы выяснить, что собой представляет ваша болезнь. Стоп, вы куда? За результатами анализов и всякими «...граммами» (кардио-, флюоро- и т.п.)? Возвращайтесь-ка на место! Ибо все, что нам сейчас нужно (и очень-очень важно), это не диагнозы и сопутствующие медицинские показатели, а так называемые *сенсорные признаки болезни.* Это то, что вы по ее поводу видите (V), слышите (А), чувствуете (К) и думаете (Д) — т. е. то, что передается вам по поводу вашей болезни через обычные, присущие каждому из нас репрезентативные системы.

Почему важно, чтобы вы описали болезнь именно таким образом? Да потому, что все эти сенсорные признаки и есть (не всегда, но в первом приближении точно) те самые коды, с помощью которых ваше бессознательное закодировало вашу болезнь. И зная их, мы оказываемся способными буквально перекодировать вас из болезни в здоровье!

Подумайте, насколько это важно для вашего исцеления: перейти с абсолютно непонятного вашему бессознательному медицинского жаргона на язык, каковой это бессознательное понимает и принимает. А сделать это можно именно через вышеупомянутые сенсорные признаки. Каковые определяются очень просто: многократным задаванием вопроса: ***как вы узнаете, что у вас есть эта болезнь?***

До сих пор не забуду, как несколько лет назад мне позвонил один очень ответственный чиновник и спросил, лечу ли я болезнь Альберт-Шульца-Гольца (название, разумеется, условное). На мой недоуменный вопрос, что это такое, он даже как бы удивился, и стал мягко, но едко упрекать меня в некомпетентности («Как? Вы, доктор, не знаете, что такое болезнь Альберт-Шульца-Гольца? Ну это даже как-то странно...») На что я честно ответил ему, что действительно являюсь доктором, но психологических наук, а после прервал весь поток дальнейших излияний одним-единственным вопросом: «Как вы узнаете, что у вас болезнь Альберт-Шульца-Гольца?» На что после весьма продолжительной паузы этот самый чиновник честно ответил: «У меня уже пятнадцать лет непрекращающийся понос...» «О'кей, — ответствовал я. — Можете приезжать. Нормальный стул я вам обеспечу. А вот вылечу ли от болезни Альберт-Шульца-Гольца — не знаю...»

Теперь, после столь необходимой для вашего успокоения («ну как это без анализов?!») проповеди перейдем к делу. А это значит, что сейчас вы возьмете достаточно большой лист бумаги, нарисуете в центре его кружок, впишите в него «Болезнь имярек» (имярек — это вы, так что впишите свою фамилию), после чего начинайте последовательно отвечать на вопрос «Как я узнаю, что у меня эта болезнь?»

Для примера возьмем уже упомянутую мною гипертонию, ибо это то, от чего я сам себя исцелил. Не ручаюсь за точность, но так называемый первый круг итерации (сейчас вы поймете, что это такое) у меня выглядел примерно так (рис. 7).

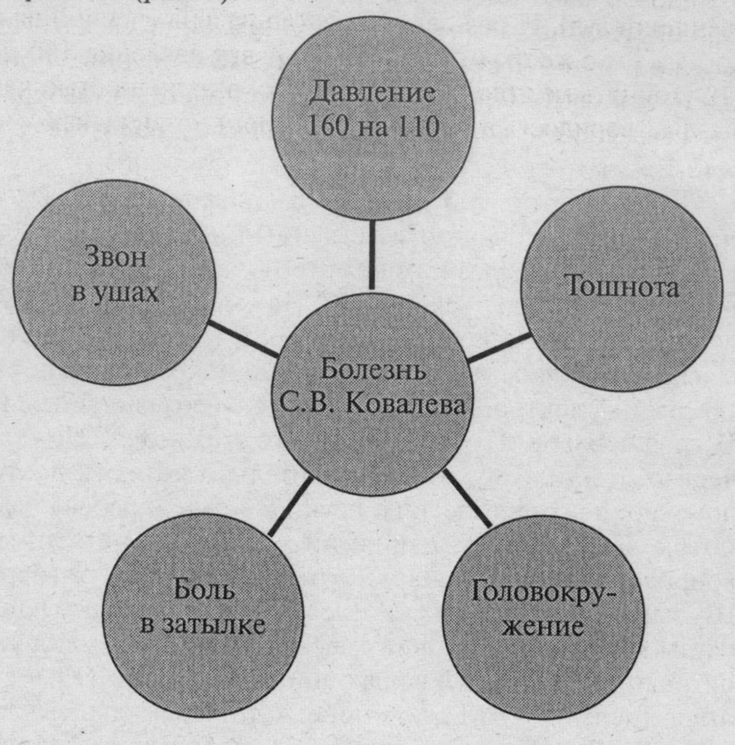

Рис. 7

Как видите, я почти все, кроме давления 160 на 110, расписал в опять-таки почти сенсорных признаках. Однако, не успокоившись на этом, начал последовательно задавать аналогичные вопросы («Как я узнаю, что у меня давление 160 на 110?», «Как я узнаю, что у меня тошнота?» и т.п.), после чего во втором круге итераций (теперь вы поняли, что это такое — следующий круг «расшифровывающих» предыдущее кружков) «уточнил» буквально все. И тошноту (до уровня «зеленого и склизкого комка в основании горла»). И головокружение (до уровня чего-то похожего на «торнадо между висками в передней части головы»). И звон в ушах (до уровня «пробки/заслонки», перекрывающей звуки окружающего мира и вызывающей звенящий зуд). И боль в затылке (до уровня «черной вязкой массы с жестким каркасом»). А вот давление 160 на 110 уточнять не пришлось, поскольку оно полностью как бы «растворилось» в остальных сенсорных признаках...

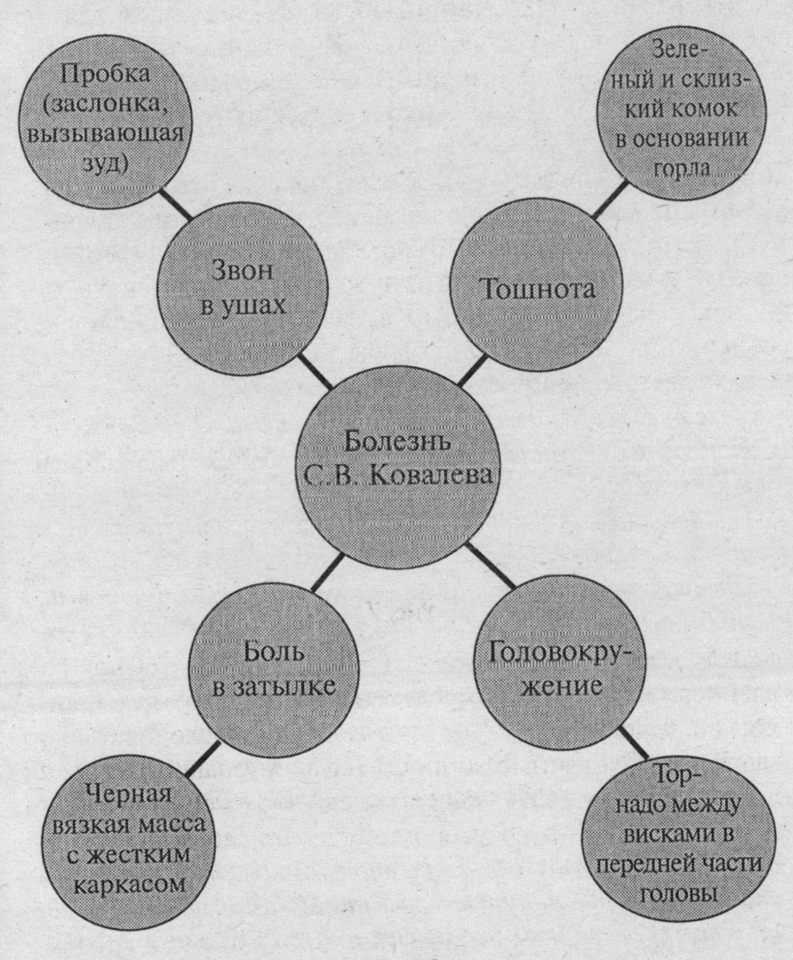

Рис. 8

Хорошо сформулированный результат

Теперь займемся другим «полюсом» модели «НС→ЖС», а именно желаемым состоянием. Точнее — его описанием (надо же вам знать, куда идти!). А поскольку **быть здоровым — это** совсем **не то, чтобы не быть больным,** ЖС никак не может быть одним лишь «перевертышем» НС. Например, от страха можно идти и К спокойствию, и К мужеству, и К уверенности в себе, и К пофигизму — и т.д. и т.п.), так что давайте создавать желаемый результат вдумчиво и серьезно.

Для начала используем так называемую «рамку» (по английски — «фрейм») «как если бы...», которая позволит вам перейти из надоевшей «карты» болезни в желанную «карту» здоровья. Чтобы использовать *технику фрейма «как если бы»*, вам нужно просто отвечать на вопросы, мечтая и фантазируя, т.е. сняв цензуру вашего сознания, т.е. так, как если бы вы уже обладали всем тем, чего желаете — абсолютным здоровьем /6/.

Давайте предположим, что вы уже здоровы. Опишите себя!

Если бы вы могли мгновенно стать здоровым, то каким бы вы были?

Притворитесь, что вы уже здоровы, и расскажите о своих ощущениях.

Предположим только на минуту, что вы действительно могли бы вылечиться. Опишите, в какой последовательности это происходило бы.

Если бы вы могли изменить любую часть своего болезненного состояния, то что бы вы изменили в первую очередь?

Каким бы вы были, если бы были абсолютно здоровым?

Если бы вы были здоровым, то что было бы и что бы вы делали?

Если бы вы знали основную причину, поддерживающую вашу болезнь, что бы это могло быть? (Как нечто внутреннее, в вашем теле, так и внешнее — в окружении — людях, условиях и обстоятельствах).

Если бы вы могли владеть нужной информацией по излечению, то какой бы она была?

Предположим, что вы знаете, что надо делать в первую очередь. Что бы вы стали делать для своего исцеления?

Все эти вопросы совершенно необходимы. И для создания «карты» вашего здоровья. И для включения механизмов глубинной мудрости вашего бессознательного (интуитивной по сути). Далее вам придется подключать уже свою логику, работая с процедурой пошагового уточнения исходного замысла, именуемой в НЛП техникой хорошо сформулированного результата.

При построении этого результата следует исходить из одного очень простого Главного Положения:

Чтобы достичь успеха необходимо ясно представлять себе результат

и расшифровывающих его четырех положений (пресуппозиций) НЛП.

Согласно этим пресуппозициям хорошо сформулированная цель должна быть

- определена только в позитивных и вполне конкретных сенсорных категориях;
- практична и достижима;
- необходима как таковая и в своих последствиях и
- предполагающей процедуру проверки и разнообразие средств для ее (цели) достижения.

Техника «фрейм результата» представляет, как я уже говорил, пошаговую процедуру уточнения исходного замысла, в ходе которой вы последовательно отвечаете на следующие вопросы*:

** Вопросы я привожу по материалам давнишнего тренинга по НЛП ИГИСП, так как более поздние редакции фрейма результата нравятся мне куда меньше. К сожалению, мне не удалось обнаружить ни названия тренинга, ни имени автора модели.*

РЕЗУЛЬТАТ	1. Чего я хочу добиться?
ПРИЗНАКИ	2. Как я узнаю, что достиг цели? Что я увижу, услышу, почувствую, смогу сделать?
УСЛОВИЯ	3. Где, когда и с кем мне это необходимо и желательно? Где, когда и с кем — нежелательно?
СРЕДСТВА	4. Что мне нужно, чтобы достичь цели? Каких ресурсов не хватает?
ОГРАНИЧЕНИЯ	5. Почему я не достиг цели раньше?
ПОСЛЕДСТВИЯ	6. Что произойдет, если я достигну/не достигну цели?
ЦЕННОСТЬ	7. Стоит ли цель моих усилий?

Описанное выше кажется весьма простым и понятным. Но потенциал, заложенный в данном фрейме, столь велик и важен, что мы разберем его на простом примере.

Помните про мою, ныне «уволенную в запас», гипертонию? Так вот, когда лично я разбирался с этой напастью с использованием техники хорошо сформулированного результата, получилось следующее:

РЕЗУЛЬТАТ (чего я хочу)	Я хочу стать здоровым в части своего давления и вызывающей его гипертонии.
ПРИЗНАКИ (как я узнаю, что добился того, чего хочу)	По высокой бодрости и активности, свежей и чистой голове, слышащим только реальные звуки ушам и приятным ощущением в горле (обратите внимание: про давление я даже не упомянул! — **С.К.**).

УСЛОВИЯ (где, когда, с кем это необходимо/ нежелательно)	Практически везде, но более всего в моменты напряженной работы на тренингах, с клиентами или при написании книг в условиях цейтнота. Ограничения по нежелательности отсутствуют.
СРЕДСТВА (что мне нужно, чтобы достигнуть цели)	Спокойствие, расслабленность, определенный пофигизм по отношению к работе и умение наслаждаться жизнью, а не одними только достигнутыми успехами и результатами.
ОГРАНИЧЕНИЯ (почему я не достиг этого раньше)	Потому что НЕ ТАК ЖИЛ — глупо, напряженно и в худшем смысле этого слова самозабвенно. И просто как страус в песок прятал голову в свою работу, даже не задумываясь над истинным смыслом бытия.
ПОСЛЕДСТВИЯ (что произойдет, я достигну/ не достигну)	Если я достигну ее, это будет просто здорово! Я наконец-то начну жить — может быть, не так эффективно, как хотелось бы, но, безусловно, более счастливо. Если же нет... Да я просто подохну, не дотянув даже до шестидесяти! А любой — рукотворный или нет — памятник никак не может служить заменой толком не прожитой жизни...

Ну и как вам все это? Обратили внимание на главное? На то, что в результате работы мой хорошо сформулированный результат — целиком и полностью психологический, а не физиологический — *расширился* за счет всего того, что открылось, и стал выглядеть примерно так:

«Я хочу стать и быть человеком, который везде и всегда, а в особенности в моменты напряженной работы будет обладать высокой бодростью и активностью, свежей и чистой головой, слышащими реальные звуки ушами, приятным ощущением в горле, а также всегда и везде проявляет спокойствие, расслабленность, определенный пофигизм по отношению к работе, умение наслаждаться жизнью, помня при этом, что он у себя — один, и этим все сказано».

Именно на основании этого результата, но уже используя модель «Мерседес SK», я создал необходимые, и в общем-то совершенно новые образы самого себя, а также, отказавшись от старых, приобрел новые состояния, способы поведения (и внешнего, и внутреннего) и убеждения. Но об этом далее, а пока вернемся к вашему результату, но уже несколько с иной стороны — готовности к его достижению...

Формирование готовности к достижению цели

Вообще-то это положение было сформулировано в НЛП едва ли не в момент его создания. Для того чтобы достичь любой цели, необходимо обязательное выполнение двух условий:

- ***человек должен знать, чего он хочет** и*
- ***человек должен обладать готовностью к достижению того, чего он хочет.***

С первым условием, которое полностью «вписывается» в систему «хорошо сформулированного результата», мы с вами разобрались. Настала пора разобраться и с условием вторым — с формированием бессознательной готовности к достижению цели.

Условие это является исключительно важным, ибо именно в нем и возникает вера, без которой любое лечение оказывается малопродуктивным. И если эта самая вера есть, лечение оказывается вроде бы и не особенно нужным, поскольку психосоматическое исцеление происходит как бы само собой.

По сути, речь идет о создании так называемой *саногенной установки*, без которой больной не может вылечиться даже в случае объективных благопоказаний к излечению. А таковых больных, не дающих себе шанс излечиться, по последним данным бывает от 30% до 50%.

То есть от 3 до 5 из 10 человек, имеющих все шансы вылечиться с применением обычных медикаментозных средств, не могут этого сделать потому, что вместо *саногенной установки* (готовности к излечению) у них по каким-то причинам (если не можете понять, по каким именно, перечитайте раздел 1.1) наличествует *установка патогенная* (на поддержание болезни)! Так вот, предлагаемая психотехнология как раз и позволяет преобразовать эту патогенную установку в саногенную, после чего исцеление часто наступает даже с использованием вроде и не особо работающих на выздоровление процедур и препаратов!

Татьяна пришла ко мне с «горячущим», как она сама выразилась, желанием избавиться от избыточного веса (85 кг при росте 160 см). Весьма тривиальная проблема, с которой ко мне обращается примерно каждый пятый пациент. После неизбежной возни с созданием фрейма результата, в ходе которой я последовательно раскритиковывал предложенные ею варианты («*Я хочу избавиться от лишнего веса*» — по причине движения от негатива; «*Я хочу похудеть*» — вследствие употребления плохо принимаемого бессознательным слова (корня) «худо» и т.д. и т.п.), мы, наконец, остановились на не слишком удачной, но принятой Татьяной и отвечающей необходимым требованиям формулировке *«Я хочу стать стройной женщиной, весящей примерно 60 килограммов»*.

Именно эту фразу Татьяна собственноручно записала в верхней части обычного листа формата А4. Затем уже я начертил под этим предложением такую вот шкалу.

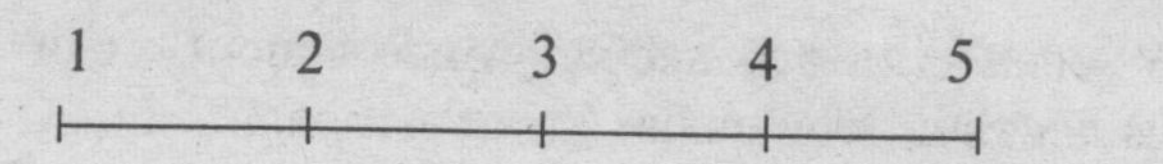

И объяснил ей, что это шкала ее собственного согласия с некоторыми суждениями относительно цели, которую мы с таким трудом сформулировали. При этом 5 означает безоговорочное согласие с этим суждением, 1 — полное несогласие, а 2, 3 и 4 являются промежуточными значениями.

Далее я попросил ее взять ручку и поместить ее (ручку) над цифрой 3 (среднее значение — наполовину согласен, наполовину не согласен). А после сказал, что сейчас она будет оценивать степень своего согласия с некоторыми имеющими отношение к ее цели суждениями, но оценку эту как бы передоверит своей руке. То есть расслабит ее и позволит, лишь чуть-чуть помогая, найти руке то место на шкале, которое соответствует степени или уровню этого согласия. А поскольку оценка 3, над которой сейчас будет находиться ее рука, — это среднее значение степени согласия, рука может двигаться либо влево к единице, либо вправо к пятерке, либо остаться на том же месте, если оценка 3 будет соответствовать действительности.

Заинтригованная Татьяна приняла правила «игры», и я медленно сказал:

«Эта цель желанна и стоит того», после чего мы оба уставились на руку с ручкой. Медленно и немного неуверенно она двинулась в сторону «пятерки», но, немного зайдя за оценку 4, остановилась.

По моей просьбе сразу под шкалой Татьяна написала *желанность цели = 4,1.*

После этого подобным же образом я произнес еще четыре фразы:

«Эта цель достижима» (рука ушла влево и остановилась примерно у 2,8).

«То, что мне необходимо делать, чтобы достичь этой цели, нормально и естественно» (рука замерла на оценке 3,0).

«У меня есть все необходимые способности для того, чтобы достичь этой цели» (рука выбрала 2,1).

«Я заслуживаю достижения этой цели» (рука уверенно прыгнула на 5).

Итоговая запись результатов выглядела следующим образом:

желанность цели = 4,1;
вера в ее достижимость = 2,8;
«естественность» действий по достижению цели = 3,0;
убежденность в своих способностях достичь этой цели = 2,1;
«заслуженность» цели = 5,0.

Только не надо думать, что в момент оценивания Татьяна находилась в сомнамбулическом трансе и практиковала автоматическое письмо. Нет, она была, как говорится, в здравом уме и трезвой памяти и, конечно же, сама двигала рукой, оценивая свое согласие с суждениями. Просто моя инструкция (больше всего в части концентрации на расслабленной руке, которая «сама будет производить оценку») позволила осуществить эту оценку не «де юре» — на сознательном уровне, где мы, скорее всего, получили бы одни «четверки» и «пятерки», а «де фактум» — на уровне бессознательного, где картина ее готовности к достижению цели оказалась далеко не такой благостно-положительной.

Надо сказать, что получившиеся результаты попросту ошарашили Татьяну — она ведь считала похудание едва ли не главным делом своей жизни и была твердо уверена в достаточности своего «горячущего» желаниия достичь устраивающего ее веса. Наверное, именно поэтому она очень спокойно восприняла мое объяснение о том, что с точки зрения НЛП ***готовность к достижению любой цели*** (или выполнению любой деятельности — например, того же сидения на диете) ***состоит из пяти компонентов.***

Во-первых, это ***желанность цели***, которая при том еще и должна «стоить того», ибо даже самый последний дурак не будет стремиться к достижению нежеланной цели.

Во-вторых, это ***убежденность в достижимости цели***, поскольку цели, оцененные как не достижимые, мягко говоря, «не греют» и уж тем более — не мотивируют.

В-третьих, это ***уверенность в том, что действия, которые придется предпринимать для достижения этой цели, будут носить нормальный и естественный характер*** — то есть вам не придется ломать себя, перестраивать свою жизнь или отказываться от чего-то очень-очень ценного.

В-четвертых, это ***убежденность в своих способностях достичь цели***, так как любая мысль о неспособности может парализовать и достижение цели, и деятельность (об этом, к их собственному сожалению, хорошо знают мужчины, испытывающие затруднения в сфере сексуальных отношений).

Ну а в-пятых, это ***уверенность в том, что вы заслуживаете достижения цели***, что особенно актуально в нашей стране, население которой твердо убеждено (убедили!), что оно не заслуживает ровным счетом ничего...

И все так же спокойно, но уже куда более заинтересованно Татьяна отнеслась к следующему положению НЛП, о котором я ей рассказал, — о так называемой неконгруэнтности, несовпадении сознательных и бессознательных компонентов нашего целеполагания. О том, что ***сплошь и рядом, сознательно стремясь к достижению чего-то действительно ценного, мы бессознательно бываем не готовы к тому, чтобы его добиться и достигнуть.***

Из оценок Татьяны следовало, что самым «слабым звеном» в ее готовности к достижению цели была убежденность в собственных способностях достичь того, чего она желает — 2,1 (на мой взгляд, минимальная оценка, которую можно считать достаточной — 4,0). С нее мы и начали работу.

Я дал ей чистый лист и попросил написать на нем следующую фразу:

«У меня есть все необходимые способности, чтобы достичь своей цели — стать стройной женщиной, весящей 60 килограммов».

После чего предложил новую игру: представить саму себя («воображаемую» Татьяну), сидящую напротив и полную скептицизма по поводу способностей «реальной» Татьяны обрести желаемый результат. И после того как она, немного нервно похихикав, сделала это, предложил «реальной» Татьяне выступить в качестве лектора-пропагандиста, убеждающего «воображаемую» Татьяну в наличии у «реальной» Татьяны необходимых способностей для достижения желанной цели. А для чего вначале просто вслух, громко, с чувством («по системе Станиславского») произнести, обращаясь к «нереальной» Татьяне, вышеприведенную фразу, которую я назвал базовой.

Немного смущаясь, Татьяна довольно бойко произнесла:

— У меня есть все необходимые способности, чтобы достичь своей цели — стать стройной женщиной, весящей 60 килограммов.

Сразу после этого я как бы продолжил сказанное ею, вставил одну-единственную фразу-«связку»:

— **«Потому что...»**

— Что значит «потому что?» — недоуменно спросила Татьяна.

— Вопрос из зала, — невозмутимо ответил я, показывая рукой на то место, где находилась «воображаемая» Татьяна. Народ просит объяснить, почему это у тебя есть все необходимые способности?

— Почему... — задумчиво протянула Татьяна. — Да потому, — внезапно оживилась она, — что я всегда добивалась того, чего я действительно хотела. А сейчас я поняла, что я, кажется, действительно хочу стать стройной!

— Очень хорошо, — ответствовал я. — Тогда будь любезна повторить то, что ты только что сказала: базовую фразу «потому что» и свое обоснование-объяснение.

Татьяна так и сделала, причем по ее лицу я понял, что игра ей начинает нравиться.

— А теперь еще раз скажи базовую фразу, — попросил я и, после того как Татьяна ее произнесла, добавил следующую «связку»: **«И я ее достигну до того, как...»**

— До чего того? — не поняв, переспросила Татьяна.

— Тебе виднее, — ответил я. — Или ты собираешься стать стройной в XXII веке? Спроси саму себя о том, до наступления какого срока, даты или события ты достигнешь своей цели.

— До того, как наступит лето, — внезапно сказала Татьяна (дело происходило в конце февраля). — Точнее, до середины мая...

— Как ты об этом узнала? — поинтересовался я.

— Даже сама не понимаю — как будто кто-то сказал внутри меня, а потом я увидела себя стройную и загорелую на фоне календаря с цифрой 15 мая...

— Этого года? — на всякий случай поинтересовался я.

— Да, этого, — ответила Татьяна.

— Очень хорошо. А теперь повтори все это: базовую фразу, «и я ее достигну до того как» и эти свои соображения по срокам.

То, как она произнесла требуемое, могло, пожалуй, в какой-то степени удовлетворить даже такого взыскательного ценителя актерского мастерства, как сам Константин Сергеевич Станиславский.

— Очень хорошо, — снова сказал я. — А теперь еще раз базовую фразу.

— У меня есть все необходимые способности для того, чтобы стать стройной женщиной, весящей 60 килограммов, — голосом Натальи Фатеевой произнесла Татьяна, на что я отреагировал очередной «связкой»:

— «И я ее достигну после того, как...»

— После того, как, — помедлив, сказала Татьяна, и на лице ее появилась какая-то растерянность. — После того, как... я поверю в это!

— А ты что, не веришь? — поинтересовался я.

— А вот и нет, — возразила Татьяна. — Теперь-то я как раз почему-то в это верю! А раньше, похоже, не верила...

— Тогда повтори все вместе — базовую фразу, «и я достигну ее после того как в это поверю» и обязательно то, что теперь ты в это веришь.

Татьяна так и сделала, причем проговорила она все это как юный пионер, дающий клятву родной пионерской организации.

— Теперь еще раз базовую фразу, — напомнил я и, дослушав до конца слегка поднадоевшее и ей, и мне «У меня есть...», вставил очередную «связку»:

— **«Пока...»**

— Пока я этого хочу, — почти тотчас выпалила Татьяна и, заметив мой вопрошающий взгляд, тут же добавила:

— А я этого буду хотеть всегда — до самой старости!..

— Ну уж нет, — возмутился я. — Ты что, хочешь выключить программу и немедленно растолстеть сразу после того, как почувствуешь себя старой?

— Вообще-то нет, — немного озадаченно ответила Татьяна. — Уж тогда-то лишние килограммы мне будут совсем ни к чему. А можно — «пока я живу»?

— Можно, — разрешил я.

— Тогда опять все предложение?

— Да, пожалуйста. А после опять базовую фразу.

Татьяна выполнила желаемое и замолчала, ожидая очередную «пропагандистскую» связку. Я удовлетворил ее ожидания, сказав:

— **«Если...»**

— Если я не буду переедать за ужином, — немного смущенно сказала Татьяна.

— А ты можешь не переедать за ужином? — поинтересовался я.

— А знаете — да, — внезапно оживилась Татьяна, — надо просто нормально обедать, а не так, как я, перекусывать. И помнить о том, чтобы вовремя покупать яблоки — я ведь их очень люблю. А теперь мне надо сказать все это снова?

— Да, — подтвердил я, — а после — базовую фразу.

После того как Татьяна очередной раз — кстати, уже весьма уверенно — произнесла фразу про способности, я ввел новую «связку»

— **«Хотя и...»**

— Хотя и... — призадумавшись, повторила Татьяна. — Хотя и... Хотя я, оказывается, никогда не верила в то, что я это смогу!

— Не верила? — чуть многозначительно переспросил я, намекая на то, что она внезапно стала использовать прошедшее время.

— Да, не верила! Потому что сейчас — верю. Может быть, и не на сто процентов, но процентов на восемьдесят пять — точно.

— Тогда повтори все это — базовую фразу, «хотя и...», а также про прошлое неверие и нынешнее восьмидесятипятипроцентное «верие».

— Много еще их будет — этих связок? — поинтересовалась Татьяна, выполнив очередную «мелодекламацию». И глядя на нее, я понял, что цель всей этой «игры» — ***самоубеждение в режиме биокибернетической обратной связи*** — практически достигнута.

— Да нет, всего три, — успокоил я ее. — Итак, базовая фраза... а теперь — **«Так же, как...»**

— Это как — так же, как? — немного удивленно спросила Татьяна.

— Ну, наверное, ты должна сказать, что у тебя есть все необходимые способности для того, чтобы добиться этой цели, так же, как у тебя уже были и есть способности для достижения других целей — тех, которых ты уже достигла. Что ты могла бы привести самой себе в пример?

— А я, кажется, поняла, — задумчиво протянула Татьяна. — Ну тогда, скажем, так: так же, как у меня хватило способностей устроиться в ту престижную организацию, в которой я сейчас работаю. А еще — совсем недавно занять новую должность...

— Было трудно? — поинтересовался я.

— Да, но я это сделала! — с каким-то даже вызовом ответила Татьяна.

— Очень-очень хорошо, — ответствовал я. — Вот именно с такими интонациями ты и повторишь сейчас всю фразу.

Дождавшись, пока Татьяна отчеканила свое «У меня есть все необходимые способности...» и, немного передохнув, снова произнесла базовую фразу, я ввел предпоследнюю «связку»:

— **«В любое время...»**

— В любое время года и в любое время дня и ночи! — практически не задумываясь выпалила Татьяна.

— Прекрасно! — обрадовался я. — Тогда сначала опять все вместе, потом, после паузы, базовую фразу и — последняя «связка»:

— **«Так что...»**

— Так что? — недоуменно переспросила Татьяна. — Так что в путь, вперед, начали, приступили! Что еще можно сказать? Я просто чувствую, что готова худеть!

— Становиться стройной, — поправил я ее. — И то, что ты так лихо, почти без запинки, завершила последнюю «связку», говорит о том, что ты действительно готова — она нами используется как раз в качестве своеобразного теста. Но знаешь, давай все-таки проверим. Возьми ручку, поставь ее над цифрой 3 уже знакомой тебе шкалы и дай своей руке возможность оценить степень твоего согласия с известными тебе суждениями по поводу твоей цели...

Результаты оценки приятно удивили Татьяну. Причем даже не тем, что оценка ее способностей увеличилась с 2,1 до примерно 4,25 (а вы помните, что она сказала о своей 85% вере? 4,25 как раз и составляют 85% от 5), а тем, что существенно возросли и другие оценки. Так что итоговый результат приобрел следующий вид:

желанность цели = 5,0;
вера в ее достижимость = 4,1;
«естественность» действий по достижению цели = 3,9;
убежденность в своих способностях достичь этой цели = 4,25;
«заслуженность» цели = 5,0.

Пришлось объяснить, что все пять компонентов готовности к достижению цели взаимосвязаны между собой — как атомы в молекуле, — и потому «улучшение» какого-либо из «атомов» неизбежно «улучшает» состояние других атомов и всей молекулы.

Дальше с Татьяной была уже просто работа — связный комплекс из девяти психотерапевтических интервенций, которые входят у меня в модуль стройности. Конечно, можно было бы не тратить время на предшествующее и сразу приступать к интервенциям — кстати, именно так и поступают начинающие энэлперы, не понимающие до конца, зачем нужна вся эта возня с результатом. Однако давайте на секунду представим, что я приступил бы к ним без формирования у Татьяны готовности к достижению цели. Смог бы я добиться успеха? Нет. Во всяком случае, полного и окончательного (если не согласны, еще раз вспомните об условии веры). Ибо отсутствие у Татьяны убежденности в ее способности добиться желанной цели (2,1), на котором, похоже, и основывалось ее неверие в достижимость этой цели (2,8), выступили бы в ее биокомпьютере в качестве своеобразных «вирусов», вполне способных обеспечить сбои в выстроенной мною новой программе обретения и сохранения нормального веса. А так, 17 мая я внезапно увидел из окна приближающуюся к моему дому женщину с цветами, которая вначале показалась мне незнакомой. Это была та самая Татьяна, но весящая теперь 60,5 килограмма.

Искренне надеюсь, что вы не восприняли вышеизложенное только лишь как некую рекламу НЛП-методов работы с избыточным весом. Это просто рядовой пример очень распространенной патологии обыденной жизни. Пример того, что сплошь и рядом, сознательно декларируя нашу готовность к достижению какой-то очень желанной цели, мы бессознательно, в глубине своей души, либо просто не хотим ее, либо не верим в ее достижимость, либо считаем процесс ее достижения неестественным (несоответствующим каким-то условиям или нашему естеству и сути), либо опять-таки не верим, но уже в свои способности в достижении этой цели, либо просто считаем себя не заслуживающими искомого блага.

Еще раз напомню: только примерно 6% планов и программ нашего поведения действительно осознаны (торчащая над водой верхушка айсберга). 94% этих самых планов и программ находятся в боссознательном и без применения специальных психотехнологий так и остаются неосознанными (подводная часть айсберга).

А в результате неконгруэнтность сознательных и бессознательных компонентов желаний, «Титаник» наших надежд тонет, получив, как и его реальный собрат, пробоину ниже ватерлинии. Пробоину, возникшую от столкновения и соприкосновения именно со скрытыми под водой, не видимыми глазу ледяными глыбами. И происходит это именно в тот момент, когда уже брошена команда «руль на борт» и «стоп машина», и кажется даже, что столкновения удалось избежать, ибо вот же он, айсберг, проплывает мимо! Но не пронесло, не спасло и не сохранило — удар, скрежет, разошедшиеся листы обшивки и долгая агония в ледяных волнах океана...

Так что, если вы не хотите, чтобы ваши планы и замыслы — любые, хотя нас-то больше интересуют те из них, которые относятся к здоровью — повторили судьбу «Титаника», не ленитесь. И всякий раз, приступая к чему-то действительно важному, не только создайте хорошо сформулированный результат, но и проделайте вышеописанную технику «формирования готовности к достижению цели» — по сути, включения «автопилота» вашего бессознательного, а точнее, снабжения его энергией уверенности и убежденности.

Теперь обещанный алгоритм техники создания бессознательной готовности к достижению цели. Кстати, не удивляйтесь тому, что я увеличил количество суждений до семи — это само собой вышло из практики, когда оказалось, что желанность цели и то, стоит ли она того, — это разные вещи. А убежденности в том, что, достигнув цели, вы будете жить нормально и естественно, есть условие экологичности, безоговорочно важное для вашего бессознательного...

Одним предложением запишите цель, которую вы хотите достичь.

Цель: ______________________________

Укажите на шкале от 1 до 5, как сильно вы верите в свою цель по отношению к следующим положениям (1 — самая низкая и 5 — самая высокая степень веры):

а) Моя цель желанна.

б) Эта цель стоит того, чтобы ее достигать.

в) Моя цель достижима.

г) То, что мне нужно делать, чтобы достичь этой цели, нормально и естественно.

д) То, как я буду жить, достигнув этой цели, будет экологично.

е) У меня есть необходимые способности для достижения этой цели.

ж) Я заслуживаю достижения этой цели.

3. Теперь просмотрите свои ответы и выберите тот, который вы оценили ниже остальных. Повторите соответствующее ему базовое предложение 9 раз, каждый раз добавляя очередное суждение из нижеперечисленных и ту мысль, что спонтанно появится за ним. Когда вы закончите, проделайте опять самооценку и заметьте, что изменилось и укрепилось.

...потому что ______________________________

*...поскольку*____
...и я ее достигну до того как _______________________
...и я начну ее достигать после того как _______________
*...пока*____
...если ____
...хотя и ____
*...так же, как я достиг*________________________________
*...в любое время*____
... так что ____

Закончив, снова проделайте самооценку и отметьте, что изменилось и укрепилось.

Как видите, техника эта проста, но довольно эффективна. Однако в ней есть ряд нюансов, повышающих эту эффективность до уровня, после которого все последующие действия приобретают второстепенное значение или резко сокращаются — просто готовность к достижению цели достигла такого уровня, что произошло то, что вполне можно назвать автоматическим самопрограммированием.

Первый из этих нюансов касается оценки различных компонентов готовности. Поскольку мы должны получить информацию из бессознательного, будет лучше, если вы, нарисовав такую вот шкалу:

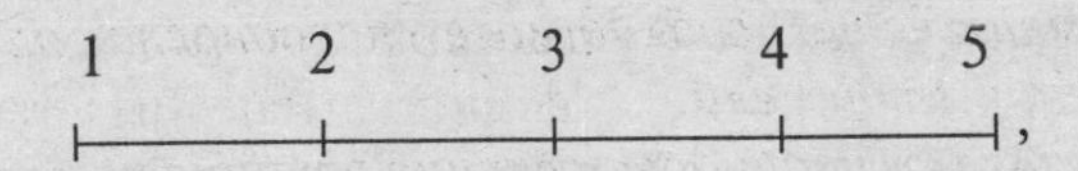

объясните самому себе, что это — шкала вашего согласия с некоторыми суждениями относительно цели — суждениями, которые вы сейчас как раз и будете читать или произнесете.

Что оценка 5 условно соответствует 100% согласия;
4 — 75%,
3 — 50%,
2 — 25%, а
1 — 0%.

Однако отвечать вы будете следующим образом: поставив руку с ручкой над отметкой 3 и как бы передоверив своей руке ответ. Нет, не в режиме «автоматического письма», но как бы помогая руке двинуться туда, куда ей захочется, и остановиться там, где она пожелает. Вот эту-то оценку — бессознательную по своей сути — и берите за основу.

Второй нюанс связан с процессом формирования бессознательной готовности к достижению результата. Здесь просто представьте, что напротив вас находятся люди, которых вам необходимо убедить в том, что вы действительно добьетесь желаемого, причем «в первом ряду» как бы находитесь вы сами — весьма скептически настроенные по этому поводу (это ваша скептическая идентичность, не верящая в результат). И что сейчас он и будет всех этих людей убеждать, одновременно убеждая и самого себя, — в так называемом режиме биокибернетической обратной связи.

Эмоционально — ибо даже глупость, произнесенная аффектированно и уверенно, способна убедить кого угодно (вспомните, например, В.В. Жириновского — умнейшего, кстати сказать, человека, уверенно и упоенно играющего роль Шута), так что нечто умное тем более «пройдет».

И ***рационально*** — с помощью аргументов, которые вы будете сами себе говорить, как бы отвечая на «вопросы из зала» (в качестве этих вопросов и будут выступать те самые 9 суждений («связок», как я их называю), приведенных в конце описания техники — *потому что* и т.п.).

А после, сравнив оценки по суждениям, выберите из них то, которое получило у вас минимальные значения. И приступайте к работе, в ходе которой вы должны сначала четко и уверенно *провозгласить* это *суждение*, а затем, последовательно используя «связки», еще *и аргументировать его*.

Обратите внимание на то, что в вышеприведенном, более позднем, чем пример, варианте этой техники

первая связка должна сопровождаться мощным «нет» болезни;

вторая — не менее мощным «да» здоровью;

третья связка требует обязательного уточнения сроков достижения результата для любого из суждений;

а четвертая должна определять фактор или момент, необходимый для того, чтобы это достижение начало осуществляться.

И учтите, что до тех пор, пока по всем суждениям ваша готовность не достигнет как минимум оценки 4, начинать последующие действия заведомо бессмысленно. Так что работайте и проверяйте результат, после чего, если надо, снова работайте — до тех пор, пока не сделаете себя как минимум «хорошистом» в части бессознательной готовности к достижению результата...

Ликвидация внутренних противоречий

Итак, *создание готовности к достижению цели* — это необходимая и чрезвычайно полезная для всех сложных случаев жизни психотехнология. И в варианте формирования саногенной установки (на *здоровье*) вместо патогенной установки (на *болезнь*) она резко увеличивает шансы на выздоровление. А сделанная перед каким-то важным делом зачастую просто обрекает его на успех.

Однако данная благоприобретенная готовность может, как это ни печально, вскоре как бы ослабнуть. Причем более всего и прежде всего за счет сохранения чего-то, все еще препятствующего изменению.

НЛП здесь исходит из абсолютно бесспорного факта, согласно которому если где-то что-то прибавится, то тогда точно где-то что-то убудет (весьма вольная формулировка закона сохранения материи). В данном случае речь идет, конечно, не о законе сохранения материи, а о том, что как свет невозможен без тени, ночь без дня, радость без печали (и т.д.), так и любое наше позитивное намерение обязательно вызывает или порождает своего антипода.

А если уж быть до конца честным, то антипод этот был у вас всегда, иначе с чего бы это *только сейчас* вы наконец-то всерьез озаботились своим исцелением? В том-то и дело, что такие вот полярности, которые еще Ф. Перлз метко окрестил «собака — сверху» и «собака — снизу» (первая обычно рвется вперед, тогда как вторая очень убедительно объясняет, почему это делать не стоит), — есть буквально суть, естество нашей жизни. То, почему мы по большому счету добиваемся в ней очень малого... Так вот, с помощью нижеописанной психотехнологии вы как бы сливаете две любые полярности воедино, добиваясь пусть несколько более медленного, но тем не менее уверенного движения вперед.

Поскольку психотехнология эта более сложная, чем приведенные ниже, опишу ее поподробнее.

Сядьте поудобнее и преисполнитесь желания достигнуть здоровья. Ощутив это желание достаточно полно (но не абстрактно, а непременно где-то в теле), положите руки на колени перед собой ладонями вверх и мысленно позвольте этому самому желанию как бы соскользнуть на одну из ладоней.

Когда вы ощутите, что это произошло (или представите, что это произошло), попробуйте внимательно как бы рассмотреть, что там якобы оказалось на вашей ладони — как если бы там что-то действительно было (лучше всего это делать с закрытыми глазами). Предположим, что вы «увидели» на этой ладони красный шар размером с апельсин. Прекрасно: ваша побуждающая часть/полярность появилась и проявилась.

Теперь вспомните все ситуации, когда вам не хотелось заниматься никаким таким здоровьем или когда вы не верили, что оно обретаемо.

Ощутите это нежелание или неверие; дайте ему соскользнуть в незанятую ладонь и также «увидьте» его. Что, оно похоже на серую распластанную медузу? Поздравляю вас: тормозящая часть/полярность присутствует, как говорится, налицо.

А теперь начните делать следующее — меняйте полярности местами, сводя ладони сначала медленно, а потом все быстрее и быстрее. Перекладывайте-перекидывайте их из руки в руку или просто давайте им одним скачком занять места друг друга.

Главное, чтобы вы делали это все быстрее и быстрее — до тех пор, пока будет уже совершенно не ясно, где красный апельсин, а где серая медуза, а потом еще секунд 10–15 после этого.

Теперь сведите ладони воедино и «увидьте» то, что образовалось в результате вашей «вольтижировки». Что, это похоже на немного уплошенный и чуть потускневший, но все равно красный апельсин? Все, дело сделано. Побуждающая полярность как бы поглотила, ввела в себя или трансформировала полярность тормозящую. И все, что вам теперь осталось, так это ввести эту новую интегральную часть в свое тело (куда захочется) с тем, чтобы она оттуда мотивировала вас на достижения совершенства.

Полный алгоритм этой психотехнологии — *техники ликвидации внутренних противоречий* — выглядит так (обратите внимание, что в нем работа с руками только упоминается, но лично я работаю именно так):

1. ***Определите, не присутствуют ли в вас части, убеждения, идеи и/или решения, препятствующие вашему выздоровлению.*** *Не получается ли так, что, выражаясь поэтически, одна часть вашей души рвется к здоровью, в то время как другая саркастически замечает: «Штаны не потеряй!» Или при мысли «я стану здоровым» вы внезапно начинаете думать о том, что «здоровые люди должны много работать, а это плохо (или опасно)».*

2. ***Выявите пару противоречий или противоположностей, с которыми вы собираетесь поработать и как бы поместите их на ладонях своих рук.*** *Выбор рук совершите интуитивно и спонтанно.*
3. *Мысленно отступите на шаг от этих полярностей и, обратившись к одной из них,* ***позвольте вашему бессознательному (или его творческой части) создать картинку или символ данной полярности.*** *Разместите ее в соответствующей руке, после чего проделайте это для другой полярности.*
4. ***Продолжая оставаться в отстраненном состоянии, представьте, что картинки в ваших руках поменялись местами*** *(можете, как это я описал выше, помогать себе руками). Сделайте это еще раз, потом еще один раз, а потом повторяйте этот процесс с увеличивающейся скоростью до тех пор, пока они не сольются окончательно.*
5. ***«Извлеките» из окружающего пространства новую интегральную картинку или символ*** *и подумайте, на какие мысли по поводу имевшего место противоречия он вас наводит.*
6. ***Определите в каком месте внутри (лучше) или вне (несколько хуже) себя вы хотели бы сохранить этот образ.*** *И поместите (разместите) его там.*

В принципе то, что вы сделали, имеет четкую нейрофизиологическую репрезентацию: в виде двух независимых очагов возбуждения в коре головного мозга (один из которых занимался торможением, а другой побуждением), которые вы сейчас просто-напросто интегрировали. Однако вас интересует не теория, а практика данного метода. В качестве некоего контрольного показателя позитивной интеграции у вас здесь должны выступать прежде всего цвет, форма и «консистенция» полярностей.

Например, в описанном мною гипотетическом случае, если бы после первой серии слияний красный шар стал бы серым (хотя и остался шаром, а не превратился в медузу), то свидетельствовало бы о том, что полученный результат все-таки далек от позитива. Однако все, что вам надлежит в этом случае сделать, так это всего-навсего «положить серый шар» в ту руку, где ранее была «медуза» (тормозящая полярность); снова вызвать полярность побуждающую (скорее всего это опять будет красный апельсин, хотя и не обязательно), после чего проделать еще одну серию слияний. И так до тех пор, пока не обнаружите у себя в сложенных ладонях что-то, если и не обязательно «шаровидно-красное», то уж точно не «распластано-серое».

На всякий случай можете спросить себя: а нравится ли мне то, что получилось? И если ответ будет положительным, смело вводите это новое и позитивное в себя.

Образ желаемого будущего

Ну а теперь займемся завершением непосредственного программирования вашего бессознательного на достижение желаемого здоровья.

Специалисты по НЛП, моделируя эффективных людей (то есть выясняя, как они делают себя эффективными, чтобы передать это другим), обнаружили, что все без исключения успешные субъекты (и во всех возможных областях жизнедеятельности), используют очень своеобразную стратегию успеха. Они вначале четко и зримо (до деталей) представляют себе то, что хотят получить в будущем (и ближайшем, и далеком). Затем как бы входят в него и «примеряют» на себя это будущее, одновременно наслаждаясь им.

Далее из будущего (!), обернувшись в настоящее, они мысленно отвечают себе на вопрос: «А как я сюда пришел? Как дошел до жизни такой?» — определяя или намечая шаги к своей цели.

А потом, вернувшись в настоящее, глядя в будущее, проверяют эти шаги с точки зрения их реальности и выполнимости.

Главным в этой стратегии является именно *образ желаемого будущего*, а не шаги к нему, хотя они, конечно же, тоже важны. Просто наше бессознательное обладает уникальной способностью: самостоятельно приводить нас к желаемым целям. Как автопилот, которому нужно только одно — конечный пункт маршрута...

«Запрограммировать» себя на обретение того, что вы бы сформулировали в качестве результата, можно с помощью *техники создания образа желаемого будущего**.

1. *Представьте самый хороший исход вашей будущей деятельности — например, здоровье, которое вы хотите, но пока не имеете.*
2. *Мысленно просмотрите не менее трех «кинофильмов» о своем успехе, в которых вы будете видеть самого себя, исполняющего будущие роли с блеском и вдохновением — каждый по три раза.*
3. *«Войдите» в эти фильмы и мысленно проиграйте все эти будущие роли (т.е. если в п. 2 вы на себя смотрели как бы со стороны — были «режиссером», то теперь на происходящее смотрите как бы из своих глаз — стали «актером») — опять-таки по три раза каждый.*
4. *Пребывая в своем будущем, в котором вы уже добились успеха или стали таким, каким хотите быть, посмотрите на свое настоящее, из которого вы пришли, и определите, что нужно сделать, чтобы достичь такого вот будущего.*
5. *Вернитесь в настоящее, еще раз посмотрите в будущее (представьте его), проверьте последовательность шагов, которые необходимы вам для достижения этого будущего, и еще раз прокрутите фильмы о будущем успехе.*

** По материалам семинаров по НЛП ИГИСП, автор текста мне не известен.*

Полностью ощутите себя в настоящем и почувствуйте приобретенную уверенность — в себе, в результате или в новых качествах и состояниях вашей психики.

Это минимум того, что вам необходимо сделать. Удачное программирование «здорового» будущего может оказаться решающим фактором вашего исцеления. А потому, вспомнив бессмертное «запас карман не тянет», примените еще одну — куда более мощную — *технику создания побуждающего будущего* (кстати, для любых целей, а не только выздоровления) /27; с. 182—183/.

«Сначала возьмите любую цель из следующих областей:

— физической;

— профессиональной;

— социальной;

— эмоциональной;

— духовной.

*Это **ваша жизнь.***

Если у вас все еще нет никакой конкретной цели, представьте себе, каким вы хотите стать. Какие качества вы хотели бы иметь?

Вообразите свою линию жизни, протянувшуюся от прошлого к будущему. Вы можете сделать это мысленно, но можно также использовать линию на полу, чтобы ходить по этой линии жизни. Подходит все, что сделает эту процедуру более реальной. (См. рис. 9)

Отметьте на линии жизни то место, которое будет обозначать настоящее (1).

Перейдите вдоль по вашей линии жизни в прошлое на такое же расстояние, какое отделяет вас от вашей будущей цели. Если вы строите побуждающее будущее, которое состоится через пять лет, то и в прошлое необходимо отойти на пять лет (2).

Посмотрите вперед в то место, которое вы обозначили как настоящее. Вы построили это «настоящее» теми действиями, которые совершили в своем прошлом.

Пойдите вперед к настоящему и почувствуйте, как много вы изменили за это время. Вам могут прийти в голову определенные ключевые события (3).

Сойдите с линии жизни (4) и представьте себе картинку самого себя, двигающегося к своей цели в будущем. Увидьте себя таким, каким вы хотели бы стать. добавьте принадлежащие картинке звуки и голоса. Теперь мысленно войдите в себя (в свое тело) в картинке.

Какие ощущения у вас возникают при этом? Настройте визуальные характеристики (цвет, яркость и т.п.) этой картинки, увеличивая ее и делая более яркой и цветной до тех пор, пока ваши приятные ощущения не достигнут пика интенсивности. Сделайте то же самое со звуками и словами.

Когда вы будете полностью удовлетворены, выйдите из картинки.

Поместите эту картинку в то место в будущем, где вы хотите достичь своей цели. Пусть она встанет прямо на вашу линию жизни (5).

Теперь посмотрите из этой будущей позиции на настоящее.

Какие шаги вам предстоит предпринять, чтобы превратить это будущее в реальность?

Какие препятствия могут возникнуть у вас на пути и как вы можете обойти их?

Что должно произойти в этот промежуток времени между настоящим и будущим?

Отметьте шаги и этапы этого процесса.

Вернитесь в настоящее (6).

Вы поймете, что существует ряд конкретных результатов, через которые придется пройти, чтобы достичь желаемой цели.

Пусть всегда цель находится впереди. Когда вы пройдете ее, создайте новую. Если цель потеряла в ваших глазах всякую привлекательность, создайте другую. Пусть всегда у вас будет мечта, выходящая за рамки той фантазии, в которой вы живете.

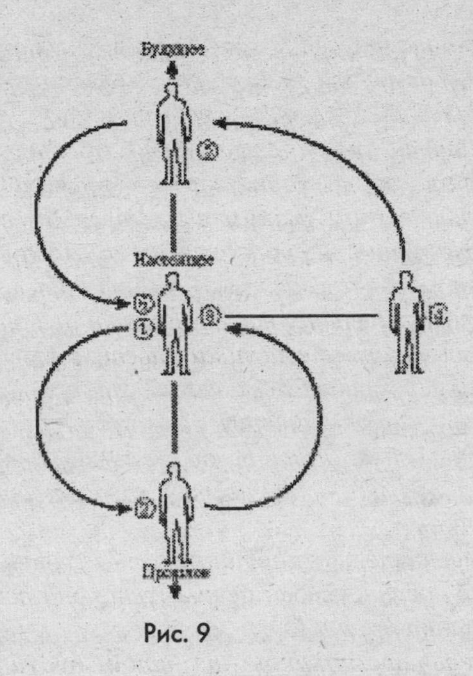

Рис. 9

Однако для того, чтобы автопилот вашего бессознательного действительно и эффективно заработал, полезным будет еще одно — восприятие желаемого вами как достигаемого естественно и непреложно. Поэтому я хочу порекомендовать здесь вам весьма интересную психотехнологию, в результате применения которой ваш мозг начинает воспринимать то, что вы хотите осуществить, именно таким вот, *неотвратимо-естественным образом* (т.е. как то, что необходимо осуществить, потому что оно обязательно должно осуществляться). Только не спрашивайте почему, так как иначе мне придется разъяснять это страниц двадцать. Лучше воспользуйтесь (и сделайте своим жизненным кредо) еще одну, и весьма забавную пресуппозицию НЛП: «Если это работает, зачем его разбирать...»).

Эта *техника — «формула поведенческого изменения»* — делается так /18/.

1. ***Решите, что вы на самом деле хотите***. *Это должно быть что-то, что вы можете контролировать. И, конечно, что-то, что вы хотите, а не «не хотите». Определите, как вы узнаете, что добились своей цели. Что вы тогда увидите, услышите и почувствуете?*

Оцените, каковы положительные и отрицательные последствия достижения вашей цели? При необходимости модифицируйте вашу цель, чтобы уберечь себя от любых внутренних и внешних отрицательных последствий.

Перечислите все ресурсы, которые у вас могут быть, для достижения вашей цели. Напишите причины, по которым вы не можете этого добиться. Позвольте себе полностью испытать любые отрицательные чувства, которые у вас могли бы быть, и создайте подтверждения, опровергающие эти причины и чувства (положительные высказывания о себе или что-то иное), чтобы высвободить все блоки, с которыми вы могли бы встретиться.

2. ***Войдите в расслабленное восприимчивое состояние сознания***. *Для этого просто закройте глаза и, не открывая их, приподнимите глазные яблоки («очи долу») под углом, примерно, 15—20° над горизонталью. В результате ваш мозг, «управляемый» вашими же глазами, немедленно перейдет в так называемое состояние Альфа, которое по определению является и расслабленным, и восприимчивым.*
3. ***Подумайте о чем-нибудь, что вы совершенно и безоговорочно ожидаете***. *О том, что обязательно случится. Войдите внутрь себя и отметьте качества ваших внутренних изображений (цвет, местоположение, яркость, чистота, число изображений); ваших голоса и звуков (качество тона, громкость, высота) и ваших чувств (чувство осязания, чувство движения, чувство действия), когда вы ожидаете то, что что-то произойдет. Запишите эти чувства, чтобы следить за ними.*
4. ***Полностью вообразите, как вы достигаете цели***, *пока вы смотрите кино с самим собой в главной роли.*

Если вам не нравится, как это выглядит, модифицируйте его, пока вам не понравится. Если это выглядит «нормально», и у вас по этому поводу нет возражений, войдите в свое кино и представьте, что вы прямо сейчас переживаете опыт достигнутой цели, ***используя визуальные характеристики того, что непременно случится****.*

5. ***Скажите себе, что вы этого заслуживаете... и пусть это идет.***

Упражнение 15.

→ Детально и, конечно же, в сенсорных признаках распишите ваши НС (болезни) и ЖС (желаемое здоровье).

Упражнение 16.

→ Создайте для своего желаемого состояния хорошо сформулированный результат.

Упражнение 17.

→ Добейтесь полной и непреложной бессознательной готовности к достижению своей цели — исцеления и здоровья.

Упражнение 18.

➔ Устраните все сомнения и сопротивления со стороны тормозящих частей.

Упражнение 19.

➔ «Запрограмируйте» себя же на достижение желаемого будущего, используя все три предлагаемые техники.

Глава 3

Образы во здравие себя

«Мозг, хорошо устроенный, стоит больше, чем мозг, хорошо наполненный».

М. Монтень

Все, теперь вы уже должны быть готовы **К** собственному исцелению, которое, конечно, уже началось, и продолжается, но только в том случае, если вы сделали все, о чем я вас просил. А значит, вам остается поддерживать и направлять происходящее, как бы перепрограммируя вас из болезни в здоровье. В строгом и точном соответствии с моделью «Мерседес SK», то есть по цепочке «образы самого себя → состояния → поведение → убеждения».

Если вы достаточно внимательно прочли раздел «Что такое НЛП», то объяснять вам, почему мы начинаем с Образов Самого Себя (ОСС), пожалуй, особо и не надо. Поскольку вы уже поняли, что именно эти самые ОСС и являются своеобразной «оболочкой», объединяющей и состояния, и поведения, и даже убеждения. Оболочкой очень устойчивой, поскольку есть данные, что, например, у женщин, садящихся на диету и действительно стройнеющих, Образ Собственного Тела сохраняется от трех до семи лет после начала диеты! И именно поэтому стоит им дать хоть малейшую слабину, как все сброшенные килограммы возвращаются с непостижимой быстротой. И альтернатив здесь всего две: либо *непрерывно* сидеть на диете эти самые три—семь лет (в ожидании, пока Образ Собственного Тела наконец-то соизволит измениться), либо минут этак за 10–15 самостоятельно изменить этот образ с помощью приведенных ниже психотехнологий.

Это я о весе, а теперь представьте, насколько же въелся за время болезни в ваше Сознание и Тело Образ Больного Себя! И что, вы действительно надеялись исцелиться, не поменяв этот образ? Ну вы и оптимист... Ведь у тех, не очень многих, кто вылечился, эта самая замена «больного» образа на Образ Здорового Себя произошла автоматически (например, очень возможно, что бессознательному просто надоело смотреть, как мучается человек, и оно приняло меры...). Но стоит ли надеяться на авось и пускать на самотек такой суперважнейший(!) процесс, как замена Образов Самого Себя (больного на здоровый)? Тем более что, не изменив этот самый ОСС, нечего и пытаться менять более мелкие программы. Ибо воистину «в старые меха не нальешь новое вино» — быстро скиснет (т.е. эти программы войдут в противоречие с вашим патологическим, но устоявшимся Образом Самого Себя и тихо угаснут).

Так что давайте начнем целенаправленно меняться — в два этапа. На первом мы поменяем *узко-* и *ширококонтекстные* Образы Самого Себя. А на втором — *внеконтекстные.*

В первом случае речь идет о *приступах* вашей болезни и ее *обострениях,* за которыми, как вы в этом скоро убедитесь, и стоят соответствующие узкоконтекстные и ширококонтекстные ОСС. Например, ваше давление может подниматься в узкоконтекстных ситуациях спора с начальством или разборки с женой. За этим может стоять ширококонтекстная реакция ваших сосудов на все ситуации напряженных или конфликтных разбирательств. Направляется это ваше болезнетворное реагирование соответствующими Образами Самого Себя, которые мы и заменим.

Ну а во втором случае «замещения» ОСС мы будем заменять ваш обобщенный, внеконтекстный, т.е. не связанный с какими-то контекстами образ: с «в целом больной» на «всецело здоровый». И тем самым позволим вашему Сознанию и Телу сделать все необходимое для вашего исцеления.

Таким образом, в этой главе вы:

осуществите изменение способствующих сохранению вашей болезни Образов Самого Себя;

научитесь купировать приступы и обострения, а также избавитесь от закрепившегося в вашем Сознании собственного бессильно-болезненного образа;

окончательно замените образ больного себя на образ себя же, но здорового;

резко и существенно усилите возможности и силу влияния Образов Здорового Себя.

3.1. По единому взмаху...

«Всякая стена — это дверь».
Р. Эмерсон

Теория и пример замены контекстного Образа Самого Себя

Все, что вам необходимо знать для того, чтобы воспользоваться нижеописанными психотехнологиями изменения *узкоконтекстных* и *ширококонтекстных* (но не внеконтекстных) Образов Самого Себя, так это то, что своеобразным «ключом зажигания» или «кнопкой запуска» появления «приступных» или «обостренческих» (это я по поводу приступов и обострений) ОСС является так называемый *триггер*: некий сигнал, запускающий соответствующую программу, в данном случае — появление соответствующего Образа, связанного с *проявлениями вашей болезни*. Это как помечающая программу в Windows «иконка», по которой нужно дважды щелкнуть мышкой, чтобы пошла эта самая программа.

Так вот, в технике взмаха, изучением (и использованием) которой мы займемся в этом разделе, определив соответствующий триггер, вы будете предлагать (но очень убедительно) вашему бессознательному образ «нового героя»: здорового вместо больного (пока только в плане приступов и обострений) или сильного вместо слабого (в любом нужном вам для выздоровления аспекте вашей жизни). Например таком, какой описан в нижеприведенном примере.

...Вадим обратился ко мне с пустяшной для многих, но отнюдь не для него проблемой: страхом перед инспекторами ГАИ. Страхом, который сам по себе был не очень-то приятным, но с учетом непреложно связанных с ним обострением язвенной болезни становился просто убийственным.

Я попросил его представить эту встречу и по изменившемуся лицу Вадима понял, что проблема налицо. Тогда я предложил ему сделать следующее. Вообразить, что он как бы уходит в отпуск от самого себя, а я на все время этого отпуска буду его заменять. Как «исполняющий обязанности» Вадима, я, естественно, должен делать все то, что делает и он. И бояться инспекторов ГАИ так же, как боится он. А раз так, я должен знать, когда именно мне надо начинать их бояться. Так что я должен увидеть для того, чтобы точно знать, что мне надо начинать бояться?

Вы уже поняли, что я решил определить с помощью этого приема (в НЛП он называется *техника «отпуск от самого себя»*). Триггер (как бы «ключ зажигания»), запускающий программу страха. Ту самую картинку, которую мозг Вадима закодировал как «исходную» для возникновения этого чувства. Некий «пусковой» файл этой не слишком приятной программы его биокомпьютера.

Оказалось, что картинка-триггер выглядит просто: инспектор ГАИ, поднимающий жезл (а дальше уже только страх, потливость, жалкие оправдания, а после боль в желудке и лекарства). И я попросил Вадима, обведя эту картинку рамкой, на время оставить ее в покое, задавшись другим интересным вопросом: может ли он вообразить себя таким, для кого это не проблема?

Довольно быстро мы установили, что «таким человеком, для которого все это не проблема» — сиречь спокойным, невозмутимым, расслабленным и уверенным в себе, — Вадим бывает на совещаниях руководимого им отдела. Тогда я попросил его представить себя таким, какой он есть на совещаниях, и убедившись, что этот образ себя ему нравится и что он подходит к ситуации с гаишниками, приступил к следующему простому действию.

Сначала я попросил Вадима увидеть картинку-триггер — большой и яркой. Затем в ее нижний правый угол поместить образ себя из ситуации совещания — невозмутимого, спокойного, расслабленного и уверенного в себе, но маленького и темного. И сразу, как только я произнесу волшебные слова «раз, два, три — ВЗМАХ!», очень быстро представить, как маленький и темный образ нового себя, увеличивая размеры и яркость, перекрывает картинку с инспектором ГАИ, которая так же быстро потемнеет и скукожится.

Я предложил Вадиму сделать так семь раз, все ускоряя процесс взмаха, но обязательно очищая «экран воображения» — например, просто глядя на любой предмет в комнате — в перерыве между взмахами. И подчеркнул, что такое вот «очищение» — это очень важное условие. Ибо взмах должен делаться только в одном направлении: от картинки-триггера к образу нового себя. А если он в перерыве между взмахами не очистит экран, чисто машинально его мозг может сделать обратный взмах (от уверенного образа к картинке его неуверенности), что ни к чему хорошему не приведет.

После того как мы с Вадимом семь раз (тут я немного перестраховался — обычно хватает трех-пяти повторений) осуществили процедуру взмаха, при последующей проверке (представлении картинки — триггера) обнаружилось, что образ инспектора ГАИ не только не вызывает у него больше никаких отрицательных эмоций, но и попросту как-то «не воспроизводится». А через час после того, как мы расстались, он позвонил мне, чтобы радостно сообщить, что по дороге домой его остановили гаишники, но это не только не испугало его, но, наоборот, — «вы бы видели, как спокойно и уверенно я с ними разговаривал — ну точно так, как со своими подчиненными...» После чего корректно поинтересовался, когда я смогу его принять уже по поводу окончательного избавления от надоевшей язвы...

Знакомство с техникой взмаха

Скорее всего, вышеприведенный пример вас заинтересовал и теперь вы хотели бы узнать уже конкретно, что и как надо делать для того, чтобы прекратить свои собственные приступы болезни, и даже научиться чему-то новому и более здоровому. Надеюсь, что приведенное ниже описание упрощенного варианта техники взмаха позволит вам это сделать легко и элегантно. (по: /10/).

1. ***Выясните контекст**, т.е. сначала определите, где вы «ломаетесь» или «застряли». Когда или где вы хотели бы вести себя или реагировать иначе, чем сейчас?*

(Напоминаю, что здесь вы можете работать как с внезапно возникающими проявлениями болезни или приступами, так и с вашими, например, способствующими болезни неэкологичными реакциями. — **С.К.**)

2. ***Определите картинку-триггер** («пусковую картину»). Найдите то, что вы на самом деле видите непосред-*

ственно перед тем, как начать вести себя так, как вам не нравится. Эту картину вы обычно видите как бы из своих глаз и, соответственно, не видите в ней себя. Многие в этот момент находятся на «автопилоте», и потому иногда стоит реально проделать то, что должно предшествовать этому нежелательному поведению, дабы увидеть, как все это выглядит, и найти триггер.

3. ***Создайте образ результата*** *(новый Образ Самого Себя). Сделайте (сконструируйте и вообразите) этот образ — каким бы вы себя видели, если бы уже достигли желаемого изменения. Каким бы вы были, если бы то, где вы «ломаетесь» или «застреваете», не было бы для вас проблемой. «Регулируйте» этот образ, пока не получите «экологичный» и действительно привлекательный, который сильно влечет вас и нравится вам.*
4. ***Взмах.*** *Теперь «махните» эти две картины. Сначала увидьте ту, «пусковую», картину, большую и яркую. Потом в нижний правый угол поместите маленький темный образ нового себя. А теперь пусть маленький темный образ быстро увеличивает размеры и яркость и перекроет первую картину, которая так же быстро потемнеет и скукожится. Потом «очистите экран» и «махните» эти две картины снова — пять раз в общей сложности. Непременно очищайте экран в конце каждого взмаха!*
5. ***Проверка.***

а) Теперь вызовите тот первый образ. Что происходит? Если взмах был эффективен, это просто трудно будет сделать. «Картинка-триггер» будет стремиться исчезнуть и замениться вторым образом, желательным.

б) Другой способ проверки — поведенческий. Найдите способ воссоздать ситуацию, представленную в ключевой картине, и проверьте, как вы теперь поступите.

Если во время проверки все еще присутствует старое поведение, снова проделайте технику взмаха. Посмотрите, что вы упустили и что еще можно сделать, чтобы этот процесс заработал.

Если у вас получилось не очень или не до конца (а что-то обязательно получилось), огорчаться не надо. Во-первых, потому, что вы не очень-то еще «врубились» в сущность данной психотехнологии, что неизбежно при освоении нового навыка. А во-вторых, оттого, что в технике взмаха есть некие нюансы, выполнение которых гарантирует устойчивый и сильный эффект от использования данной процедуры, тогда как невыполнение этих самых нюансов попросту сводит ее на нет.

Начнем с первого: сущности психотехнологии взмаха. В принципе ничего сложного в ней нет. Ну есть у вас некая область, в которой проявляется ваша болезнь (например, сердечный приступ). Раз так, есть у вас и какой-то триггер, запускающий данную реакцию (то, что как бы «включает» ваш приступ: внешние или внутренние картина, чувство или звук).

Есть желание избавиться от данного неэкологичного состояния (например, испытывать вместо приступа альтернативное здоровье). И есть реальная возможность сделать это, вставив в «картину» или вызвав сразу за чувством или звуком (разумеется, «запускающими») образ самого себя, спокойного, здорового и довольного.

А теперь о втором нюансе. В использовании психотехнологии взмаха есть одна важная сложность. Связана она с поиском нового образа себя (того самого, каковой «взорвет» проблему). Однако если вы поймете, что данный образ можно не только вспомнить или вообразить (что обычно и делают начинающие), но еще и как бы *сконструировать,* сложность эта будет вами преодолена. Воспользуйтесь для этого *техникой создания желаемого образа себя.*

1. *Отыщите реального человека или воображаемого «героя», который способен эффективно и «экологично» справиться с представляющей для вас затруднения ситуацией.*
2. *Разверните эту ситуацию, как кинофильм или видеоклип, и несколько раз посмотрите, как именно этот*

человек или герой действует в ней, «играя роль» в этом фильме или клипе.

3. *Теперь, если вас устраивает образ этих действий, как бы «выньте» этого человека или героя из первого кадра фильма или клипа, «вставьте» туда себя и еще несколько раз просмотрите этот фильм или клип, но уже с собой в «главной роли» и действующим так, как до вас действовали все те же герой или человек. Все, что вас будет не устраивать (не нравиться) в новом поведении, измените, использовав собственное воображение.*
4. *И наконец, как следует наигравшись, «извлеките» из фильма или клипа новый образ эффективного себя и уже с ним осуществите изменение с помощью техники взмаха.*

Взмах для уверенных профессионалов

Не пугайтесь — это я так пошутил. На самом деле то, что описано ниже, по сути, просто очень полное, пространное и даже учитывающее некоторые дополнения описание все той же «взмаховой» психотехнологии, которое я назову *техника взмаха — полный вариант /25/.*

Прежде всего определите то конкретное поведение, которое вы хотите изменить. Вы можете также взять определенную ситуацию, в которой вы хотели вы реагировать более разумно, возможно, имея дело с конкретным человеком.

1. Отнеситесь к этому ограничению как к достижению.

Как вы узнаете, когда следует запускать проблемное поведение?

Какие конкретно триггеры вызывают его?

Вообразите себе, что вам необходимо научить когонибудь этому ограничению. Что ему необходимо было бы делать, с чего начать?

Всегда должен существовать вполне определенный и конкретный триггер, который запускает эту реакцию. Если этот триггер является внутренним, возникающим в вашем мышлении, сделайте из него образ именно так, как вы его переживаете. Если это внешний триггер, нарисуйте его в точности таким, каким он появляется. Взмах легче всего проводить с визуальными образами, хотя можно осуществить его и в аудиальной и кинестетической системах.

2. Идентифицируйте, по крайней мере, две визуальные характеристики запускающей картинки, которые усиливают вашу реакцию на нее. Обычно хорошо работают размер и яркость. Для большинства людей увеличение размера и яркости образа усиливает его воздействие. Тем не менее могут существовать другие, не менее эффективные характеристики. Например, цвет, контрастность, резкость, местоположение и т.п.

Испытайте эти две характеристики на другом образе, чтобы убедиться, что они создают желаемый эффект. Это должны быть такие характеристики, которые вы можете плавно переводить из одного состояния в другое. Прервите это состояние, подумав на минуту о чем-нибудь другом, прежде чем продолжить.

3. Далее подумайте о том, каким бы вы хотели стать (человеком, который реагировал бы по-другому и не имел бы этих ограничений). Каким бы вы увидели себя, если бы уже совершили желаемое изменение? У вас было бы больше выбора, вы приобрели бы новые способности, вы стали бы ближе к той личности, которой вы хотите быть.

Это должен быть ваш собственный образ, обладающий желаемыми качествами, а не какое-то конкретное поведение. Убедитесь в том, что новый Я-образ является экологическим, что он согласуется с вашей личностью, вашим окружением и отношениями с другими людьми. Возможно, вам понадобится сделать некоторые коррективы этого образа. Подумайте о тех возможностях, которыми будет обладать этот Я-образ. Он будет нуждаться в ресурсах при осуществлении намерения старого поведения.

Убедитесь, что этот образ уравновешенный, правдоподобный и не связан ни с какой конкретной ситуацией. Убедитесь также, что этот образ является достаточно привлекательным и что он способен осуществить сдвиги к более позитивному состоянию. Теперь прервите состояние и подумайте о чем-нибудь другом.

4. Возьмите картинку-триггер и сделайте ее большой и яркой, если размер и яркость оказались «работающими» характеристиками. В углу этой картинки поместите маленькую темную фотографию нового Я-образа. Теперь возьмите большой и яркий образ ограничения и ***очень быстро*** *превратите его в маленький и темный, в то время как новый Я-образ пусть станет большим и ярким. Скорость является здесь существенным моментом. Убедитесь в том, что стирание старого образа и рост нового происходят одновременно. Может оказаться полезным, если вы вообразите или на самом деле произнесете слово, обозначающее этот процесс: «Взмах!» И пусть оно отражает то возбуждение, которое вы испытываете относительно превращения в новый Я-образ.*

Очистите экран. Повторите этот прием пять раз, быстро.

Ненадолго очищайте экран после каждого взмаха, глядя на что-нибудь другое.

Если взмах не работает после пяти повторений, не упорствуйте. Возьмите на вооружение свою «творческость». Может быть, следует подобрать другие визуальные характеристики или заменить желаемый Я-образ, т.к. этот является недостаточно притягательным. Это обязательно должно сработать.

5. Когда вы выполните предыдущие шаги, испытайте результат, применив его к воображаемому будущему. Подумайте о триггере. Вызывает ли он ту же самую реакцию?

В следующий раз, когда вы окажетесь в такой ситуации, наблюдайте за новой реакцией. Техники НЛП, как и сам мозг, работают быстро и эффективно. Мы эффективно взмахиваем себя во всякого рода беспокойства, сами того не замечая. Теперь мы сможем сознательно использовать тот же самый процесс для продвижения к чему-то более привлекательному. Эти техники продемонстрируют вам, как можно быстро внести изменения в вашу жизнь без напряжения и боли.

Теперь можно сделать два важных замечания. Во-первых, как вы, наверное, уже поняли, любой взмах начинается с триггера, который вы должны как можно точнее определить. Так вот, *триггер* этот *может быть* не только визуальным, но и *кинестетическим,* а еще и *аудиальным.* Ибо вполне естественно, что «толчком» к нежелательному поведению может выступать и некое *внутреннее состояние, вызываемое различными внешними ситуациями.* Представляете, как это обогатит ваши возможности использования техники взмаха? Буквально «одним взмахом — семерых побивахом».

Например, у меня была клиентка, которая испытывала растерянность, а потом головную боль всякий раз, когда сталкивалась с хамством: прохожих, знакомых, продавцов, начальства и т.д. и т.п. Общим для всех этих ситуаций у нее была именно растерянность, которую я и стал использовать в качестве триггера (т.е. просил эту женщину, вспомнить состояние растерянности, после чего она немедленно вызывала визуальный образ новой сильной себя). В случае использования внутренних триггеров мы позволяем себе уйти от контекста — конкретной ситуации, в которой возникали нежелательные поведение или состояние.

Ну а во-вторых, есть некие нюансы использования психотехнологий взмаха, которые необходимо знать, чтобы он был эффективным /21/.

1. ***Одновременность*** (синхронность). Для эффективности взмаха необходимо, чтобы изменения происходили как бы одновременно, то есть чтобы картинка-триггер синхронно заменялась на новый образ себя.

2. ***Направление.*** Взмах «работает», если его делают только в одном направлении — от картинки-триггера к желаемому образу самого себя. Поэтому обязательно используйте между процедурами явно и ярко выраженное промежуточное «разделяющее» состояние (как бы «сепаратор»). Например, перед каждым повторением «очищайте экран», если работали с открытыми глазами (для чего посмотрите на любые окружающие вас предметы). Или просто открывайте глаза, если во время взмаха они были у вас закрыты.
3. ***Скорость.*** Чем быстрее выполняется процедура взмаха, тем лучше. Поэтому сначала вы можете медленно проделать все шаги этой техники, чтобы понять их. Однако во время выполнения процедуры смена образов должна осуществляться как можно быстрее.
4. ***Повторение.*** Для закрепления результата взмаха обычно достаточно 3–5 повторений. Если же этого не произошло и после десяти повторов, то вам явно нужно внести какие-то изменения в процедуру, дабы техника эта «заработала» и вы смогли приступить к выздоровлению.

...Инна Викторовна обратилась ко мне по настоятельной просьбе своей дочери, поскольку сразу после выхода на пенсию эта дама, доктор наук и бывшая зав. кафедрой, стала страдать от необъяснимых скачков давления, каковые к моменту ее прихода ко мне начали уже складываться в картину классической гипертонии. Эта хитрая болезнь обычно развивается как следствие либо самоуверенного желания взять на себя непосильную нагрузку, либо одержимости трудом без отдыха и передышек, либо потребности оправдать ожидания окружающих (также непосильные), либо стремления к утверждению своей значимости перед другими (что является проявлением перфекционизма: чрезмерной тяги к недостижимому совершенству), либо комбинации всех этих факторов.

Однако гипертония Инны Викторовны оказалась связанной с другим — но вполне, увы, прозаичным. Просто эта дама, всю жизнь блиставшая в кругу коллег и студентов, и, этак небрежно передавшая обиходные функции собственной дочери, после выхода на пенсию и прекращения активной деятельности стала получать от этой самой дочери недвусмысленные предложения принять, наконец, посильное участие в домашнем хозяйстве. Ни готовить, ни стирать, ни убирать, ни возиться с внуками Инне Викторовне не хотелось. И тогда ее хитрое (в данном случае) бессознательное вызвало вторичновыгодную гипертонию, которая и решила (по-своему) данную проблему — ведь только ну совершенно бессовестная дочь может приставать к больной маме со всякими обиходными глупостями, а дочь Инны Викторовны таковой не была.

К счастью, Инна Викторовна оказалась дамой достаточно честной (а может, ей просто надоела ее гипертония). И после непродолжительной увещевающей беседы согласилась как с истинной причиной своей болезни, так и с необходимостью изменения стиля жизни, дабы эта болезнь спокойно ушла (чуть позднее я организовал для нее и дочери специальные переговоры по одной из моделей семейной психотерапии). Вследствие этого работа по остановке уже запущенного механизма воспроизводства гипертонии со всеми подготовительными процедурами заняла не более часа. Центральной психотехнологией здесь как раз и явился вышеописанный взмах.

Для начала я предложил Инне Викторовне как бы уйти в отпуск от самой себя и, соответственно, объяснить мне, что именно я должен видеть, а может, даже слышать или чувствовать, чтобы знать, что вот прямо сейчас я должен начинать «игры с гипертонией». Триггер оказался просто-таки смешным и совершенно понятным: образ (картинка) дочери, появляющейся на пороге комнаты матери с весьма специфическим выражением лица и словами типа «Мама, ты не могла бы наконец...»

Найти *образ результата* оказалось несколько сложнее, поскольку, с одной стороны, он должен был включать

Инну Викторовну с абсолютно нормальным давлением, а с другой — ее же, но спокойную и готовую к конструктивному диалогу и помощи по хозяйству. А дальше была уже рутина: семь взмахов с сепарацией, трехминутное отвлечение клиентки на время интеграции программы, проверка новой реакции на триггер и пристройка к будущему. Но в заключение мною была подготовлена очень эффектная кульминация, и сразу после окончания вышеописанных рутинных процедур на пороге моего кабинета появилась дочь Инны Викторовны и, с порога, с весьма специфическим выражением лица заявила: «Мама, ты не могла бы сегодня вечером наконец-то заняться с Колей математикой». На лице у клиентки не дрогнул ни один мускул, и она спокойно, но ох как величественно сказала: «Хорошо, я, конечно же, это сделаю...» Звонок через месяц после сеанса «переговоров» подтвердил, что гипертония Инну Викторовну больше не беспокоила...

Цепочки и повторения взмахов

Не стану скрывать: некоторые проявления вашей болезни могут оказаться настолько сложны и устойчивы, что навсегда вывести вас из них «единым взмахом» может оказаться довольно-таки сложно. Тем не менее и это не проблема для НЛП, поскольку вы можете делать это как бы постепенно — черед ряд (последовательность) переходных состояний с помощью *техники цепочек взмаха*.

Контекст (ситуация, или окружающие обстоятельства) остается здесь один и тот же в течение всей цепочки. И, кстати, в качестве контекста в случае, если вы болеете и хотите выздороветь как можно быстрее, можно использовать картинку всего того, что окружает ваше «пространство болезни» — дома или в больнице.

Нижеприведенный пример дается для создания «классической» цепочки «колебания/растерянность → скука → нетерпение → буйное желание → приступаю к исполнению» /5/. Но вы, я надеюсь, уже достаточно поднаторели для того, чтобы сконструировать последовательность состояний в своей цепочке самостоятельно.

1. *Сначала определите, что вы видите в ситуации (контексте), в которой вы колеблетесь или растеряны. Скорее всего вы видите перед собой то, что вы видите, например, комнату, больничную палату, процедурную и т.п.*
2. *Закройте глаза, представьте эту картину, в углу ее увидьте себя скучающим, сделайте эту (скучающую) картинку большой и яркой и как бы впрыгните в себя.*
3. *Опять-таки увидьте эту картину, в ней себя в углу нетерпеливым, сделайте эту картинку большой и яркой и вступите в себя в ней.*
4. *Снова увидьте картину контекста, в углу себя с буйным желанием заняться чем-то полезным, и аналогично вышеописанному сделайте эту картинку большой и яркой и вступите в нее.*
5. *Опять увидьте картину ситуации, себя в углу, приступающим к исполнению чего-то нужного, сделайте эту картинку большой и яркой, но на сей раз (это важно!) сохраните в этой картинке себя.*

Напоминаю последовательность смены состояний.

а) Растерянность.

б) Скука.

в) Нетерпение.

г) Буйное желание.

д) Приступайте к этому!

6) Проверка. Подумайте о реальных ситуациях, в которых вы колеблетесь или чувствуете себя растерянным. После того как вы вспомните о них, ваши состояния должны пройти по цепочке от растерянности до «приступайте к нему». Или используйте как своеобразный тест так называемую подстройку к будущему, то есть представьте или вообразите, как все будет в следующий раз, когда вы встретитесь с одной из тех ситуаций, когда вы обычно чувствуете себя колеблю-

щимся или растерянным. Если техника цепочки взмахов была сделана вами правильно, очень скоро вы почувствуете желание «приступить к этому»...

Ну а в случае, если неожиданный приступ застал вас, еще не до конца исцеленного(ую) врасплох, от него вполне можно довольно быстро избавиться, если воспользоваться еще одной «взмаховой психотехнологией»: *техникой улучшения своего состояния повторением взмахов /5/.*

Делается она так.

1. *Закройте глаза и постарайтесь увидеть перед собой большой, яркий образ вашего настоящего положения (т.е. всего того, что вы видели перед тем, как закрыть глаза). В правом нижнем углу поставьте маленькую, смутную картинку себя — в том же контексте, но другого: более здорового, веселого, уверенного, отдохнувшего и т.д. и т.п.*
2. *Произведите взмах и откройте глаза.*
3. *Повторите шаги 1 и 2 три раза.*
4. *На третий раз вступите в образ себя более здорового, веселого, уверенного, отдохнувшего и т.п. Посмотрите глазами этого персонажа на то, что видите, и сделайте в углу этой картины маленькую, темную картинку себя, но еще более здорового, веселого, уверенного, отдохнувшего и т.д. и т.п. Произведите взмах и вступите в нее опять.*
5. *Произведите шаг 4 десять раз. И оставьте последнюю картинку перед собой (то есть пусть этот здоровый, веселый, уверенный или отдохнувший вы останется перед вашими глазами).*

Взмах с расширением контекста

Все «взмаховые» техники, описанные выше, прекрасно «работают» в качестве инструмента «исправления» узкоконтекстных нежелательных программ и реакций.

Однако в деле восстановления вашего здоровья их возможности несколько ограничены. И применять их здесь можно (в основном) только для трех целей, а именно:

избавления от нежелательных и вредных для здоровья привычек — в том числе и тех самых психологических особенностей, которые определяют вашу предрасположенность к болезням;

уменьшения и уничтожения воздействия на вас «стрессирующих» и/или вызывающих приступ/обострение болезненных ситуаций;

создания программы быстрого прекращения этих самых приступов и обострений, а в идеале — мгновенного их уничтожения, так сказать «в зародыше».

Однако для того, чтобы избавиться не только от приступов, но еще и обострения, этого мало, в чем, конечно же, «виноват» узкоконтекстный вариант техники взмаха. Но оказалось, что после небольшой модификации этой базовой психотехнологии, осуществленной группой американских тренеров НЛП, узкоконтекстный взмах становится воистину ширококонтекстным, то есть «работающим» в самом широком спектре ситуаций. Так что настоятельно рекомендую вам проделать следующую процедуру *техники взмаха с расширением контекста* /41/. Описание ее, правда, сделано для случая бессилия/беспомощности, но я думаю, что вы уже достаточно освоились, чтобы привязку этой «карты» к собственной «территории» осуществить самостоятельно.

*1. **Идентификация с образом-указателем (триггером).** Начните с воспоминания определенной ситуации, в которой вы чувствовали собственное бессилие. Хотя некоторым сразу же приходит в голову какой-нибудь драматический момент из их жизни, будет лучше, если вы выберете какую-нибудь обычную ситуацию. Когда вы измените свое повседневное чувство беспомощности, изменятся все схожие с данной ситуацией жизненные впечатления. Убедитесь, что воспоминание вполне конкретно и реально, войдите в это воспоми-*

нание и увидьте то, что вы видели в момент, предшествующий началу ощущения вами беспомощности. Этот образ-указатель (сиречь, триггер) вы используете позже, а пока временно отложите его в сторону.

*2. **Ваш творческий образ.** Теперь мысленным взглядом увидьте внутренний образ себя, уже решившего проблему собственного бессилия: творческого, обладающего мощью и силой. Пусть это будет как ваша фотография без фона. Вам не обязательно знать, как вы добились этого просто увидьте, как вас переполняет чувство собственной силы. Это может проступать в блеске глаз, в довольной улыбке и т.д.*

Добейтесь того, чтобы изображение вас полностью устраивало. Убедитесь, что оно кажется вам настоящим и весьма привлекательным. Радуйтесь этому образу.

*3. **Расширение своего творческого образа.** Мысленно поместите этот образ в маленькой мигающей точке. Сделайте так, чтобы эта точка резко начала расти, становиться ярче до тех пор, пока вы не увидите перед собой этого творческого себя в натуральную величину.*

Затем увидьте чистый экран.

Повторите эту процедуру несколько раз до тех пор, пока она не станет автоматической.

*4. **Свой творческий образ в образе-указателе (триггере).** А теперь разместите эту маленькую мерцающую точку со своим образом в центре образа-указателя, увиденного вами в пункте 1.*

*5. **Замена образов.** Теперь сделайте так, чтобы мигаю щая точка начала резко расти и становиться ярче, открывая творческий образ, который в свою очередь начинает быстро расти и принимать натуральную величину. При этом образ-указатель (картинка-триггер) быстро бледнеет и темнеет.*

*6. **Увидьте чистый экран.***

*7. **Повторение.** Повторите шаги с 4-го по 6-й в более быстром темпе. Вновь разместите маленькую мерцающую точку в центре образа-указателя. Пронаблюдайте,* *как ваше изображение резко начинает увеличиваться, становится более отчетливым и как, наконец, ваш творческий образ закрывает собой картинку-триггер, который в то же время побледнел и потемнел. И вновь чистый экран.*

*8. **Множество собственных творческих образов.** Поскольку образ «творческого себя» наверняка будет служить вам во множестве различных ситуаций, лучше всего, если вы будете видеть это позитивное изображение везде, куда ни глянь — в прошлом, настоящем и будущем. Для этого представьте себе, что вы физически держите в руках «творческого себя». Вытяните руки и схватите его. Когда вы прикоснетесь к нему, он начнет становиться ярче.*

А теперь размножьте этот большой образ, как бы сделав его цветные копии. Сделайте столько образов творческого себя, один за другим, чтобы все они напоминали вам большую колоду карт.

Теперь оставьте перед собой один образ, а остальные отпустите в воздух. Смотрите, как все образы «творческого себя» начинают опускаться и укладываться вокруг вас, создавая концентрические круги, расширяющиеся на огромное расстояние во всех направлениях; в ваше прошлое, настоящее и будущее.

Представьте себе ряды образов «творческого себя», располагающиеся вокруг вас. И позвольте, чтобы со всех сторон окружали и проникали в вас добрые чувства.

*9. **Проверка результатов.** Когда эта процедура будет повторена вами несколько раз, проверьте результаты своей работы. Определите, что вы чувствуете, когда пытаетесь вызвать в воображении этот первичный неприятный образ-указатель.*

Если же вам не удается вызвать неприятные чувства или у вас возникают с этим трудности — вы закончили выполнять упражнение.

Если же вам не удается вызвать неприятные чувства или у вас возникают с этим трудности — вы закончили выполнять упражнение.

Если же негативные ощущения не покинули вас при воспоминании об образе-указателе, повторяйте упражнение, уделяя пристальное внимание каждому шагу до тех пор, пока не исчезнут неприятные чувства.

Упражнение 20.

→ Найдите любой свой способ поведения, который явно вредит вашему здоровью, определите триггер, запускающий программу этого нежелательного поведения, создайте образ нового себя и осуществите взмах. Сделайте это для всех своих «болезнетворных» поведенческих особенностей.

Упражнение 21.

→ В течение нескольких дней внимательно наблюдайте за собой в привычных ситуациях вашей жизнедеятельности и постарайтесь определить, какие именно ситуации (люди и обстоятельства) вызывают у вас обострение и/или приступ вашей болезни или симптома. Определив, сделайте технику взмаха для каждой из этих ситуаций.

Упражнение 22.

→ Определите то, что вы видите, слышите или чувствуете непосредственно перед обострением и/или приступом и, используя это в качестве триггера, осуществите технику взмаха.

Упражнение 23.

→ Для особо устойчивых симптомов вашей болезни создайте и введите в свое бессознательное цепочки соответствующих взмахов.

→ Научитесь убирать любое сиюминутное болезненное состояние техникой повторения взмахов.

Упражнение 24.

→ Используя данные по внешним контекстам и внутренним триггерам обострения и/или приступа болезни, с каждым контекстом или триггером проделайте технику взмаха с расширением контекста.

3.2. Возвращение здорового себя

«Тайна счастья заключается в способности выходить из круга своего «Я».

Г. Гегель

Внеконтекстный взмах

Ну что — намахались, причем всласть? И уже убедились, что приснопамятное «жить стало легче, жить стало веселей», чем дальше, тем больше становится реальностью вашей жизни? Ну, оно и должно быть так — просто должно, и все.

А будет еще больше и лучше, потому как сейчас мы приступим сначала к замене «больших» Образов Самого Себя (в целом больного на в целом здорового или всецело слабого на всецело сильного), а потом еще и к расширению и укреплению необходимых ОСС.

Сначала — «вопрос на засыпку». Скажите, а не появилась ли у вас крамольная мысль относительно посылки куда подальше такого важного элемента контекстного взмаха, как этот самый контекст (не важно — узкий или широкий)? Если да, то примите мои поздравления и немедленно записывайтесь на прохождение у меня курсов Практика, а то и Мастера НЛП — обещаю за сообразительность серьезную скидку. Потому как психотехнология внеконтекстного взмаха, каковую я далее опишу, как раз и построена на том, что вне всяких там условий и обстоятельств вы просто меняете между собой два образа вашего «я». И тот, который вам не нравится (**больной**), заменяете тем, который вас устраивает (**здоровым**).

Рассмотрим основной вариант внеконтекстного взмаха – «голографический», в котором к борьбе за выздоровление подключаются все модальности и ипостаси вашего опыта: и визуальная, и аудиальная, и кинестетическая, утраивая получаемый эффект.

Выполняется *техника внеконтекстного голографического взмаха* следующим образом.

1. *Посмотрите влево-вверх (это для правшей — левши все делают с точностью до наоборот) и представьте себя таким, каким вы себе не нравитесь. На время отодвиньте этот образ в сторону.*
2. *Теперь посмотрите вправо-вверх и представьте, как вы должны выглядеть, вместо того, каким вы себе не нравитесь. Повторив несколько раз, переместите сконструированный образ в область, которая находится от вас слева, хотя тоже сверху — до тех пор, пока он не станет легко и отчетливо вспоминаться.*
3. *Переведите глаза вправо (по горизонтали) и представьте слова, которые будете говорить вы (и которые будут говорить вам), а также все звуки, которые будут сопровождать вас тогда, когда вы станете таким, каким хотите быть. Переместите представляемый вами слуховой образ влево по горизонтали.*
4. *Переведите глаза влево-вниз и почувствуйте то, что вы будете чувствовать, когда станете таким, каким хотите. Переместите эти ощущения в область справа-внизу.*
5. *Отчетливо представив перед собой свой новый образ в едином комплексе репрезентативных систем (визуальный, аудиальный, кинэстетический) необходимое количество раз сделайте «взмах по дистанции и цвету»* /5/.

Для этого:

а) *Сделайте* ***ненравящийся*** *(ключевой) образ близким и цветным.*

б) *Поместите маленький черно-белый* ***«нравящийся»*** *образ себя вдалеке от себя.*

в) *Когда вы производите взмах, то ключевой (ненравящийся) образ должен быстро уйти вдаль, уменьшаясь в размерах и теряя цвет. Одновременно желаемый (нравящийся) образ себя придвинется к вам, станет большим и этот самый цвет обретет.*

Повторите взмах пять раз и проверьте результат.

И, конечно же, не забывайте делать перерыв и очищать экран в конце каждого взмаха.

Ну как — понятно? Если нет или не до конца, то объясню более подробно. На самом деле, если забыть про пресловутую голограмму (представим, что вы ее уже сделали), то *ненравящийся* («больной») Образ Самого Себя надо просто представить «в цвете» справа или слева от себя (как вам захочется). А новый *нравящийся (*«здоровый» либо «выздоравливающий») — маленьким и черно-белым где-то невдалеке перед вами.

Теперь представьте, что оба этих образа находятся как бы на различных концах единой петлеобразной «веревки», надетой на два блока (как на канатной дороге, где одни кабинки едут вверх, а другие вниз). Мысленно и с магическим словом «Взмах!» «дернуть» за «веревку». И увидеть, как «плохой» образ рванул вдаль, потеряв при этом всякий цвет, в то время как «образ» хороший «синхронно прыгнул» к вам и встал перед вами: большой, красивый, цветной.

Вот, собственно, и все. Не забудьте только очищать экран, т.е. делать «сепарацию» между взмахами, чтобы каждый из них совершался по схеме «плохой уходит — хороший приходит», а не наоборот...

Создание нового себя

Для создания новых Образов Самого Себя есть еще одна процедура, работающая намного лучше и точнее внеконтекстного взмаха. *Техника четырехшагового рефрейминга,* которую часто торжественно называют «Создание нового Я» /21/.

1. ***Осознайте свою проблему*** *(в данном случае это болезнь)* ***и назовите каким-нибудь словом или словосочетанием.***

Это делается для фиксации соответствующего фрагмента вашей личности. Важно, чтобы изменения касались только этого проблемного аспекта, а не расплывались на другие области жизни. Удобным способом получения данного эффекта является обозначение качества, подлежащего изменению, словом.

2. ***Мысленно переживите две-три жизненные ситуации, когда проблема беспокоила больше всего.***

Получить полный доступ к переживаниям мы можем, лишь находясь внутри ситуации (ассоциированию, как говорят энэлперы). Поэтому на данном шаге процедуры все делается в ассоциированном состоянии. И здесь важно найти привязку к телесным ощущениям, то есть определить, какие телесные состояния соответствуют проблемной ситуации.

3. ***Диссоциируйтесь от ситуаций, связанных с проблемным качеством.***

Другими словами, посмотрите на все происходящее с позиции стороннего наблюдателя (диссоциированно, как это принято называть в НЛП). Скорее всего перед вашим внутренним взором откроется неприятное зрелище. Хотя вы и отделены от ситуации, но ощущение дискомфорта и негативные переживания, связанные с увиденным, будут присутствовать.

4. ***Начните изменять образ самого себя в проблемной ситуации, делая его все более и более негативным.***

Сделайте этот образ максимально неприятным, и в это время сжимайте левый кулак. Причем чем неприятнее образ, тем сильнее сжимайте кулак. На пике негативного переживания надо разжать пальцы.

Сжимание руки в данном случае выступает в качестве механизма обратной связи, позволяющего регулировать силу переживания, ибо мы не умеем делать это произвольно. А вот регулировать силу сжатия кулака по своему желанию не представляет никакой трудности. Установив же взаимосвязь между мышечным напряжением и психологическим переживанием, можно легко регулировать интенсивность этого самого переживания.

Однако учтите, рекомендация использовать именно *левую* руку на данном шаге процедуры относится к тем, у кого *правая* рука является ведущей от рождения. Если же человек левша, то ему лучше использовать правую руку.

5. ***Смоделируйте желаемое состояние*.*** *Создайте образ самого себя в будущем и посмотрите, как вы будете выглядеть после того, как проблема перестанет быть проблемой. Как изменятся ваши движения и ощущения. Как зазвучит ваш голос?*

Задайте себе вопрос: «Для чего я хочу избавиться от проблемы?» Ответ на него часто и обозначает то, к чему стоит стремиться. В моделируемом состоянии просто нет места проблеме. Оно предполагает наличие у человека новых качеств, нивелирующих действие проблемы.

Если вам понравился сконструированный образ, то ассоциируйтесь с ним. Или, другими словами, «шагните» внутрь себя и ситуации и представьте свои ощущения после всех изменений. Если вас устраивают эти переживания, можно переходить к следующему шагу процедуры. Если нет, надо произвести необходимые дополнения. Например, добавить легкости в движениях или твердости в голосе. Все зависит от вашей фантазии и контекстов будущего состояния.

6. ***Снова вернитесь в позицию стороннего наблюдателя, то есть диссоциируйтесь от будущей ситуации.*** *Посмотрите на себя, на все то, что происходит, на свои действия. Делайте так, чтобы образ становился все более и более привлекательным и вызывал массу*

---

* *Термин «состояние» используется здесь в контексте модели НС → ЖС.* — **С.К.**

позитивных переживаний. Одновременно сжимайте правый кулак по тому же самому «принципу»: чем сильнее переживания, тем сильнее мышечное напряжение. На пике позитивных ощущений надо снова разжать пальцы.

Теперь у вас есть два образа: один слева, другой справа. Они оба находятся в поле вашего внутреннего зрения. Созерцание изображений вызывает положительные переживания, ведь это результат приложенных усилий и «строительный материал» будущих позитивных изменений.

7. ***Вытянутыми руками как бы прикоснитесь к образам и начинайте мысленно сближать картины проблемного и желаемого состояний.*** *Одновременно и синхронно сближайте руки так, что в момент, когда произойдет объединение образов, соединятся и ваши руки. Правда, довольно часто соприкосновение рук происходит чуть раньше, чем слияние образов, но это вполне допустимо, так как ускоряет процесс объединения.*

После того как вы соединили руки, дождитесь, пока образы объединятся. И посмотрите, нравится ли вам новый Образ Самого Себя? Все ли в нем так, как хотелось бы? Если что-то не устраивает, например, слишком много негативных черт осталось от образа прошлого, проблемного состояния, то это можно легко исправить. Просто снова разведите руки, как бы разведя и образы. Затем добавьте или усильте соответствующие позитивные черты. А после снова соедините руки и образы. Данную процедуру можно повторить несколько раз, пока итоговый образ не станет устраивать вас на все сто процентов.

8. ***Теперь объедините итоговый образ со своим собственным телом.*** *Другими словами, погрузите образ в себя или, иначе, ассоциируйтесь с ним. Для этого, переплетя пальцы, приближайте руки к своей груди, одновременно мысленно придвигая к себе и образ. Коснувшись груди, можете расцепить руки и даже обнять себя, переживая процесс объединения. Обратите внимание на то, чтобы*

все части образа совпали с соответствующими частями вашего тела. Когда переживания закончатся, можно опустить руки.

Сразу же «повинюсь»: я несколько модифицировал вышеописанную процедуру, и разработал технику создания совершенного себя. Предлагаю вам воспользоваться ею в дополнение (или вместо) приведенной выше. Лично для вас «несовершенство» значит болезнь, «совершенство» — здоровье (см. описание «НС→ЖС»).

1. ***Определите область, в которой вы собираетесь добиться совершенства.*** *Проще всего это сделать, составив два списка характеристик: отражающих ваше нынешнее несовершенство и представляющих будущее совершенство (расположив характеристики попарно, например, «неуверенный в себе» — «уверенный в своих силах сделать все, что можно и должно»). Список этот может включать более чем одно качество или свойство вашей психики, однако помните, что максимальный объем нашей кратковременной памяти — 7 ± 2 структурированных блока информации. Поэтому, не зная толком своих возможностей, не экспериментируйте одновременно более чем с пятью чертами (а лучше просто работайте с каждой парой по отдельности). Оцените свою внутреннюю готовность к этому совершенству по 10-балльной шкале.*
2. ***Возьмите список своих несовершенств и представьте прошлые ситуации, в которых вы их проявляли.*** *Начните с диссоциированного их рассмотрения (т.е. как бы глядя на себя со стороны), после чего ассоциациируйтесь с собой (т.е. как бы войдите в себя в этих ситуациях и начните смотреть на все происходящее как бы из своих глаз). Постарайтесь при этом максимально полно ощутить состояние собственного несовершенства — вплоть до чувства неприязни.*
3. ***Удерживая эти ощущения, вытяните под углом 45° относительно пола свою недоминантную руку*** *(левую для правшей и правую для левшей),* ***сложите пальцы в кулак***

(но не сжимайте их) ***и поместите образ несо-вершенного себя в пространстве над этой рукой.*** *А далее начните изменять этот образ, делая его все более негативным, одновременно сжимая пальцы в кулак и усиливая свою неприязнь к нему до полного неприятия. В буквальном смысле этих слов, рисуйте на себя неприятную карикатуру или шарж. На пике негативного переживания разожмите пальцы.*

4. ***Вообразите образ совершенного себя в будущем.*** *Мысленно нарисуйте себя обладающим полным набором свойств, черт и качеств из списка своего совершенства. Не ограничивайте себя самоуничижением — все эти свойства, черты и качества давно уже есть в вашем бессознательном (точнее — в сверхсознательной его части), так что вам их нужно просто извлечь оттуда и актуализировать. Если надо, усильте этот образ, диссоциированно наблюдая за своим совершенством в самых разных условиях и обстоятельствах — антиподах ситуаций несовершенства. Добившись желаемого, ассоциируйтесь с этими образами (как бы войдите в них) и постарайтесь максимально полно пережить это восхитительное состояние собственного совершества, а также его привлекательности.*
5. ***Удерживая эти ощущения, вытяните под углом 45°относительно пола свою доминантную руку*** *(правую для правшей и левую для левшей),* ***сложите пальцы в кулак*** *(но опять-таки не сжимайте их)* ***и поместите образ совершенного себя в пространстве над этой рукой.*** *А далее начните изменять этот образ, делая его все более позитивным, одновременно сжимая пальцы в кулак и усиливая восхитительное состояние собственного совершенства и его привлекательности до полной неотразимости. Образно говоря, рисуйте себя с нимбом над головой и крылышками за плечами. На пике позитивного пережи-ваия разожмите кулак.*

6. ***Сжав кулаки и мысленно как бы «прихватив» несовершенный и совершенный образы, начните сближать руки, одновременно мысленно сближая и образы.*** *В момент соприкосновения кулаков или чуть позднее образы соединятся, как бы влившись друг в друга. Дождитесь этого соединения и оцените получившееся в результате «интегральное образование». В 99% это будет ваш образ совершенного себя. Если же в нем обнаружатся черты, не отвечающие вашему представлению о совершенстве, сделайте этот образ «условно несовершенным», создайте новый образ совершенного себя и повторите процедуру.*
7. ***Введите образ совершенного себя в собственное тело.*** *Для этого переплетите пальцы обеих рук и начните приближать их к груди, одновременно мысленно приближая искомый образ. В момент, когда руки коснутся груди или чуть позднее, образ войдет в ваше тело, после чего дайте ему возможность заполнить вас целиком и полностью, как бы пропитывая совершенством каждый орган и клеточку вашего тела. После завершения переживания не забудьте расцепить руки. И оцените по 10-балльной системе то, насколько вы теперь готовы к данному совершенству.*

Ролевое моделирование здоровья

В принципе если вы сделали процедуру четырехшагового рефрейминга для всех аспектов своего НС ЖС, работу с Образами Самого Себя можно было бы закончить. Если бы не одно, а точнее, два обстоятельства.

Первое — это возможность усилить подключение Тела, не дожидаясь, пока это произойдет само собой. Дабы и оно, и вы побыстрее вошли в роль здорового человека.

А второе — это предполагаемое несовершенство ваших представлений о здоровье, которые оставались не очень-то и полными и вдохновляющими просто оттого, что вы

А второе — это предполагаемое несовершенство ваших представлений о здоровье, которые оставались не очень-то и полными и вдохновляющими просто оттого, что вы слишком долго были больным (а как известно, сытый голодного — и наоборот — не очень-то и поймет...), что ощутимо ухудшит качество нового здорового ОСС.

Так вот, для того, чтобы быстро, полно и совершенно войти не только в образ, но и в роль здорового себя (а отчасти и расширить свои представления), воспользуйтесь *техникой создания новой роли /32/*.

Дети обычно обучаются, играя в игры и примеривая на себя то Роль родителей, то любимых кино- или телегероев, то Роль персонажей книг. Они играют и обучаются одновременно.

Уметь войти в роль — значит соответствовать ситуации. Как к каждому замку требуется определенный ключ, так к каждой ситуации требуется свое поведение. А когда ключ не соответствует — либо человек не может войти в комнату, либо очень долго возится с замком, открывая его со скрипом.

Роль — это только шаблон. И чем больше у человека этих шаблонов, тем к большему числу замков он может подобрать ключи.

В данном случае идеалом считается способность соответствовать любой ситуации.

1. Старая роль.

Подумайте о том, какую Роль вы играете по жизни (к сожалению — пока только больного). Придумайте или вспомните метафору к этой Роли.

Это может быть некий образ, фраза, плюс настроение:

«Вообще-то я просто болен»;

«Мне так грустно болеть»;

«Никто меня не любит такого вот, больного»;

2. Выбор новой Роли.

Подумайте и выберите для себя такую Роль, которая вам интересна и которая вам может дать что-то новое, обучить чему-то интересному (для вас это роль выздоравливающего или здорового).

Может, стоит взять Роль, противоположную той, которую вы обычно играете по жизни. Или ту, которую вообще никогда на себя не примеряли. И придумайте обозначение — фразу, действие, эмоцию — для этой Роли:

«Я просто здоров»;

«Мне так весело выздоравливать»;

«Все будут любить меня, здорового».

3. Создание образа.

Представьте себе образ, который для вас обозначает эту Роль. Для этого существует три способа:

1) *Вы можете представить себя, играющего эту Роль. Как вы выглядите со стороны?*
2) *Вспомните человека, который прекрасно играет эту Роль. Это может быть ваш знакомый, киногерой и даже герой книги.*
3) *Создайте как бы архетип Роли. Здоровяк, Герой, Супермен. Это как бы чистая Роль, без всяких нагрузок.*

Естественно, у каждого способа есть свои достоинства и недостатки. Когда вы выбираете образ самого себя, играющего эту Роль, то все зависит от того, хорошо вы ее умеете играть или не очень. А если вы выбираете другого человека, то вместе с Ролью рискуете получить и его болезни и комплексы.

Архетип же не несет в себе никаких нагрузок, но он слишком неестественный, как герой в мексиканском телесериале. Если это негодяй, то ничего человеческого в нем нет. А если она порядочная девушка, то все вокруг гады и делают подлости, а она всегда хорошая и тут ни при чем. От архетипа хорошо обучаться Роли, но брать его за образец я бы не особенно рекомендовал. Он лишен человеческого наполнения.

4. Вхождение в образ.

А теперь войдите в этот образ. И предоставьте ему свое тело. Разрешите ему делать то, что оно считает нужным. Если оно захочет как-то изогнуться, сменить позу, расслабиться или напрячься, то разрешите ему это сделать. Будьте просто сторонним наблюдателем. Разрешите Роли играть вас. Но не забывайте, что пульт управления находится у вас. И она вас играет только до тех пор, пока вы ей это разрешаете.

С одной стороны, это чрезвычайно простая техника, а с другой стороны — чрезвычайно сложная. Простота в исполнении. Трудность в отказе от контроля. В том, что нужно «отпустить» себя, в пассивности. Я не говорю о страхе перед чем-то новым. Это само собой.

5. Вживание в Роль.

Для того чтобы лучше вжиться и лучше осознать все те изменения, которые произошли, немного поговорите, пройдитесь, займитесь делами и подумайте о разных вещах. Вживитесь в этот образ. Вернее, разрешите этому образу на время вжиться в вас.

Попробуйте несколько раз войти и выйти из этой Роли. Прочувствуйте отличия между вашим обычным состоянием и этим новым. Вхождение в Роль напоминает примерку новой одежды. К ней нужно привыкнуть.

6. Взгляд со стороны.

А теперь отойдите в сторону и взгляните на обе ваши Роли — Старую и Новую. Чем они отличаются? Как меняется ваше восприятие и ваше мышление? Найдите и опишите эти различия вслух.

После этого подумайте о том, к каким ситуациям подходит ваша старая Роль, к каким — новая. А где они не подходят обе и нужно что-то другое. Найдите то, что объединяет эти типы ситуаций, и попробуйте это сформулировать...

Голограмма самонаставничества

Теперь о следующем возможном препятствии или ограничении — ваших собственных не слишком вдохновляющих представлениях об Образе Здорового Себя (ну что поделать — забыли вы, что это такое...). Для преодо-

Первая из них, с которой мы сейчас познакомимся, — это так называемая голограмма самонаставничества, позволяющая (как и две последующие психотехнологии) создавать собственный ОСС, используя образы других людей и даже воображаемых героев в качестве своеобразной модели.

Маленькое отступление перед описанием этой самой голограммы: пусть вас не пугает и не путает использованный в тексте термин «три позиции восприятия». Суть здесь удивительно проста, хотя и «ошеломительно» полезна. Просто, взаимодействуя, например, с человеком по поводу «чего бы там ни было» (например, какой-то проблемы), вы можете смотреть на это самое «чего бы там...» или проблему как бы из своих глаз или со своей точки зрения (это и есть первая позиция восприятия); из глаз и с точки зрения другого человека (вторая позиция); и, наконец, как бы со стороны, видя собственно взаимодействие себя и другого (третья позиция). Ну а делается *техника «голограмма наставничества»* следующим образом /13/.

1. *Мысленно представьте себе контекст вашего будущего, в котором вам понадобится результат нынешней работы, сиречь выздоровление и/или здоровье.*
2. *Войдите в первую позицию, оцените обстановку и начните мысленно действовать, как сочтете нужным и возможным.*
3. *Выйдите из первой позиции. Представьте себе того человека (модель), который может, умеет и ведет себя в этом контексте самым подходящим образом, то есть безоговорочно выздоравливает или буквально светится здоровьем.*
4. *Войдите во вторую позицию (модели), станьте этим человеком в своей внутренней и внешней репрезентации образов, звуков и ощущений. Увидьте, услышьте и почувствуйте, что значит вести себя так и получать соответствующую обратную связь и нужные результаты.*
5. *Перейдите в первую позицию, унося в себе все те особенности внутренней и внешней репрезентации,*

5. *Перейдите в первую позицию, унося в себе все те особенности внутренней и внешней репрезентации, которые позволяют действовать и чувствовать себя так же уверенно и эффективно, как модель.*
6. *Оглянитесь на образ модели и как бы побеседуйте с ней, приняв ее рекомендации: достаточно ли вы восприняли нужное, то ли вы вынесли, хорошо ли вы справляетесь?*
7. *Переходите из первой позиции во вторую и обратно, повторяя шаги 4—6, пока и модель, и вы сами не будете удовлетворены результатом.*
8. *Перейдите теперь в третью позицию (наставника). Посмотрите из этой позиции на свои действия в первой позиции. Исследуйте состояние дел как можно более детально. Для этого можно двигаться вокруг первой позиции или мысленно поворачивать ее перед собой. Отмечайте удачные моменты. Обращайте внимание на то, что можно улучшить — в поведении, внутреннем состоянии и содержании вашего здоровья. Из третьей позиции можно посоветоваться с моделью о возможностях улучшения.*
9. *Вернитесь в первую позицию и отрегулируйте все в желательном направлении.*
10. *Перемещайтесь между первой и третьей (при необходимости — между первой, второй и третьей) позициями, пока полученный результат не будет соответствовать вашим пожеланиям.*

По образу и подобию...

А вот сейчас — ну совсем-совсем простые психотехнологии, которые я сознательно приберег «на сладкое». Расширить свое представление об Образе Здорового Себя (и, соответственно, использовать его для желанного исцеления) можно опять-таки за счет моделирования других. Но уже так, как я предлагаю ниже.

В первой из них — *технике «герой»* — в качестве модели вы действительно будете использовать близких вашему сердцу, но выдающихся (точнее — обладающих выдающимся здоровьем или исключительными способностями к исцелению) представителей человечества /13/.

1. *Создайте мысленный образ вашего героя. Отрегулируйте визуальные характеристики для достижения наивысшей интенсивности восприятия.*
2. *Рядом поставьте образ себя в вашем лучшем состоянии готовности к соответствующему действию. Представьте, как герой поворачивается и, взглянув на ваш образ, поощрительно улыбается.*
3. *Сближайте образы и наблюдайте, как они удивительным образом сливаются, смешиваются в одном изображении — так, что вы можете увидеть обоих в одном.*
4. *Войдите в этот двойной образ и слейтесь с ним.*

Ну а поскольку выдающихся людей много, а вот здоровых — не очень, во второй психотехнологии — *технике образа животного* — в качестве «образца для подражания» будут выступать вполне конкретные представители животного мира /13/.

1. *Создайте себе образ животного или птицы, у которого есть и высоко развиты те качества, которые помогли бы вам обогатить свою деятельность.*

Вам нужны зоркость орла, царственность льва, игривость дельфина, мудрость слона, грация кошки, изящество змеи...

2. *Отрегулируйте визуальные характеристики изображения для наибольшей интенсивности восприятия.*
3. *Расположите рядом свой образ в состоянии наивысшей готовности к действию.*
4. *Медленно слейте оба образа в один по примеру предыдущей техники.*
5. *А теперь слейтесь с этим двуединым образом.*

Упражнение 25.

➔ Используя все ранее полученные данные по НС и ЖС, осуществите внеконтекстный (можно даже голографический) взмах, «махнув» образ себя больного на образ себя же, но здорового.

Упражнение 26.

➔ Тщательно и последовательно, опираясь на данные «НС→ЖС», создайте Нового Себя с помощью техники четырехшагового рефрейминга.

Упражнение 27.

➔ Попробуйте с помощью соответствующей психотехнологии вжиться в роль здорового себя.

Упражнение 28.

➔ Дабы расширить представления об Образе Здорового Себя в контексте будущей своей жизни, проделайте голограмму самонаставничества.

Упражнение 29.

➔ Усильте или увеличьте это расширение ОСС посредством техник «Герой» и «Животное».

Глава 4

Да здравствует мое самочувствие

«Здоровье — это состояние, о котором медицине нечего сказать».
В. Ален

Вряд ли вам нужно объяснять, что вы узнали о своих болезнях не по каким-то там анализам и «...граммам» (кардио-, энцефало- и иже с ними), потому как чаще всего они являются только лишь *подтверждением* наличия у вас некоторой болезни. Но отнюдь не всегда (более того — крайне редко) выступают способом, которым вы *воспринимаете* то, что вы больны. О том, что у вас наличествует болезнь, вы узнаете ***по самочувствию***, то бишь по своим собственным *ощущениям* (как правило, неприятным) и *состояниям* (весьма негативным). Ведь все «нездоровья» начинаются одинаково. Просто в один отнюдь не прекрасный день мы внезапно обнаруживаем, что чувствуем себя совсем не так хорошо, как раньше... А вскоре и вовсе осознаем, что находимся в явно болезненном состоянии. Так вот, именно восстановлением ваших здоровых ощущений и возвращением в «выздоровленное» состояние, мы сейчас и займемся. С помощью двух в чем-то сходных, а в чем-то различных *систем* психотехнологий нейролингвистического программирования: *якорения* и *работы с мета-состояниями*. Только, бога ради, не придирайтесь к терминам (в данном случае это *ощущения* и *состояния*), не требуйте от меня четкого их определения и уж тем более не вопрошайте ехидно, как и в чем эти два понятия отличаются друг от друга, (поскольку и вправду различия между ощущениями и состояниями весьма условны). Просто так уж повелось, что изначально в НЛП якорение применялось для коррекции преимущественно кинестетической составляющей человеческого опыта (К), тогда как созданная сравнительно недавно нейро-семантика™ М. Холла (иначе называемая продвинутым нейролингвистическим программированием) постулировала, что работает с состояниями и мета-состояниями, каковые выступают неким «пятым элементом» этого самого опыта (первые четыре — это уже известные вам VAKD). Однако нам с вами до всей этой *теоретической* белиберды нет никакого дела. Поскольку задача наша на данном этапе работы весьма и сугубо *практическая*: используя методы НЛП и опираясь на позитивные состояния и ощущения, убрать связанные с вашей болезнью негативные ощущения и состояния, а через них и саму болезнь: в весьма значительной, если даже и не окончательной степени. Ибо ощущения и состояния суть коды программ вашего бессознательного, каковые мы и будем здесь использовать, дабы вернуть вам желанное здоровье...

Единственное напоминание перед тем, как мы приступим. Во всей этой главе вам надлежит работать как бы с двумя классами ощущений и состояний. Первый класс — это те из них, которые *непосредственно* связаны с болезнью и даже как бы представляют ее в вашем Сознании и Теле. А второй — это те ощущения и состояния, которые *опосредованно* либо вызвали болезнь, либо продолжают ее поддерживать: депрессия, тоска, обида и прочее, от чего, право же, стоит избавиться...

Так что радуйтесь, ибо далее вы:

- научитесь заменять негативные (болезненные и болезнетворные) ощущения позитивными;
- «пригасите» — может быть, даже совсем — проявления вашей болезни в виде ну очень неприятных ощущений;

- измените свои состояния с болезни на здравие;
- повысите свою самооценку и получите возможность действительно обладать собственным здоровьем.

4.1. Ощущения, которые вы выбираете

«Чувства — это слова, выраженные в человеческом теле».
Аристотель

Что такое якорение

Вначале — немного теории, поскольку без нее суть того, чем мы с вами будем сейчас заниматься, может проскользнуть мимо вашего сознания. По бытующему в нейролингвистическом программировании определению, *якорение состояний — это их (состояний) привязка к некоторым шаблонам поведения или входам восприятия для последующего воспроизводства и использования. Процесс, посредством которого любой стимул или репрезентация (внешняя или внутренняя) оказываются связанными с некоторой реакцией и запускают ее появление.*

Что, вы ничего не поняли? Это потому, что вышеприведенные определения грешат избыточной наукообразностью. Переведем все это на русский язык. Не могли бы вы, например, прямо сейчас включить проигрыватель или магнитофон, дабы прослушать любимую мелодию (или хотя бы вспомните ее и представьте, что она звучит здесь и теперь). Что, у вас поднялось настроение? Это нормально. Потому что любимая мелодия — *естественный якорь* — порождает связанную реакцию — *приятное состояние*. Как бы мгновенно срабатывает цепочка: *стимул* (любимая мелодия) — *реакция* («подъем» настроения).

В этом примере вы имели дело с якорем, который возник естественным путем — как и многие тысячи других, которые управляют вами в вашей повседневной жизни все по той же схеме «стимул — реакция». Это как бы некие безусловные рефлексы вашей жизнедеятельности. Но якоря могут вырабатываться и искусственно. Например, наши бабушки для того, чтобы не забыть что-то важное, обычно завязывали узелок на платке, который в этом случае выступил в виде якоря для реакции «мне надо что-то вспомнить». А все это действо носило некий «условнорефлекторный» (в части сознательной выстроенности) характер.

Энэлперы и не скрывают, что предтечей идеи якорей для них явился наш Павлов (которого, кстати, за рубежом уважают и ценят куда больше, чем у нас). Конечно, кому-то покажется обидным, что в результате человека (в части рефлексов) сравнивают едва ли не с павловскими собачками. Но что ж тут поделаешь — аналогия налицо. Ибо практически вся наша жизнь — это непрерывное якорение. А большая часть якобы сознательного поведения — автоматическое воспроизведение связанных с какими-то якорями реакций и состояний. Именно так — **автоматическое**. Бессознательное или, если хотите, неосознаваемое.

Для того чтобы понять принцип возникновения естественных (но негативных) якорей, возьмем простую ситуацию. Допустим, что некоего мужчину крупно обманула некая блондинка, вследствие чего он пережил очень неприятные эмоции. В результате образовалась ассоциативная связь «блондинка = негативным эмоциям». Очень может быть, что по прошествии лет сам этот мужчина забыл о своей блондинке-обманщице. Но не забыл о ней его мозг — поскольку зафиксировал вышеприведенную ассоциацию между блондинками и неприятными эмоциями. И теперь этот представитель мужского пола, «заякоренный» на блондинках, чуть ли не инстинктивно их недолюбливает, объясняя, кстати, свою неприязнь благовидными предлогами, не имеющими никакого отношения к ее истинным причинам.

Здесь мы имеем дело с мгновенным — с одного раза — установлением весьма мощного негативного якоря «блондинка». Так бывает только в том случае, если некий стимул (будущий якорь) сопровождается очень сильными эмоциональными состояниями или реакциями — не только отрицательными, но и положительными (все мы быстрее и легче всего учимся чему-то интересному и волнующему). Конечно же, большинство якорей устанавливается путем достаточно большого количества повторений — постоянно воспроизводящейся связи «стимул — реакция». Так, например, если вы несколько раз сходили в некое учреждение общественного питания и вас там хорошо накормили, учреждение это становится для вас позитивным якорем, с которым ассоциируется чувство приятной сытости. И вы автоматически будете выбирать именно его для того, чтобы наполнить ваш желудок. Однако если в очередной ваш приход в него вам подали нечто недоброкачественное и вы тяжело отравились, то почти мгновенно и очень надолго (почти на всю жизнь) оно станет для вас негативным якорем и вы бессознательно будете обходить это предприятие общепита как можно дальше (и, кстати, с отвращением относиться к блюду, которым вас отравили).

Итак, якорение представляет собой просто процесс формирования в нас бессознательных программ нашего поведения на основании однократного (в случае сильных эмоций) или многократного ассоциирования некоего стимула с некоторой реакцией. Большинство таких ассоциаций являются, безусловно, положительными, поскольку позволяют нам особо не задумываясь действовать необходимым способом. Например, вы автоматически «выныриваете» из пучин сна по звонку будильника, поскольку это якорь реакции «пора вставать».

Якоря могут быть и вредными — как, например, вышеописанная негативная реакция на блондинок (ну не все же они — стервы!).

Возникать якоря могут в любой модальности нашего восприятия — визуальной, аудиальной, кинестетической и даже дискретной. А раз возникнув, начинают управлять нами, автоматически воспроизводя связанные с якорем реакции, ощущения и состояния. И вкупе с породившим его стимулом начинает выступать в качестве ***триггера***, уже известного вам запускного файла планов и программ нашего поведения.

Подведем некоторые итоги всему вышесказанному, для чего обратимся к материалам одного из первых тренингов НЛП, который я когда-то прошел (автор этих материалов мне, к сожалению, неизвестен). Итак, что же у нас теперь получается?

1. *Мы учимся посредством ассоциаций, которые возникают на основе имеющегося опыта. Всякий раз обучаясь, мы вспоминаем сперва одно, потом другое и устанавливаем ассоциации между первым и вторым. А когда мы занимаемся творчеством, то тоже создаём связи (ассоциации) — только новые.*
2. *Благодаря бессознательному стремлению соединять разные части нашего опыта, любой зрительный образ, звук, прикосновение, запах, вкусовые ощущения, чувство, поза или движение потенциально могут напомнить нам о том, что происходило, когда мы это почувствовали. Сигналы, которые вызывают у нас прежнюю реакцию, и называются триггерами, или якорями.*
3. *Якоря влияют на нас как положительно, так и отрицательно. Фотография любимого человека может напоминать нам о тех чувствах, которыми мы с ним связаны. Встреча со школьным товарищем рождает воспоминание о том, что мы чувствовали, когда учились в школе. Зато сама мысль об экзамене или о*

публичном выступлении вызывает у нас беспокойство и заставляет нервничать.

4. *Устойчивые реакции страха (так называемые фобические реакции: на собак, змей или на высоту и т.п.) — это яркий пример отрицательных якорей.*
5. *Обычно якоря срабатывают автоматически, и поэтому наше состояние меняется позитивно или негативно без нашего явного и сознательного контроля. И если в прошлом мы накопили большой опыт неприятностей, так называемые нересурсные состояния (подавленности, нерешительности, растерянности, страха и т.п.) могут возникать как бы сами собой и самыми различными способами, ибо мы имеем гигантское количество якорей, которые «включают» наше негативное самоощущение без всякого нашего участия.*
6. *Целенаправленно и активно вырабатывая якоря к положительному опыту, мы можем сознательно вызывать позитивные ресурсные состояния, когда в них возникает потребность — как в нас самих, так и у других. Это может помочь нам справиться с негативными ситуациями и состояниями, а также просто быть эффективным человеком.*
7. *Для того чтобы выработать якорь, нужно прежде всего определить состояние, которое будет нам полезно, например, уверенность, собранность, спокойствие и т.п. Затем вспомнить его и мысленно постараться побыть в этом состоянии как можно полнее и интенсивнее. А далее просто подключить к желаемому ресурсному состоянию какой-то сигнал — например, слово, звук, прикосновение, позу, жест или зрительный образ.*
8. *Конечно, наш якорь будет срабатывать наиболее эффективно, если мы будем использовать по одному уникальному сигналу из каждой репрезентативной системы (визуальной, аудиальной и кинестетической) и синхронизировать их (его) с пиком интенсивности в данном ресурсном состоянии.*

Техника ресурсного якорения

В принципе выше было сказано все — но только очень коротко. Поэтому, чтобы двигаться дальше, вернемся к тому, с чего мы начали. К тому, что описано в пунктах 6–8. К уникальной возможности, предоставляемой только и исключительно нейролингвистическим программированием — возможности якорения ресурсов. Любых позитивных состояний — здоровья, радости, счастья или, например, мастерства и совершенства (вы только вообразите, какой станет ваша жизнь, если вы сможете «включать» эти состояния по собственному желанию!). Мы научимся тому, чтобы сознательно — в любой необходимый момент — вызывать и использовать необходимые по ситуации или просто по жизни психологические ресурсы — и прежде всего состояния нашей психики, явственно превышающие условно-средний уровень ее функционирования. Исходный и базовый навык НЛП-самосовершенствования, совершенно необходимый вам для вашего же самоисцеления, — это умение якорить ресурсы (как будто снабжать их кнопочками мгновенного вызова — своеобразными запускными файлами, с помощью которых ваш биокомпьютер мгновенно приходит в ресурсное состояние), а также негативные состояния (которые мы потом уничтожаем, накладывая на них соответствующий или необходимый ресурс). Почему так? Да потому, что любая болезнь по определению *нересурсна* и *безресурсна*, ибо всегда и везде (ну буквально за редчайшим исключением) сопровождается *упадком*: здоровья, сил, настроения и тому подобного. Она постоянно усугубляется этим упадком, поскольку обессиленный организм не находит ресурсов для того, чтобы справиться с обрушившейся на вас напастью. И излечивается тогда и только тогда, когда поднакопившее ресурсов Тело или получившее неожиданные ресурсы Сознание бодро трансформирует их в выздоровление и здоровье. Причем далеко не всегда здесь прослеживается прямая связь.

А начинается все это с тщательного овладения так называемой техникой ресурсного якорения /25/. Чтобы это якорение не было для вас отвлеченно-тренировочным, сразу отыщите конкретную ситуацию, в которой вы хотели бы по-другому действовать, чувствовать или просто быть другим. Да-да, мы опять об этом: о приступах и обострениях — как вашей болезни, так и сопутствующих ей или поддерживающих ее ощущениях и состояниях. Теперь подумайте о том ресурсе, в котором вы нуждаетесь в этой ситуации — уверенности, смелости, настойчивости или компетенции (список продолжите сами, но со здороьем как ресурсом пока не экспериментируйте — сделаете это тогда, когда как следует научитесь ставить якоря и просто освоите техники якорения). Когда определитесь с ресурсом, начните вспоминать все те случаи, когда у вас был этот ресурс, и выберите тот случай, в котором он проявлялся наиболее отчетливо и интенсивно.

Если опыта переживания ресурса у вас не обнаружилось, вообразите любого своего знакомого, литературный персонаж или киногероя, который точно обладает этим ресурсом. И попробуйте представить себя на его месте. С одной-единственной целью — ощутить, на что было бы похоже переживание этого ресурса, если бы вы были человеком, им обладающим. Наплюйте на «нереальность» вашего «эталона», ибо все, что вам нужно, так это реальность вашего ощущения.

Теперь у вас — надеюсь — есть ресурс: реальный или вымышленный. Казалось бы, осталось только его «заякорить», дабы воспроизводить всегда, когда захотите.

Нет, вы не правы — сначала вам нужно усилить этот ресурс с помощью довольно несложной *техники наложения*. Скажите, а как этот ресурс представлен в вашем сознании? В какой модальности или репрезентативной системе он предстает — т.е. вы его видите, слышите или чувствуете? Для якорения желателен полный VAK, причем ассоциированный. Что такое ассоциированный? Ну это когда вы пребываете как бы *погруженным* в переживание. И при воспроизведении этого переживания видите связанные с ним события собственными глазами (смотрите на ситуацию «из своих глаз» — так говорят в этом случае энэлперы). Правда, теперь можно добавить, что момент ассоциированности — диссоциированности в НЛП очень важен. Ибо, например, истинные психотравмы всегда воспринимаются ассоциировано. А диссоциация от них, переход в диссоциированное состояние — невключенного в переживание, рассматривающего и слышащего (но не чувствующего) ситуацию со стороны наблюдателя, — является первым шагом к избавлению от негативного состояния («посмотрите на себя в ситуации со стороны» — просят в данном случае энэлперы). И наоборот, для подлинного переживания необходима ассоциированность. Так что если вы только лишь видите в воображении или памяти себя со стороны с искомым ресурсом, вначале «войдите в себя» (ассоциируйтесь), дабы видеть ситуацию уже «из своих глаз», после дополните изображение звуками (были же они «там и тогда»), а далее ощутите ресурсное состояние во всей его полноте.

Теперь настала пора выбирать якоря, которые будут воссоздавать в вас это ресурсное состояние. Это может быть нечто *кинестетическое* — например, нажатие на определенную точку плеча или руки, или просто сжимание большого и указательного пальцев. *Аудиальное* — например, сказанное созвучным ресурсному состоянию тоном слово (не обязательно обозначающее ресурс). И даже *визуальное* — например, некий символ или образ, соответствующий ресурсу (так, колобок — тот самый, из сказки — вполне употребим для использования в качестве будущего якоря для ресурса «пофигизма», но мало пригоден в виде якоря рассудительности и житейской мудрости).

В принципе наиболее употребимыми в нейролингвистическом программировании были, есть и будут якоря кинестетические, а любимыми «якорными» местами — кисти рук, плечи и колени. Но поскольку вы пока только тренируетесь и не поднаторели в искусстве постановки якорей, будет лучше, если вы сейчас поставите себе множественный якорь на ресурс — во всех трех репрезентативных системах.

Теперь, когда вы уже выбрали якоря в каждой модальности, снова сделайте наложение, дабы пережить это ресурсное ощущение путем живого воссоздания ресурсной ситуации. Для начала «поменяйте дислокацию» — перейдите или пересядьте в другое место, так как помещение различных эмоциональных состояний в различных местах физического пространства помогает вашему мозгу отчетливо их разделить.

А далее в воображении вернитесь в выбранную вами ресурсную ситуацию. Вспомните, где вы были и что вы делали... Что окружало вас в тот момент... По мере того как образ, или «картинка», будет становиться более отчетливым, представьте, что вы возвращаетесь в тот момент и видите то, что видели там и тогда... Услышьте какие-нибудь звуки, которые вы тогда слышали... И наконец, начните переживать те чувства, которые вы ощущали там и тогда, в ресурсной ситуации... В общем, потратьте некоторое время на то, чтобы пережить этот опыт настолько полно, насколько это возможно.

Когда эти ощущения достигнут пика и начнут спадать, опять перейдите или пересядьте в свою невовлеченную позицию.

Теперь вы готовы «заякорить» ваши ресурсы. Вернитесь на место вашего ресурсного состояния и переживите его снова. Когда оно достигнет пика, вспомните свой якорный образ, сделайте свой якорный жест и скажите свои якорные слова (желательно — одновременно). Учтите, что вам необходимо связать свои якоря с ресурсным состоянием именно в «пиковый» момент — ибо если вы произведете «связывание» после того, как ваше состояние минует пик интенсивности, вы заякорите выход из этого состояния! Последовательность якорей здесь несущественна. Вы можете использовать тот порядок, который наилучшим образом работает на вас, или просто включайте их одновременно (что, как я уже говорил, предпочтительнее). А через некоторое время после того, как ваши ресурсные ощущения прошли пик интенсивности, сойдите с ресурсного места и измените состояние.

Проделайте это несколько раз — от трех до семи для начала. А после, немного подождав, отметьте уровень ресурсного переживания, которого вы достигаете, ничего не вспоминая или специально ощущая, а просто «включив» якоря. Если он не высок, вернитесь назад и повторите процесс якорения, чтобы усилить связь между якорями и вашим ресурсным состоянием.

Для того чтобы вы могли осмыслить это четко и последовательно, приведу весьма пространное описание *техники установки якоря для самого себя /29/.*

1. *Найдите спокойное и удобное место, располагающее к сосредоточенным размышлениям.*
2. *Определите, какое состояние, уже когда-то пережитое вами, вы хотели бы уметь восстанавливать в любой нужный вам момент.*
3. *Выберите якорь, который вы хотели бы использовать, для вызывания этого состояния. Это должно быть какое-то определенное и простое действие. Например, в качестве якоря вы можете использовать соединенные вместе мизинец и большой палец левой руки.*
4. *Далее восстановите в памяти ситуацию, когда выбранное вами состояние ощущалось вами сильнее всего. Убедитесь, что вы испытываете целостное переживание, т.е. вы видите все своими глазами, а не являетесь сторонним наблюдателем. Если в вашем*

мысленном представлении вы видите себя, то это диссоциированное состояние. Но вы сможете пережить ваши реальные чувства только в ассоциированном состоянии, а ведь именно их вам надо закрепить с помощью якоря. Для чего совершенно необходимо мысленно как бы войти в свое тело и почувствовать то, что вы чувствовали там и тогда, а не пялиться на самого себя чувствующего со стороны.

Когда вы полностью воссоединились с собой, мысленно представляя выбранную ситуацию, обратите внимание на то, что вы видите. Какие цвета вы можете различить? Яркие это образы или приглушенные? Ясные или туманные. Отметьте качественные особенности воображаемой картины и любые ее детали или подробности. Какие звуки вы слышите? Громкие или тихие? Откуда доносятся звуки? Возможно, вы слышите голоса или сами мысленно говорите с кем-то? Осознайте любые звуки, которые вы слышите. Когда вы восстановили всю картину, восстановите испытанное вами сильное чувство и позвольте ему полностью захватить вас. Когда это чувство достигнет своего максимума, соедините вместе мизинец и большой палец левой руки, пусть они остаются в соприкосновении, но только на то время, пока вы продолжаете испытывать сильные ощущения. Когда чувство начнет ослабевать, разъедините пальцы. Встряхнитесь или подвигайтесь немного, чтобы вернуться обратно в реальное состояние.

5. *Соприкосновение пальцев стало якорем для выбранного вами состояния. Повторите весь процесс несколько раз, пока не убедитесь, что существует четкая связь между этим соприкосновением и вашими чувствами.*
6. *Испытайте якорь. В процессе представления какой-то иной ситуации соедините вместе мизинец и большой палец левой руки точно так же, как вы делали это, когда устанавливали якорь. Поступая так, вы включаете якорь — так мы и будем называть это действие.*

Что произойдет при этом?

Если вы хорошо установили этот якорь, то вновь оживится вся картина, все звуки и чувства, как будто вы вновь оказались в первой ситуации.

Если же этого не произошло, продолжите подготовительные упражнения по установке якоря. Возможно, ваше воссоединение с переживанием было не совсем полным. Убедитесь в том, что, пытаясь вызвать исходное переживание, вы в точности повторяете тот якорь, который использовали изначально в ходе установки.

Ваши ощущения меняются в процессе представления: сначала чувства, нарастая, достигают максимума, а затем начинают убывать. Нужно установить якорь чуть-чуть раньше максимума и убрать его сразу после того или даже непосредственно перед тем, как чувства начнут убывать.

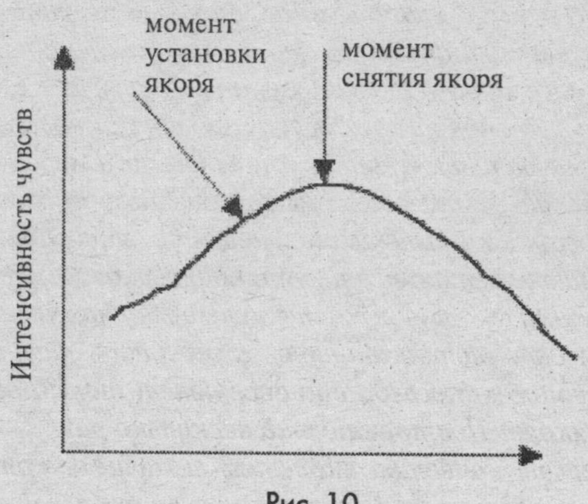

Рис. 10

7. *Теперь подумайте, в какой будущей ситуации вы хотели бы восстановить «заякоренные» состояния. После того как вы представили себе эту будущую ситуацию, включите якорь. Что вы теперь видите, слышите, чувствуете?*

Если вы хорошо установили якорь, то вам удастся перенести ваше желаемое состояние в будущую ситуацию.

Для того чтобы вы могли спокойно тренироваться, приведу слегка отредактированную мной компактную запись ***техники постановки ресурсных якорей*** /25/.

1. *Выявите ситуацию, в которой вы нуждаетесь в ресурсах.*
2. *Определите необходимый вам ресурс, например, уверенность или чувство здоровья.*
3. *Убедитесь в том, что ресурс действительно является подходящим, задав вопрос: «Если бы у меня был этот ресурс, улучшилось бы мое восприятие этой ситуации и мои действия в ней?» Если да, продолжайте. Если нет, вернитесь к шагу 2.*
4. *Вспомните несколько случаев из жизни, когда у вас был этот ресурс, и выберите из них один-два, в котором он (ресурс) проявился интенсивнее всего.*
5. *Определите якоря, которые вы собираетесь использовать в каждой из трех основных репрезентативных систем.*
6. *В воображении вернитесь полностью в переживание ресурсного состояния, переживите его снова. Когда оно достигнет пика интенсивности, выйдите из него (перед началом всего этого не забудьте перейти в другое место).*
7. *Теперь снова переживите свое ресурсное состояние, и в тот момент, когда оно достигнет пика, присоедините якоря. Повторите это несколько раз.*
8. *Проверьте качество якорения, включив якоря и убедившись, что вы действительно входите в это состояние. Если вы неудовлетворены, повторите шаг 7.*

Установление автоматической связи «триггер-ресурс»

А теперь о том, почему я с самого начала предлагал вам не просто «якорить» ресурс, а делать это в связи с некоторой проблемной для вас ситуацией. Да потому, что теперь вы вполне созрели, чтобы приступить к первому «волшебству» — использованию *техники установления автоматической связи «триггер-ресурс»*.

Как вы должны помнить, в НЛП триггер — это всего-навсего сигнал, который является как бы пусковой кнопкой для включения некоего состояния (иногда донельзя неприятного). Например, если вы боитесь своего начальника, триггером, включающим этот страх, для вас скорее всего будет сам вид его внушительной фигуры, но не просто, а, например, с указующим перстом. Неприятные состояния, возникающие вслед за соответствующими триггерами, обычно и являются причинами наших весьма несовершенных действий в соответствующих ситуациях. Естественно, что в ситуациях этих вы весьма нуждаетесь в совсем иных — ресурсных — состояниях (вряд ли ваш страх может рассматриваться в качестве приемлемого ресурса). С помощью техники «установление автоматической связи «триггер — ресурс» вы можете сделать так, что появление триггера будет само по себе вызывать в вас это самое так необходимое вам по ситуации ресурсное состояние.

А теперь вопрос: с какими триггерами вам надлежит работать? Нет, не совсем с теми, с которыми мы работали, осваивая психотехнологию взмаха. Здесь у нас триггерами будут любые сигналы болезненного состояния типа приступов, болей и прочих связанных с вашей болезнью неприятностями. В результате подобным образом вы сможете, например, купировать скачки давления, а также просто — страх и панику во время очередного «звонка».

Ниже я привожу краткое описание *техники «установление автоматической связи «триггер — ресурс»* /25/.

Подумайте о будущей ситуации, в которой, вероятно, вам понадобится ресурсное состояние, которое вы только что заякорили. Что в ней является триггером — т.е., например, что вы можете использовать в качестве сигна-

ла, который даст вам понять, что вы уже нуждаетесь в этом ресурсе? Найдите то, что вы видите, слышите или ощущаете прямо перед возникновением нежелательной реакции — то, что дает вам знать, что вы уже именно в неприятной для вас ситуации. Помните, что сигнал может быть внешним или внутренним. Например, любое неприятное известие, которое провоцирует у вас обострение состояния болезни, будет внешним сигналом. Но и начало внутреннего диалога («Боже, ну почему это произошло именно сейчас. Ведь теперь у меня точно начнется приступ!») тоже может быть сигналом — но уже внутренним.

А теперь, раз за разом вызывая этот внешний или внутренний сигнал (просто вообразите себе его), также раз за разом «включайте» якорь вашего ресурса.

Если вы сделаете это достаточное количество раз (у меня от 3 до 7, но у вас, скорее всего, больше), ваш триггер станет якорем для того, чтобы вы перешли в ресурсное состояние. И то, что обычно заставляло вас чувствовать себя плохо, теперь станет новым триггером, который будет уже переводить вас в устойчивое положительное состояние!

...Марианна пришла ко мне по поводу небольшой школьной фобии ее двенадцатилетнего сына. Уже на первом сеансе мне удалось решить значительную часть его проблем, причем так, что цикл работы завершился, а время сеанса еще не кончилось. И тогда Марианна, видимо, впечатленная результатами моих лихих якорений фобий, отослала сына «погулять» и, чуть запинаясь, спросила меня, не могу ли я помочь ей избавиться от головных болей, которые периодически ее мучают.

Нельзя сказать, что я немедленно проявил энтузиазм — излечение всякого рода мигреней хотя и осуществляется в нейролингвистическом программировании с почти стопроцентным результатом, но обычно занимает куда больше времени, чем те пятнадцать минут, которые остались до конца сеанса. Тем не менее из вежливости — а может быть, все-таки вследствие психотерапевтической интуиции? — я спросил клиентку, как она узнает о том, что у нее начинается мигрень. Оказалось, что по легкому ощущению сдавливания в висках, которое она «изучила так хорошо, что в любой момент может воспроизвести, но боится, что снова начнет болеть голова».

Это немедленно меня заинтересовало, так как это редкость — когда клиент запросто предъявляет энэлперу триггер запуска своего негативного состояния да еще и сообщает, что может воспроизвести его по собственному желанию.

Я спросил Марианну, что бы она хотела иметь вместо мигрени, и через несколько минут мы сформулировали довольно четкий желаемый результат — некое ощущение спокойствия, свежести и расслабленности в голове.

Тогда я попросил клиентку припомнить любую ситуацию, когда у нее было это ощущение, а припомнив — войти в нее и ощутить все эти спокойствие, свежесть и расслабленность. Как только у Марианны желаемые ощущения, ассоциировавшиеся с ресурсной ситуацией достигли пика, я заякорил их легким прикосновением к запястью клиентки.

Остальное было совсем несложно. В общей сложности семь раз я просил Марианну воссоздать ощущение сдавливания в висках, после чего спустя некоторое (весьма короткое) время «включал» якорь спокойствия, свежести и расслабленности. На восьмой раз после того, как Марианна вызвала привычное ощущение сдавливания — триггер мигрени, — нажимать на якорь я уже на стал. Но примерно через тридцать секунд ощущение спокойствия, свежести и расслабленности пришло к клиентке само собой...

Ободренная всем этим, Марианна спросила, не могу ли я сделать ее уже просто спокойной, а лучше отстраненно-безразличной в одной очень важной для нее ситуации — когда ее муж-бизнесмен возвращается домой пьяным («правда, он никогда не задерживается»). Мы довольно быстро отыскали триггер — образ разрумянившегося и поблескивающего влажными, залитыми алкоголем глазами мужа, изо всех сил пытающегося показать и доказать, что если он и выпил, то — чуть-чуть. Нашли ситуацию почти философской отстраненности и легкого безразличия, после чего заякорили соответствующее ощущение. И потренировались в установлении автоматической связи триггер-ресурс — якорь последнего я, естественно, включал после того, как Марианна представляла картинку-триггер...

Следующий сеанс у сына Марианны состоялся через неделю. Уже после его окончания я поинтересовался у клиентки, как обстоят дела с ее мигренью. Марианна довольно сдержанно ответила, что «пока ее не было совсем», после чего я спросил, приходил ли ее муж за это время домой «под шафе». Оказалось, что да — два раза. И тогда я успокоился за голову клиентки, так как еще на прошлом сеансе понял, что ее мигрень была реакцией на весьма прозаический стимул — появление «поддатого» мужа. Вторичная выгода здесь была налицо — наутро муж обнаруживал не только собственное похмелье, но еще и страдающую от жуткой головной боли жену. И будучи таким образом дважды наказанным, начинал «зализывать раны» и налаживать отношения, становясь щедрым и ласковым. Просто стимул и реакция были сильно разнесены во времени. А связь их, естественно, не осознавалась...

Бывает, однако, так, что проблемное состояние является столь сильным, что вы оказываетесь не в состоянии достичь ресурсного состояния в один присест. Это как в алгебре, когда складываются положительные и отрицательные величины. И если ваше проблемное состояние можно условно оценить в –10, а ресурсное — в

+3, все, что вы получите, строя связь «триггер — ресурс», это уменьшение негатива до –7. Значит, стоит усилить воздействие за счет использования цепочки якорей различной интенсивности — так, чтобы последний обязательно приводил вас в позитивное состояние.

Использование цепочки якорей хорошо проясняет принцип работы техники скрещивания или сталкивания якорей. Однако об этом — далее. А пока давайте возьмем, например, такое сложное и сильное чувство, как волнение (разумеется — неприятное) и попробуем выполнить *технику* построения *цепочки якорей* /85/.

1. *Прежде всего определите, как именно вы узнаете, что волнуетесь. Что внутри вас дает возможность узнать, что вы волнуетесь? Это чувство (какое?), или образ (какой), или звук, или внутренний голос (какой?).*
2. *Теперь решите, к какому первому состоянию вы хотели бы перейти, как только получите этот внутренний сигнал. К какому второму после этого первого? К какому третьему, и т.д.? Например, ваша «цепочка» может выглядеть следующим образом:*

«волнение → спокойствие → любопытство → творчество»

3. *Чтобы выстроить всю цепочку, сначала вспомните о времени, когда вы были очень спокойны, и закрепите это состояние кинестетическим якорем (удобнее всего использовать косточки своего кулака — во-первых, они всегда «под рукой», а во-вторых, их целых четыре (косточка большого пальца используется нами редко). Выйдите из этого состояния спокойствия и, вспомнив, как вас обуревало любопытство, поставьте якорь этого состояния на следующей косточке. А далее проделайте это для состояния творчества (тоже «заякорите» его).*
4. *Теперь вам осталось сделать совсем немногое. Вернитесь к своему переживанию волнения (ну хотя бы*

вспомните то, из-за чего вы серьезно волновались в последний раз — но только учтите, что главное здесь не ситуация волнения, а состояние волнения), и как только почувствуете, увидите или услышите тот самый сигнал-триггер вашего волнения, включите якорь спокойствия, а когда это состояние достигнет максимума, «запустите» якорь любопытства, а после — творчества.

Делайте это столько раз, сколько нужно для того, чтобы связь «волнение — спокойствие — любопытство — творчество» стала автоматической. Напоминаю, что мне для того, чтобы выстроить подобную цепочку у своих клиентов, редко требуется более семи повторений. Интересно, а сколько понадобится вам?

Скрещивание (сталкивание) якорей

Все это время мы занимались тем, что старательно создавали новые — ресурсные — состояния. И как бы «привязывали» их к ситуациям, в которых они нужны, и триггерам, которые ранее вызывали совсем не нужные нам состояния. То есть если воспользоваться приведенной в начале этого раздела метафорой, «переключали» кнопочки ваших неэкологичных состояний (что-то очень похожее на ранее описанную психотехнологию переключения сценариев, но в ипостаси якорей и якорения). А как сделать так, чтобы эти самые «негативные» кнопочки просто исчезли, как бы сгинув без следа и больше уже не «включались»? Чтобы, например, волнение ваше (приведенный выше пример) не только «переключалось» в соответствующей ситуации, но просто навсегда заменилось спокойствием?

Психотехнология скрещивания или сталкивания якорей иногда называется их *коллапсом* и позволяет *заменить* нечто негативное на что-то безусловно позитивное. Для понимания ее сути приведу простую аналогию. Скажите, что произойдет, если смешать красное и желтое? Правильно — оранжевое. А если проделать это с холодным и горячим? Да, получится теплое. Ну а если свести вместе плохое и хорошее, что будет тогда? Совершенно верно — в результате возникнет нечто нейтральное, а если мы это повторим и продолжим, даже еще и позитивное.

Именно этот принцип «смешивания» двух противоположных неврологических процессов и положен в нейролингвистическом программировании в основу очень мощной *техники сталкивания, или скрещивания, якорей.*

Принцип ее работы можно пояснить, так сказать, нейрофизиологически. Любой процесс в Сознании и Теле человека имеет репрезентацию (проявление, представление) в мозгу у человека в виде некоего очага возбуждения. Причем, как правило, (–)-очаги, соответствующие негативным процессам (например, болезни), и (+)-очаги, отвечающие за процессы положительные (например, за здоровье), «работают» как две противоположности и обычно *не одновременно* (еще бы: они ведь просто взаимоисключают друг друга). С помощью психотехнологии скрещивания, или, иначе, сталкивания, якорей мы и воспроизводим эту одновременность, столь неожиданную для мозга. В результате чего позитивный очаг возбуждения либо «гасит» негативный, как вода огонь, либо без вреда для себя «впитывает» негатив, как песок влагу (с последующим высыханием!)...

В НЛП скрещивание якорей рекомендуется осуществлять по следующей схеме*.

1. *Сядьте поудобнее, вспомните случай, когда вы были особенно уверены в себе, полны творческой энергии или просто здоровы (выберите что-то одно).*

---

* *Она взята мною из давнишних материалов к семинарам по нейролингвистическому программированию ИГИСП (автор данного описания мне неизвестен).*

2. *Заякорите это воспоминание на своем правом колене легким нажатием правой руки. Убедитесь, что вы ставите якорь именно в момент, когда наиболее интенсивно переживаете данное воспоминание.*
3. *Теперь вспомните какую-либо ситуацию из своей деятельности, в которой вы неуверенны, вялы или просто больны (так же пока выберите что-то одно — соответствующее). Установите якорь левой рукой на левом своем колене.*
4. *Двумя руками одновременно нажмите на оба якоря. В результате две модели поведения столкнутся в одном месте и времени, так что неврологически будет необходимо их интегрировать. Ресурсное и нересурсное поведение (состояние) сольются, заставляя ваш мозг искать новые возможности в ситуации, которая раньше воспринималась как проблемная, и/или менять состояние с нездорового на более здоровое.*

Теперь вообразите себе проблемную ситуацию в будущем. Если ваша работа была успешной, вы обнаружите, что вам куда легче стать ресурсным в данной ситуации (по мере того, как вы будете представлять ситуацию, будут появляться признаки ресурсного состояния). И будьте уверены в том, что впоследствии вы сможете действительно испытать «ресурсность», попав в соответствующую проблемную ситуацию. И/или просто выздороветь значительно быстрее.

Возвращаясь к проблеме выздоровления, могу намекнуть, что, если вы заякорите любую свою болезненность (проявление болезни) из *настоящего*, а после скрестите ее с также заякоренной альтернативной «здоровенностью» из *прошлого* (или из того органа, который здоров), то как минимум заметно укрепите здоровье.

Чтобы помочь вам как следует освоить эту очень полезную процедуру, приведу описание *техники установки сцепленных якорей*, в которой более детально описаны основные моменты /29/.

1. *Определите, с каким непродуктивным состоянием вы собираетесь работать. Например, это может быть состояние тревоги, уныния, неуверенности или разочарования.*
2. *Представьте себе, как вы переживаете это состояние, и установите якорь, коснувшись указательным пальцем одной руки костяшки того же пальца другой руки. Повторите, чтобы убедиться в действенности якоря. Учтите, что такое состояние должно быть кратковременным.*
3. *Определите также другое,* **переходное** *состояние. Это может быть какое-то смешное воспоминание или просто нечто такое, что требует сосредоточенных размышлений (скажем, просто мысленное воспроизведение вашего номера телефона в обратном порядке).*
4. *Выберите желаемое продуктивное состояние, такое, например, в котором вы чувствуете себя в полной безопасности, спокойствии или уверенности в собственных силах. Оживите ту ситуацию, в которой вы испытывали выбранное чувство. Когда интенсивность чувства достигнет максимума, установите якорь, коснувшись средним пальцем одной руки костяшки того же пальца другой руки.*
5. *Испытайте эти якоря, соблюдая следующие этапы действий:*

- *Используйте переходное состояние;*
- *Включите первый якорь;*
- *Используйте переходное состояние;*
- *Включите второй якорь.*

Если якоря не действуют, повторите процессы их установки.

6. *Теперь используйте оба якоря одновременно. Вы почувствуете некоторое смущение, словно два состояния соединились в одно новое, смешанное состояние. Если первое непродуктивное состояние все еще сильно сказывается в новом смешанном состоянии, то верни-*

тесь к пункту 4, выберите более интенсивное состояние и вновь установите якорь. Повторите проверку. Вы можете также обнаружить, что ситуация улучшится, если якорь продуктивного состояния вы включите на секунду или пару секунд раньше якоря непродуктивного состояния.

7. *Теперь представьте такую будущую ситуацию, которая в прошлом обычно приводила вас в непродуктивное состояние. Что происходит, когда вы представляете эту будущую ситуацию? Если сцепленные якоря сработали, то это непродуктивное состояние больше* ***не будет проявляться.***

Однако не могу не предостеречь вас от опасности, связанной с техникой скрещивания якорей. Дело в том, что она как бы *алгебраически складывает* положительные и отрицательные величины, отчего в результате может получиться самый обычный ноль.

Предположим, например, что вы решили применить данную технику к ситуации вашего страха перед собаками, для чего решили воспользоваться вашей явной любовью к кошкам. Заякорив два эти состояния, вы «включаете» оба якоря одновременно, после чего обнаруживаете следующую любопытную вещь. Вы действительно уже почти совсем не боитесь собак, и это, как говорится, плюс. Но одновременно вы стали заметно меньше любить кошек, и это уже может рассматриваться как некий минус. Так что в своем перепрограммировании старайтесь, чтобы мощность позитивного якоря заметно превосходила мощность якоря негативного, а сам он (позитивный якорь) касался чего-то менее важного.

Впрочем, вся эта вышеописанная мною опасность все-таки довольно иллюзорна и легко преодолима (я упомянул о ней только для того, чтобы вы не попали впросак и не впали в горестное недоумение по поводу относительности своих успехов и их последствий).

Ведь, во-первых, ради того, чтобы обрести нечто в новой области, вы в самом худшем случае лишь несколько утратите это нечто в ситуации, аналогичной использованной в ресурсном переживании и только. Во всех остальных случаях это нечто сохранится, и очень может быть, что оно вскоре восстановится и в той послужившей ресурсом ситуации.

Во-вторых, чисто технически для усиления воздействия ресурсных якорей вы просто можете делать скрещивание несколько раз по следующему простому принципу. Если в первый раз вы, например, добились только лишь *уменьшения* болезненности, заякорите этот уменьшившийся фактор болезни снова и скрестите его еще с одним ресурсным переживанием здоровья – и так до тех пор, пока не добьетесь желаемого уровня.

Ну а в-третьих, никто не запрещает вам воспользоваться еще одной возможностью – возможностью, заключающейся в косвенном и многократном ресурсировании необходимых и полезных вам «по жизни» качеств и состояний. Ибо скрещивание якорей во имя излечения болезни — процесс не очень-то и простой. Само по себе болезненное состояние является столь мощным негативным якорем, что для уничтожения его вам понадобится не менее мощный позитивный якорь.

Косвенное и многократное ресурсирование

Дело в том, что, например, здоровье или способность к самоисцелению могли присутствовать в вашей жизни не сами по себе (то есть исключительно в тех случаях, когда вы их имели), но и в массе других ситуаций: когда вы отдыхали, расслаблялись или наслаждались и т.д. и т.п. Так что все эти ресурсные состояния, в которых присутствовали здоровье и выздоровление, хотя и не довлели (были не причиной, а следствием; не лейтмотивом, а сопутствующей музыкальной темой), вы также можете использовать в своем «совершенствовательном» скрещивании, получая при этом мощные позитивные якоря (назовем это *техникой косвенного ресурсирования)*.

Впрочем, мощные якоря нужны нам не только для этого. Лично я очень уважаю поговорку: «запас карман не рвет». А вы ее уважаете? Если да, то, во-первых, начиная с этого момента, якорите все свои «приятности» и достижения (я, например, это делаю автоматически). А во-вторых (уже для ситуации скрещивания якорей и просто так), сделайте *технику многократного ресурсирования* (название достаточно условное), вспомнив и заякорив в качестве ресурсов, например, следующие ситуации /41/ — когда вы:

были счастливы
были преуспевшим хоть в чем-то
были любимым
были любящим
были уверенным
были продуктивным
создавали что-то
заботились о ком-то
достигали чего-то
наслаждались чем-либо
выигрывали
совершенствовались
получали подарок
дружили
чувствовали себя богатым
видели что-то приятное
имели больше, чем нужно
обладали запасом времени
столкнулись с приятной неожиданностью
узнали что-то новое
раскрыли приятную тайну
хорошо узнали кого-то

хорошо поняли что-то
сделали правильный выбор
чувствовали себя победителем.

Список этот может быть продолжен и далее. Однако и уже изложенного вполне достаточно для того, чтобы при необходимости перенастроить свой мозг на необходимое вам выздоровление.

...Веронику Петровну привезла ко мне дочь — зав. отделом одного из крупных коммерческих банков. Причина, по которой они меня посетили, была печальна, но, увы, прозаична: сразу же после «скоропостижного» (по сокращению) выхода на пенсию у Вероники Петровны началась глубокая депрессия, сопровождаемая целым «букетом» соматических симптомов, среди которых нарушение сердечной деятельности было далеко не самым страшным...

К счастью, здесь налицо присутствовала «психологическая» составляющая ее телесных заболеваний. И потому сам лечащий врач Вероники Петровны настоятельно попросил ее в обязательном порядке «проконсультироваться у специалиста по душевному здоровью — лучше у психотерапевта».

Я взялся за дело, но где-то через три сеанса этот случай, который вначале казался мне не слишком сложным, начал представляться едва ли не тупиковым. Несмотря на все мои терапевтические интервенции, серьезное изменение состояния клиентки не наступало, а сама по себе работа с ней осложнялась тем, что мы никак не могли найти подходящего ресурса для перемещения из НС в ЖС. Вероника Петровна упорно твердила, что ее больше ничего хорошего не ждет и что ничего такого в своей жизни, что помогло бы ей в борьбе с депрессией и в движении к душевному и физическому здоровью, она не помнит.

И тогда, слегка отчаявшись, я решил воспользоваться техникой многократно ресурсирования. И начал задавать Веронике Петровне вопросы из приведенного выше списка, каждый раз ассоциируя ее с ресурсным состоянием и «якоря» это состояние в одном и том же месте на правой руке клиентки (якорь ее нынешнего нежелательного состояния — депрессии и прочих соматических симптомов — я уже «выставил» на ее левой руке).

К концу этой процедуры Вероника Петровна оживилась и разрумянилась, так что результаты работы по «нагонке» ресурсов были, как говорится, налицо. И тогда я, предупредив клиентку о том, что сейчас она испытает странные ощущения и состояния, которые через некоторое время благополучно разрешатся, одновременным нажатием обеих рук «включил» оба якоря — и депрессии, и ресурсов.

Скрещивание, или, иначе, слияние, якорей — это в общем-то рутинная операция, которую я часто делаю в торпедо-режиме (т.е. очень быстро и совершенно незаметно для клиента). Здесь эта процедура оказалась едва ли не главной из всех терапевтических интервенций, потому что более рациональными методами мне не удавалось преодолеть явственную и чрезвычайно сильную вторичную выгоду от симптомов Вероники Петровны (к этому времени я их уже выяснил). А именно сбросить с себя всякую и любую ответственность за себя и других. Отойти в сторону от обидевшей ее жизни и нечутких людей — коллег и сослуживцев, которым она так много сделала, но которые так ее оскорбили, «выпроводив» на пенсию. А после и уйти из этой жизни, чтобы они поняли, кого потеряли, и страдали, и винились — но уйти по-христиански, не накладывая на себя руки, а просто тихо угасая в укор и в упрек всем не понявшим, как она была им нужна, чтобы собственная совесть до конца наказывала их за содеянное...

Наверное, именно из-за этого слитного и мощного комплекса вторичных выгод процедура слияния якорей у Вероники Петровны проходила очень драматично. Как только я одновременно включил два якоря, лицо ее исказилось и как бы разделилось на две половинки, жившие своей независимой жизнью. Вскоре она спонтанно ушла в транс, закрыв глаза и обмякнув в кресле. Потом очнулась и попыталась отнять руки. Снова ушла в транс — уже с полузакрытыми глазами, и по лихорадочным скачкообразным движениям ее глазных яблок можно было понять, что бессознательное Вероники Петровны с огромной скоростью «прокручивает» какие-то ситуации, с которыми одновременно и разбирается.

Все это длилось минут пять — довольно долгий срок для слияния якорей (обычно требуется 30–40 секунд). А потом лицо клиентки как бы расслабилось и «склеилось» — две его (лица) половинки стали одним целым, а лицевая асимметрия исчезла. И я понял, что опять произошло оно — психотерапевтическое чудо, ради сотворения которого я, наверное, и стал энэлпером. Так и оказалось. Депрессия пошла на убыль практически сразу. А для того, чтобы убрать соматические проявления, понадобилось еще только два сеанса...

Упражнение 30.

→ Составьте список из трех совершенно необходимых для вашего здоровья ресурсных состояний и заякорите их, обязательно используя комплексные якоря — т.е. полный VAKD.

Упражнение 31.

→ Определите триггер запуска любой своей негативной реакции, необходимое вам в этой ситуации ресурсное состояние, и создайте автоматическую связь «триггер–ресурс».

Упражнение 32.

→ Теперь отыщите триггер возникновения у вас состояния нездоровья (приступа), определите последовательность ресурсов, необходимых вам для достижения приемлемого самочувствия, и создайте работающую цепочку якорей.

Упражнение 33.

→ Выявите несколько тревожащих или досаждающих вам реакций и заякорите каждую из них. Подберите и снова заякорите подходящие ресурсы. И осуществите скрещивание якорей — разумеется, последовательно для каждой ситуации.

Упражнение 34.

→ Заякорите свое болезненное состояние, осуществите многократное ресурсирование и снова скрестите якоря. Делайте это до тех пор, пока болезненное состояние не уменьшится до приемлемого уровня.

4.2. Состояния, которые мы создаем

«Счастлив тот, кто считает себя счастливым».

Г. Филдинг

Теория метасостояний

Ну вот, с «исцелением через ощущения» мы с вами разобрались. И если вы действительно проделали все рекомендованные в прошлом разделе упражнения, скорее всего ваша болезненность резко уменьшилась, а в чем-то даже и сошла на нет. И жить вам стало легче. Однако все описанное и сделанное выше касалось только лишь *ощущений*, тогда как более сложные и масштабные *состояния* пока остались «за кадром». Так вот, именно этим мы сейчас и займемся: переработкой ваших болезненных и негативных состояний в состояния здоровые и позитивные.

Вначале — немного теории. Ныне общепризнано, что нейролингивистическое программирование является, наряду с био- и информационными технологиями, одной из наиболее стремительно развивающихся прикладных наук. И сравнительно недавно в процессе этого самого развития М. Холл, энэлпер из США, создал новую отрасль или разновидность: так называемую нейросемантику. В ней основой для благородного дела трансформации телесного и психического выступали как раз упомянутые мною состояния и метасостояния.

Многочисленные и действительно интересные идеи М. Холла по этому поводу я приведу в весьма ограниченном объеме, ибо все-таки пишу не теоретическую монографию, но сугубо практическое пособие. Главные из них (разумеется, не вообще, а из нужных нам сейчас) можно уложить в три постулата.

Первый — это то, что состояние есть удивительное образование, соединяющее или объединяющее сознание и тело.

Второй — что состояния можно подразделить на первичные и мета-состояния по поводу состояний (например, страх по поводу болезни).

И третий — что можно контролировать и видоизменять любые состояния уровня n и через мета-состояния уровня n+1 и выше.

Вам непонятно, что здесь такого важного? Значит, простите, вы просто еще не врубились.

Ведь из первого постулата следует совершенно потрясающий вывод о том, что, используя состояния, можно трансформировать или, если хотите, лечить как сознание, так и тело (чем мы сейчас и будем заниматься).

Из второго — не менее интересная идея, что вся эта белиберда, именуемая нашими негативными состояниями, произведена или воспроизведена нами же самими (ведь все это метасостояния — чувства и мысли по поводу мыслей и чувств). А это значит, что мы можем их трансформировать, или видоизменять.

Ну а на вопрос о том, как именно это делать, отвечает третий постулат, согласно расшифровке которого, соединяя (или сливая) метасостояния уровня n (негативные) с состояниями уровня n+1 (позитивными), мы превращаем негативное метасостояние (или состояние первичное, но тоже негативное) в нечто весьма экологичное. Представьте, например, что вы имеете первичное (или даже мета) состояние страха. И «вливаете» в него более высокое метасостояние благородства, стремясь получить трансформацию. И получаете в результате благородный страх, который как минимум является уже куда более экологичным образованием. А как максимум страхом как таковым уже и считаться-то не может!

Использование «Круга Ресурсов»

На этом закончим с теорией и немедленно перейдем к практике, воспользовавшись как оригинальными психотехнологиями М. Холла, так и вполне «нейросемантическими» техниками, разработанными мною задолго до знакомства с нейросемантикой. Начнем с уже знакомого вам по сути и существу *ресурсирования*, которое, однако, здесь будет осуществляться не по вашему сознательному хотению и разумению, а в полном соответствии с, возможно, даже не известными вашему уму пожеланиями и предложениями вашего Великого Бессознательного. Надеюсь, что после всего ранее сказанного и позднее сделанного вы ему безоговорочно доверяете. Применим мою оригинальную психотехнологию, которую ранее я называл «Круг Силы», а нынче переименовал в более скромное — *техника «Круг Ресурсов»*. А все потому, что с ее помощью вы можете получать необходимые вам ресурсы для здоровья, счастья, силы и многого прочего, причем делать это строго целевым образом.

1. *Подумайте о той области жизнедеятельности, в которой (или для которой) вы хотите стать здоровым. Разверните, как фильм, картины своего будущего здоровья. Подумайте о том, что для того, чтобы быть здоровым, вам понадобятся какие-то ресурсы. Обдумайте эту «ресурсную» тему, не пытаясь при этом что-либо определять и конкретизировать. А закончив обдумывание, оцените наличие этих еще не определенных и не конкретизированных ресурсов по десятибалльной шкале.*
2. *Обратитесь к своему бессознательному с настоятельной просьбой определить, какие именно ресурсы необходимы вам для искомого совершенства. Дождитесь от него любого сигнала, который можно будет интерпретировать как свидетельство того, что определение ресурсов закончено. Чаще всего это немного странное внутреннее ощущение типа «готово!». После чего попросите бессознательное приготовиться к передаче вам этих ресурсов, которая произойдет через некоторое время.*
3. *Вообразите, что на полу прямо перед вами находится круг диаметром примерно один метр — Круг Ресурсов, в котором вы сейчас будете приобретать необходи-*

мое. «Увидьте» этот круг, после чего представьте, что в нем (внутри него) появляется цвет. Какого цвета стал круг? Если черного, темно-коричневого, серого или белого, вернитесь на шаг 2. Если же любого другого, переходите к шагу 4.

4. *Войдите в круг и вообразите, что вы как бы находитесь в луче светящего откуда-то сверху прожектора того цвета, который вы только что «увидели». Представьте, что этот свет и цвет пропитывают все без исключения ваше Сознание и Тело, снабжая вас необходимым и как бы вымывая ненужное. Ощутив, что вы «пропитались» светом и цветом в достаточной степени, выйдите из круга.*
5. *Внимательно посмотрите на Круг Ресурсов и определите, какого цвета он стал теперь. Если все того же, то это значит, что вы не воспользовались до конца предоставленным вам ресурсом и шаг 4 надо повторить. Если же другого, но не относящегося к перечисленным выше, то проделайте все действия, описанные в п. 4, с этим цветом. Продолжайте до тех пор, пока ваш Круг не станет бесцветным, т.е. как бы исчерпает все свои цвета.*
6. *Поблагодарите свое бессознательное и оцените, насколько теперь вы обладаете необходимыми для вашего здоровья ресурсами — снова по десятибалльной системе. Скорее всего, полученный результат вас приятно удивит.*
7. *Проделайте все, что описано в п. 1–7, для всех остальных областей своей жизнедеятельности в контексте здоровья.*

В основе данной психотехнологии лежит хорошо известный факт: *наша психика использует цвет в качестве кода для фиксации какого-либо состояния.* Еще в прошлом веке швейцарский психолог и психотерапевт М. Люшер обнаружил, что каждый из цветов имеет свое психологическое значение, и разделил восемь использованных им цветов на основные и дополнительные (по: /34/).

Основные цвета

Синий цвет. Символизирует спокойствие, удовлетворенность, нежность и привязанность.

Зеленый цвет. Символизирует настойчивость, само-уверенность, упрямство, самовыражение.

Желтый цвет. Символизирует активность, стремление к общению, любознательность, оригинальность, веселость, честолюбие.

Красный цвет. Символизирует силу воли, активность, агрессивность, наступательность, властность, сексуальность.

Дополнительные цвета

Фиолетовый цвет. Символизирует тревожность (но не всегда. — **С.К.**).

Коричневый цвет. Символизирует стресс (или проблемы со здоровьем. — **С.К.**).

Черный цвет. Символизирует страх (или негативизм. — **С.К.**).

Серый цвет. Символизирует огорчение (или конформизм, стремление «быть как все». — **С.К.**).

В технике «Круг Ресурсов» мы как бы запускаем в обратном направлении этот «цветовой» принцип репрезентации психического: то есть не оцениваем ваше состояние за счет анализа цветовой раскладки, а наоборот, сразу улучшаем его посредством введения в ваше сознание и тело ресурсного потенциала основных цветов. Теперь вы, конечно же, поняли, почему я объявил запрет на использование дополнительных цветов, за исключением фиолетового — на фига нам ресурсировать себя в негативном ключе? Ну а то, какие именно ресурсы дало вам ваше мудрое бессознательное, вы определите сами — по приведенной выше интерпретации цветов.

...Лена пришла ко мне с проблемой, о которой ей просто страшно было говорить. Онкология, подтвержденный медицинской диагностикой рак груди. Сказать, что она испытывала ужас и отчаяние, значило бы просто ничего не сказать. Сами представьте, каково это, в двадцать восемь лет, будучи счастлидвоих детей, узнать, что дни твои сочтены и жить тебе осталось совсем немного... Собственно, эти-то ужас и отчаяние и явились основной причиной обращения за помощью именно ко мне, поскольку ни о какой «психосоматизационной» работе Лена даже не помышляла. Однако после нормализации ее психики (не помню уже, с помощью каких техник), я решил как бы в дополнение обратиться к психотехнологии «Круг Ресурсов», и для начала попросил эту молодую женщину ответить самой себе на вопрос, зачем ей стоит жить и быть здоровой. Сначала это оказалось нелегко, так как похоже было, что Лена уже сама себя похоронила. Но потом она вспомнила о детях, любящем и любимом муже, своей работе, которая ей очень нравилась. И постепенно образ будущей здоровой жизнедеятельности трансформировался в сознании Лены в «фильм», состоящий почти из десяти «видеоклипов». Тогда я попросил эту молодую женщину представить и ощутить ее Великое Бессознательное, причем не важно, вне или внутри ее тела. И к своему глубочайшему изумлению Лена сначала ощутила, а потом увидела НАД СОБОЙ (!) — не удивляйтесь, так частенько бывает — присутствие золотистого облака, лучащегося могуществом и добротой. И робко попросила его о помощи и ресурсах, и внезапно она даже вздрогнула от неожиданности, т.к. получила подтверждающий ответ в виде вспышки и ощущения разлившегося по телу тепла.

Дальше была уже просто работа с «Кругом Ресурсов», в котором Лена сначала получила оранжево-красную волю к жизни, потом сине-голубое спокойствие, а далее солнечно-желтый оптимизм и зеленую самореализацию. А после началось нечто невообразимое, отчего я и запомнил этот случай так хорошо. Калейдоскоп цветов, который обрушился на Лену, почти не поддавался смысловой интерпретации. Но в ней не было нужды, ибо эта недавно сломленная страшным диагнозом женщина буквально купалась во всем этом многоцветье, ощущая мириады волнами проходящих по ее телу мурашек и просто плача от какого-то мучительного счастья. А потом все закончилось, круг обесцветился, а Лена как-то внезапно — устало и почти бессильно – замерла в кресле, в которое я ее вернул. Но через две недели она позвонила мне и, задыхаясь от радости, сообщила, что предварительный диагноз, наверное, был ошибкой, потому что сегодня врачи как-то очень удивленно сказали, что никакой онкологии у нее просто (или уже?) нет...

Преобразование негативных состояний

А теперь продолжим процесс вашего излечения, обратившись к «классическим» психотехнологиям нейросемантики™ М. Холла. И первое, что вам надлежит теперь сделать, это *последовательно,* по одному трансформировать все без исключения ваши связанные с болезнью негативные состояния с помощью психотехнологии, которую я назвал *«техника метапреобразования негативных состояний»*. У М. Холла она называлась «базовый паттерн метасостояний», что, конечно же, тоже красиво, но не совсем по существу, отчего я и позволил себе переименование. Приведенное ниже описание сделано намеренно расширенным.

1. ***Определите первичное или вторичное состояние, которое вы хотите трансформировать.*** *Подумайте о состояниях, которые вам трудно переносить или которыми вам сложно управлять, поскольку вы их слабо контролируете. Какие негативные состояния вам не нравятся — так, чтобы вы их даже возненавидели и не желали бы испытывать ни при каких обстоятельствах? А какие мысли и чувства являются для вас неким «табу»? В качестве всего этого могут выступать как сама болезнь в ее многочисленных или не очень проявлениях, так и просто такие неприятные состояния, как гнев, страх, печаль (депрессия),*

усталость, напряженность, рассеянность и т.п. (по поводу болезни или просто так).

2. ***Получите доступ к выбранному вами состоянию.*** *Для этого либо воспользуйтесь собственной памятью и, припомнив любую ситуацию, когда это состояние у вас было, мысленно войдите в себя с данным состоянием «там и тогда» и ощутите его «здесь и теперь»; либо создайте данное состояние с помощью воображения, отвечая самому себе на вопросы о том, как выглядело бы, звучало и чувствовалось это состояние, как если бы вы были в нем (первый способ предпочтительнее).*
3. ***Локализуйте и определите состояние, которое вы хотите трансформировать.*** *Определите, где именно в вашем теле находится (ощущается) данное состояние и какой объем (размер), консистенцию, вид и форму оно имеет. Например, симптом болезни может быть локализован в груди в виде красного пульсирующего шара плотной энергии размером с небольшое яблоко.*
4. ***Оцените и при необходимости усильте интенсивность выраженности данного состояния*** *здесь и теперь по 10-балльной шкале (0 — полное отсутствие состояния, 10 — максимальная его выраженность). Если состояние, которое вы выбрали для трансформации, выражено слабо (не более чем на 3–4 балла), усильте его до более высокого уровня — так, чтобы вы могли пережить его полно и совершенно (7–8 баллов обычно оказывается достаточно). Данное усиление вы можете осуществить, например, за счет увеличения размера и интенсивности параметров состояния, а также посредством использования воображаемого регулятора, посредством которого вы как бы меняете интенсивность, плавно поворачивая «ручку».*
5. ***Попробуйте принять свое первичное или вторичное негативное состояние.*** *Скажите ему: «Ты мое и я тебя принимаю и уважаю. Более того — я разрешаю себе чувствовать тебя, поскольку в этом, конечно же,*

есть какая-то польза. Но в настоящем твоем виде ты для меня неэкологично. Поэтому если хочешь, то трансформируйся само во что-то более приемлемое. Если же нет, то эту трансформацию я сейчас осуществлю сам. Но, может быть, ты подскажешь, что тебе необходимо или нужно, чтобы стать целиком и полностью приемлемым?» Ждите ответа из бессознательного. Если же его не будет, приступайте к шагу 6.

6. ***Определите метасостояние (метасостояния), с помощью которого (которых) вы хотите трансформировать ПС или ВС.*** *Список их бесконечен — например, любые параметры здоровья или же просто принятие, признательность, спокойствие, рассудительность, спонтанность, спокойствие и т.п., так что найдите что-то подходящее. Устроит ли вас, например, расслабленная, спокойная, мудрая и приятная болезнь, которая в этой новой своей ипостаси скорее всего просто перестанет быть таковой или как минимум станет куда менее болезненнее.*
7. ***Повторите шаги 2—4 для первого из выбранных вами метасостояний.*** *То есть получите к нему доступ, локализуйте и «опредметьте» его, а также оцените интенсивность выраженности. Обратите при этом внимание на то, чтобы интенсивность его выраженности была не меньше, чем у трансформируемого первичного или вторичного состояния.*
8. ***Приложите полученное метасостояние к первичному или вторичному негативному состоянию.*** *Привнесите или «вмонтируйте» первичное или вторичное состояние внутрь метасостояния. Обратите внимание на то, что, хотя вы можете использовать якоря для вызова состояний, приложение, описанное выше, не является процедурой скрещивания (сталкивания) якорей! Лучше используйте любую метафору смешивания, слияния и т.п. И повторите шаги 7—8 для всех выбранных вами метасостояний.*

9. ***Осуществите подстройку к будущему.*** *Если все стало хорошо, вообразите, что с тем, что получилось в результате «сложения», вы осуществляете свою последующую жизнедеятельность в привычных для вас контекстах и ситуациях: на работе, в семье, на досуге, в общественной деятельности. День за днем, неделя за неделей, месяц за месяцем. Улучшит ли это вашу жизнь? Обогатит ли то, что получилось, вас как личность? И смогут ли другие части вашего ума и тела подстроиться под это и войти с ним в равновесие? Если нет, повторяйте процедуру с тем, что получилось, начиная с шага 6 — до тех пор, пока все и вся не устроит вас и ваше бессознательное. А вы это ощутите по некоему внутреннему согласию (гармонии) или ее отсутствию.*

Я не буду приводить примеры использования вышеприведенной психотехнологии, поскольку она довольно-таки проста и понятна. Лучше в качестве бесплатного приложения сообщу, что в ней мы работали как бы в режиме От, трансформируя и видоизменяя негативное состояние. Однако мы практически также можем действовать в режиме К, совершенствуя позитив — посредством *техники усиления и улучшения позитивных состояний*. Алгоритм ее использования выглядит так.

1. ***Определите первичное или вторичное положительное или просто экологичное состояние****, которое вам хотелось бы или необходимо было бы обогатить или улучшить — например, то же здоровье (пока оно у вас хоть где-то есть).*
2. ***Выявите, какие метасостояния вам хотелось бы внести в выбранное вами ПС или ВС с тем, чтобы их усилить или улучшить.*** *Например, жизнерадостность, гибкость, созерцательность, веселье — и т.д. и т.п.*
3. ***Войдите в выбранные вами метасостояния и по очереди внесите их в ПС или ВС.*** *Схема этого входа и привнесения принципиального не отличается от описанного в предыдущей процедуре.*

4. ***Оцените результаты трансформации и подумайте о том, что еще могло бы обогатить первичное или вторичное состояние, которое вы трансформировали.*** *Желаемые дополнительные метасостояния внесите в ПС или ВС.*
5. ***Осуществите подстройку к будущему.***

Помимо здоровья, в качестве одного из таких вот «позитивов» я настойчиво рекомендовал бы вам ввести в себя состояние *радостного и ускоренного выздоровления* — с помощью психотехнологии, которая так и называется — *техника создания состояния радостного выздоровления.*

1. ***Выявите некоторый опыт переживания радости.*** *Составьте список того, отчего вы испытывали переживание огромной радости и удовольствия, и выберите что-то одно.*
2. ***Представьте себе это переживание наиболее полным образом.*** *С помощью VAK-опыта испытайте чувство радости и удовольствия и максимально усильте его.*
3. ***Приложите это состояние к выздоровлению.*** *В то время, когда вы испытываете это радостное состояние, подумайте о* ***выздоровлении*** *— как вы выздоравливаете сейчас и как будете выздоравливать дальше.*
4. ***Отметьте произошедшую трансформацию.*** *Обратите внимание на то, как чувство радости и удовольствия трансформирует ситуации и вещи, связанные с вашим выздоровлением. На несколько мгновений останьтесь с этим ощущением.*
5. ***Утвердите трансформацию и проверьте ее экологию.*** *Ответьте сами себе на вопросы, нравится ли вам это; насколько ценно состояние радости относительно процесса выздоровления; и как бы вы его хотели сохранять и вызывать в будущем.*

Примечание: *аналогичным образом вы можете установить у себя состояние* ***ускоренного*** *выздоровления. Подходящими ресурсами в этом случае могут быть как любой ваш опыт мгновенного восстановления здоровья (особен-*

но — в детстве), так и такие метасостояния, как экспериментирование, страстность, позиция «Просто иди и делай» и т.п.

Техника повышения самооценки

...И еще дальше в здоровье, и еще ближе к полному выздоровлению. Однако то, чем мы будем заниматься сейчас, на первый — но лишь на первый! — взгляд может показаться не очень-то и связанным с самоисцелением. Ибо здесь и сейчас мы как бы покусимся на святая святых любого человека, а именно его *самооценку*. И чтобы избежать совершенно ненужной теории, единственное, о чем я хочу здесь сказать, касается роли этого важнейшего психологического образования — своеобразного «костяка» или «скелета» личности человека — в деле обретения здоровья.

Дело в том, что, как показали многочисленные исследования, уровень самооценки человека напрямую определяет степень использования им своих способностей — любых, и в том числе и к самоисцелению. И если по условной десятибалльной шкале, где 10 баллов соответствуют максимально высокой самооценке, а 0 баллов — минимальной, вы лично весьма скромно оцениваете себя этак баллов на пять (Господи, ну когда наконец люди поймут, что скромность украшает только тех, кому, кроме скромности, украшаться больше нечем), можете не сомневаться: способности вашей психики и возможности вашего тела используются не более чем на 50%!

Вас интересует, какая связь существует между здоровьем и самооценкой здоровья? Да самая прямая! Так, в одном очень интересном исследовании испытуемых просили оценить состояние своего здоровья (как отличное, хорошее, удовлетворительное и плохое). И оказалось, что именно эта самооценка (а вовсе не пол, образование, уровень доходов и даже возраст!) определяет продолжительность жизни людей. В частности, те, кто оценил свое здоровье как плохое, умирали в следующие семь лет в три раза чаще.../27/

Так что, если вы действительно хотите выздороветь, потрудитесь над повышением вашей самооценки — как общей (в целом), так и частной (по части выздоровления и здоровья). Здесь надо сказать, что образно самооценку можно сравнить с кристаллом с множеством граней, где сам по себе кристалл (или его качество) представляет собой упомянутую выше *общую самооценку* (то есть себя, любимого или не очень, но как бы в целом), а грани соответствуют *частным самооценкам* (себя в различных ипостасях). Общая самооценка существенно влияет на уровень частных самооценок (хотя они и обладают относительной независимостью), поэтому с нее-то мы и начнем.

Скажите, если мы воспользуемся уже привычной вам десятибалльной шкалой, насколько высоко вы оценили бы себя по ней в целом? В данном случае десять баллов соответствуют максимально высокой самооценке — полному и безоговорочному принятию себя как не просто уникальной, но еще и безоговорочно достойной личности, а один балл представляет минимальную самооценку — восприятие себя как полного ничтожества. Сколько там у вас получилось? Пять-шесть баллов? Все правильно — как и у большинства. Вот только нечего здесь гордиться принадлежностью к этакому среднему — по самооценке — классу, ибо эти самые пять-шесть баллов на самом деле свидетельствуют о том, что на пятьдесят-шестьдесят процентов вы себя любите, а на сорок-пятьдесят — ненавидите. И это просто грустно, поскольку ненависть к себе всегда была плохим подспорьем в улучшении чего бы то ни было. Ибо мы редко совершенствуем то, что ненавидим, а наоборот, предпочитаем ненавидимое разрушать и уничтожать. Так не в низкой ли самооценке кроются корни саморазрушительных действий против себя — ведь тогда получается, что тот же алкоголизм и наркомания есть не только добровольное безумие, но еще и добровольное самоубийство?

Вот и давайте поднимем вашу общую самооценку до должного уровня, а именно, до десяти баллов! Да, именно так — до десяти из десяти возможных, и никак не меньше. Потому как нечего вам стесняться столь высокой самооценки, ибо она будет основываться не на привычных *стандартах сравнения* («у меня «мерсюк», а у тебя «жигуль» — значит я круче тебя»), а на полном и безоговорочном принятии себя как единственного и неповторимого. Если хотите — подлинной реализации принципа «я есть я, и это здорово!»

Разработанная мною на основании идей М. Холла психотехнология создания высокой самооценки проста, но своеобразна, отчего я позволю себе ее подробно прокомментировать.

Итак, первое, что вам необходимо сделать, это где-то прямо перед собой, в пространстве, представить собственный образ. Себя как человека, оцениваемого вами же на пять-шесть баллов из десяти возможных. Никаких особых требований к содержанию данного образа не предъявляется, за исключением уже упомянутого: это вы, но тот, которого оцениваете на пять-шесть баллов. Одеты вы можете быть во что угодно, хотя далее, когда мы будем работать над частными самооценками, одежда должна соответствовать той области, с которой вы работаете. Так, если вы повышаете оценку себя как начальника, вряд ли уместным будет работать с вашим нетленным ликом, облаченным в сомнительной свежести домашние штаны и застиранную майку.

Теперь, после того как образ сформировался (именно так — лучше не представляйте его, а дайте этому образу возникнуть как бы самостоятельно), отодвиньте его в сторонку, после чего приступайте к работе с тремя метасостояниями, последовательное введение которых в этот самый образ и сформирует вашу высокую самооценку. Первое из этих состояний именуется весьма своеобразно: *«принимаю, хотя и неприятно»*. Вспомните-ка любую ситуацию из вашей жизни, когда вы что-то принимали, хотя это и было неприятно. Дождь, который помешал вашей прогулке или пикнику. Автомобильную пробку, которая не позволила вам без помех добраться до дома. Или нашу Думу, которую все принимают, хотя и неприятно. Учтите: вашему бессознательному абсолютно наплевать на то, откуда, из какой области вы извлечете это состояние. Главное, чтобы данное «принятие неприятного» было не истеричным («жена стерва, но ведь живу с ней, а значит, принимаю!»), но, так сказать, философским («пошел дождь, а это значит, что от прогулки придется отказаться; жаль, конечно, немного неприятно, но я это принимаю»).

После того, когда вы вспомнили ситуацию «принимаю, хотя неприятно», вам надлежит мысленно войти в себя в этой ситуации и ощутить это состояние, причем весьма конкретно, т. е. определить, где (в голове, в руках, в шее или в груди и т.д.) и как (как плотное или разреженное, круглое или квадратное — и т.п.) оно ощущается. Теперь — ощущая данное состояние, так сказать, в натуре и конкретно — оцените, пожалуйста, его интенсивность по уже известной вам десятибалльной шкале. Сколько там у вас «набежало»? Только четыре? Не огорчайтесь — это нормально, ведь вы вспоминаете ощущение, а не переживаете его воочию.

Однако четырехбалльной интенсивности ощущения явно недостаточно для постановки самооценки. Поэтому представьте, что где-то вне или внутри вас находится этакий регулятор интенсивности состояния (поворотный или ползунковый — это уж вам самому выбирать), а над ним — шкала интенсивности со стрелкой, которая сейчас замерла на отметке четыре из десяти возможных. И начните плавно поворачивать или двигать этот регулятор, одновременно с интересом наблюдая за движением стрелки. Задача ваша проста: довести ее до отметки десять, а если при этом у вас еще и уплотнится или расширится состояние «принимаю, хотя неприятно», то это просто замечательно.

«Десятка» достигнута? Прекрасно! Тогда верните образ самого себя (опять поставьте его перед собой) и любым образом как бы спроецируйте на него состояние «принимаю, хотя неприятно». Годится любая метафора передачи: в виде луча света и энергии или даже потока жидкости, которую как губка впитывает ваш образ себя (во время мастер-класса «Дизайн человеческого совершенства» один из участников спросил: «А можно я наберу это состояние в водяной пистолет и спрысну из него свой образ?», на что я ответил: «Ну конечно же, можно!»).

Закончили? Отлично! Теперь по такой же схеме поработайте (последовательно) с еще двумя состояниями: *благодарности и признательности*, а также *почитания и благоговения*. Первое из них вспомнить достаточно легко, ибо с трудом верится, что вы никогда и ни к кому не испытывали эти самые признательность и благодарность. Сложнее со вторым, ибо подлинное почитание и благоговение вообще-то свойственно только глубоко религиозным людям. А несмотря на то, что ныне модно верить в Бога, в таком вот эмоционально-духовном плане наше общение с Высшими Силами представляется весьма убогим. Не случайно же народ метко окрестил членов правительства и прочих власть имущих, в обязательном порядке присутствующих в церкви на торжественных молебнах и богослужениях, «подсвечниками».

Что ж, может быть, подобное состояние у вас было, например, во время красивого заката где-то над морем, когда вас буквально захватило благоговение перед этакой красотой. Используйте все, что подойдет. В любом случае и для благодарности-признательности, и для почитания-благоговения, вам надлежит действовать по описанному выше алгоритму. А именно вспомнить ситуацию, когда вы испытывали нечто подобное, мысленно войти в нее (точнее — в себя в ней), «опредметить» искомое состояние в теле, оценить его интенсивность, довести эту интенсивность до максимума, после чего спроецировать данное состояние на собственный образ.

Сделали? Тогда посмотрите еще раз на «картинку» самого себя и скажите: это образ человека, который оценивает себя на сколько баллов? Что, на все десять? Так именно этого мы и добивались — за счет того, что вы сначала приняли себя, ну а потом испытали к себе же благодарность и признательность, а также почитание и благоговение. Теперь осталось последнее в данной психотехнологии — ввести этот новый образ в себя. Мысленно возьмите собственный портрет руками и как бы втяните его в свое тело, дав ему заполнить вас всего — до кончиков пальцев рук и ног. А теперь снова определите собственную самооценку. Что, девять с половиной? Жаль, что не десять, но это часто бывает — некоторая потеря при переходе нового образа себя из диссоциированного в ассоциированное состояние. И уж, во всяком случае, девять с половиной — это куда как лучше ваших прежних пяти-шести.

Приведу полный алгоритм данной процедуры — *техники создания высокой самооценки.*

1. ***Оцените по 10-балльной шкале свое собственное общее отношение к себе — самоуважение и самооценку*** *(можно как в целом, так и по отдельности, если между ними существует заметная разница). Если полученные оценки достаточно высоки, определите специфический контекст или ситуацию, которая является для вас проблемной (например, вы можете терять самоуважение при разговоре с авторитетным начальником), и работайте именно с этим аспектом самоотношения. Если же оценки невысоки, работайте «в общем». То есть задайтесь вопросом, не ощущаете ли вы явственную склонность к самоосуждению, сомнениям в себе или не принятию себя — в целом или*

в каких-то контекстах и ситуациях. И оцените для выявленного уровень самоуважения и самооценки по рекомендованной 10-балльной шкале.

2. ***Проанализируйте обнаружившиеся провалы*** *(естественно, по одному). Сами для себя ответьте на вопрос, ведет ли подобное самоосуждение, сомнение в себе или непринятие себя к тому, чтобы сделать вашу жизнь экологичной, эффективной и счастливой? Придает ли оно вам силы в личностном плане? Является ли тем способом жизнедеятельности, который вам подходит? Может быть, вам «этого» уже «довольно»? Тогда готовы ли вы дать себе шанс повысить ваше самоуважение и самооценку?*
3. ***Локализуйте и опредметьте ваши самоуважение и самооценку и (или) представьте образ себя*** *— такого, который их имеет в недостаточной степени.*
4. ***Получите доступ к состоянию принятия,*** *вспомнив или вообразив все что угодно (человека, ситуацию, природное явление и т.п.), что вам не очень нравится, но вы это принимаете (например, вам может не нравиться снег, но вы его принимаете). Локализуйте, опредметьте, оцените и (при необходимости) усильте это состояние принятия.*
5. ***Войдите в состояние принятия*** *настолько полно и совершенно, насколько это для вас возможно,* ***и привнесите его в свои самоуважение и самооценку,*** ***одновременно*** *как бы* ***спроецировав это состояние на образ самого себя.***
6. ***Получите доступ к состоянию признательности (благодарности),*** *вспомнив или вообразив то, что безоговорочно вызывает у вас это (эти) чувство. Локализуйте, опредметьте, оцените и усильте данное состояние.*
7. ***Войдите в состояние признательности (благодарности)*** *полно и совершенно, после чего* ***привнесите его в самоуважение и самооценку, одновременно спроецировав принятие на образ самого себя.***

8. ***Получите доступ к состоянию почитания (благоговения или глубокого уважения),*** *вспомнив или вообразив нечто, безусловно вызывающее у вас данные состояния (если не найдете ничего в физическом мире, используйте феномены мира горнего — Природа, Бог, Космический Разум или Абсолют). Локализуйте, опредметьте, оцените и усильте эти состояния.*
9. ***Войдите в состояние почитания*** *полно и совершенно, после чего* ***привнесите его в самоуважение и самооценку, одновременно спроецировав данное почитание на образ самого себя.***
10. ***Оцените по 10-балльной шкале*** *получившийся в результате процедуры* ***уровень самоуважения и самооценки и в случае, если он вас устроит, введите в свое тело трансформировавшийся в результате образ самого себя,*** *как бы втянув его внутрь и расширив там до своих телесных объемов.*
11. ***Повторите шаги 1–10 для всех остальных контекстов и ситуаций, где вы чувствуете недостаток самоуважения и самооценки.***
12. ***Осуществите подстройку к будущему,*** *представив, как легко и элегантно вы будете теперь двигаться по жизни.*

И последнее в самооценке себя, любимого. Как правило (и как я уже говорил), вслед за подъемом или укреплением общей самооценки происходит автоматическое увеличение всех частных самооценок (т.е. себя в различных своих ролях, амплуа и масках). Однако это вовсе не значит, что вам не следует отдельно и весьма серьезно озаботиться укреплением оценки себя как человека, который *может выздороветь*; *способен самоисцелиться*; и *имеет все возможности для сохранения здоровья*. Да-да, вы правы — это как бы три различные частные самооценки, которые в случае если вы хотите выздороветь всерьез и надолго должны у вас быть максимально близки к десяти баллам.

Создание «зоны обладания»

Теперь о следующем (в этом разделе) шаге к вашему выздоровлению. Скажите, что у вас там конкретно нездоровое в связи с той болезнью, от которой вы избавляетесь: сердце, почки, печень или просто тело в целом? А теперь, мгновенно ответив на этот печальный вопрос (уж о своих-то болячках мы точно знаем — что, где и как), задайтесь другим на первый взгляд очень странным: если воспользоваться десятибалльной шкалой (10 — max, 0 — min), то на сколько баллов вы *обладаете* этим самым органом или телом в целом? Что, всего на 2–3 балла? Ну так это вполне естественно, ибо я давно заметил, что чем больше проблем у человека с чем бы то ни было, тем меньше оказывается оценка обладания этим самым чем-то. И например, здоровый, так сказать, «кардиологически» человек оценивает уровень обладания своим сердцем на 8–9 баллов (точнее, на столько это обладание оценивает бессознательное этого человека), тогда как больной — на пресловутые 2–3 балла. Но ведь подобная оценка значит, что на самом деле своим больным органом вы обладаете только лишь на 20–30%, тогда как этот самый больной орган обладает вами на 70–80%! В общем, выходит как в той не слишком веселой песенке: «Это не я имею машину, это машина имеет меня...»

Так вот, с помощью описанной ниже не слишком сложной психотехнологии я давно уже творю чудеса, излечивая кардиологию, гинекологию, гематологию и прочие болезненные напасти за счет восстановления обладания человеком соответствующими органами и системами организма (не удивляйтесь упоминанию гематологии: кровью своей тоже нужно и можно обладать).

Итак, вашему вниманию предлагается буквально фантастическая по возможностям психотехнология, какову я назвал техникой создания «зоны обладания». Суть или первооснова ее вполне ясна и вполне укладывается в сильно переиначенное мною выражение приснопамятного М. Холла.

Человек не станет здоровым, пока не поверит, что он обладает здоровьем.

Однако в том-то и дело, что данное метасостояние полного обладания, которое в моей модели складывается из семи состояний — *принятия; признательности и благодарности; уважения; доверия; любви; подконтрольности и управляемости*, а также собственно *обладания («Мое!»)* — оказывается в чисто неврологическом смысле отнюдь не присущим человеку по отношению ко многим вещам, которые ему на самом деле принадлежат. Да-да, именно так: нам принадлежит много из того, чем мы тем не менее не обладаем! Например, всем нам принадлежит наше тело со всеми входящими в него органами, но вряд ли кто-нибудь, кроме продвинутых йогов, положа руку на сердце, скажет, что всем этим обладает. Скорее, наше тело обладает нами... Да что там тело: скажите, а жизнью, которая вам принадлежит по праву рождения, вы обладаете — или все-таки она обладает вами?

Так вот, с помощью техники создания зоны обладания вы окажетесь способным действительно обладать — причем всем, чем хотите. Например, у меня была клиентка, которая испытывала тоску и ужас по поводу своей работы руководителя, ощущая репрезентацию этой работы в виде тяжелого свинцового хомута на шее и оценивая свои способности (или возможности) обладания этой работой в два балла по десятибалльной шкале. После использования данной психотехнологии оценка уровня обладания работой у этой клиентки повысилась до девяти баллов, причем одновременно с этим как по мановению волшебной палочки тяжеленный хомут превратился в невесомое меховое боа, нежно и бережно согревающее шею...

Так воспользуйтесь психотехнологией создания обладания для того, чтобы стать счастливым обладателем любых необходимых вам для выздоровления органов и систем, а также здоровья в общем и тела в целом. И еще многого другого!

Техника создания «зоны обладания» не сложна, за исключением двух моментов. Первый из них связан с репрезентацией той способности или качества личности, которыми вы хотите обладать. Предположим, что вы хотите стать человеком, обладающим здоровьем. Скажите, а где именно находится это самое здоровье, которым вы хотите обладать, — вне или внутри вас? Если вне, то, может быть, вы его пригласите вовнутрь, а если оно уже внутри, то где именно внутри вы его чувствуете, видите или даже слышите: в голове, в плечах, в спине, в груди, в животе, в ногах или в левой — любимой — пятке?

Предположим, что искомое здоровье обнаружилось в груди. Скажите, а на что оно похоже, если представить, что оно имеет объем и форму? Например, на золотистый шар диаметром примерно двадцать сантиметров, находящийся в районе солнечного сплетения? Все, дело сделано — репрезентация здоровья получена, и теперь вам остается только проделать нижеописанную технику, дабы стать его (здоровья) счастливым обладателем. Так что всегда ищите репрезентацию того, чем вы хотите обладать. А если ваше хотение касается чего-то внешнего, то вам достаточно просто работать с внутренней репрезентацией этого самого внешнего — тем, что видится, слышится и чувствуется, когда вы о нем думаете или вспоминаете.

Вторая сложность связана с поиском состояния «контролирую и управляю». Ищите его среди всего, что действительно и безоговорочно контролируемо вами — и, разумеется, вами же и управляемо. Например, сам с собой я всегда работаю с использованием состояния подконтрольности и управляемости, которое с наслаждением испытываю где-нибудь на трассе Москва — Рига, по которой мчусь на своем «Ауди» со скоростью около двухсот километров в час (разумеется, только там, где это позволяет дорожное покрытие, интенсивность движения, видимость и т.п. — я все-таки лихач, а не самоубийца!). Я испытываю состояние упоения от власти над почти двухтонным механическим зверем и сотнями его лошадей, находящимися под полным моим контролем и управляемыми мною и только мною. Думаю, что автомобилисты меня поймут и легко вспомнят соответствующее состояние. Что же касается остальных, то, как говорится, ищите и обрящете. Ведь состояние подконтрольности и управляемости может присутствовать у вас в отдельные моменты сидения за компьютером, работы на швейной машинке и даже во время возни с кухонным комбайном.

Полный алгоритм выполнения *техники создания «зоны обладания»* выглядит следующим образом.

1. ***Определите, чем именно*** *(в данном контексте — какими органами и системами вашего организма* ***вы хотели бы действительно обладать)***. Для полного и подлинного исцеления вы должны обладать не только больными органами и системами, но и теми, обладание которыми необходимо для исцеления — например, я всегда и безоговорочно делаю своим клиентам обладание иммунной системой . *И оцените уровень вашего обладания этими органами и системами по 10-балльной шкале (работайте с каждой по отдельности!).*
2. ***Получите доступ к этому органу и системе.*** *Ощутите, увидьте или даже услышьте его (ее) в том месте, где он (она) находится или — это тоже можно — представляется. Если же вы работаете, например, со способностью к самоисцелению, то вспомните ситуацию, в которой она присутствовала, войдите в себя, определите (ощутите!) ее локализацию и «предметность», после чего попробуйте эту способность увидеть, описав цвет, форму, плотность и тому подобные ее характеристики. И оцените, насколько вы обладаете искомым по 10-балльной системе.*

3. ***Получите доступ к состоянию принятия.*** *Вспомните, как вы просто приняли или принимаете нечто — без оценки и осуждения, — войдите в себя в соответствующей ситуации и ощутите данное принятие. Оцените уровень присутствия этого состояния. Усильте его до 10 баллов и введите в место локализации органа, системы организма или способности.*
4. ***Получите доступ к состоянию благодарности и признательности.*** *Оцените уровень его выраженности, усильте его до 10 баллов и введите в место локализации того, с чем вы работаете.*
5. ***Получите доступ к состоянию уважения.*** *Оцените уровень его выраженности, усильте его до 10 баллов и введите в место локализации того, с чем вы работаете.*
6. ***Получите доступ к состоянию доверия.*** *Оцените уровень его выраженности, усильте его до 10 баллов и введите в место локализации того, с чем вы работаете.*
7. ***Получите доступ к состоянию любви.*** *Оцените уровень его выраженности, усильте его до 10 баллов и введите в место локализации того, с чем вы работаете.*
8. ***Получите доступ к состоянию «контролирую и управляю».*** *Оцените уровень присутствия данного состояния, усильте его до 10 баллов и введите в место локализации того, с чем вы работаете.*
9. ***Осуществите доступ к метасостоянию обладания и усильте его.*** *Вспомните в вашей жизни эпизод, когда вы ощутили или даже сказали: «Это мое — целиком и полностью! Я обладаю этим, и это принадлежит мне!» Не обязательно, чтобы это «мое» касалось чего-то большого и высокого — это может быть «зубная щетка», «мои глаза» (или другие части тела) и даже «моя машина», если она отвечает вышеприведенным условиям (хороший критерий «мое!» — это вопрос: «Согласишься ли ты отдать это в пользование кому-нибудь?»). Ощутите это состояние «мое» и при необходимости усильте его и введите в место локализации того, с чем вы работаете.*

10. ***В заключение оцените, насколько теперь вы обладаете тем, с чем вы работали** — органом, системой организма или способностью.*

Напоминаю, что с помощью техники создание «зоны обладания» вы можете стать «счастливым обладателем» и даже «управленцем» всего, чего хотите; любого органа вашего тела, тела в целом (в этом случае его, однако, нужно сначала вывести из себя, а потом ввести обратно — так, как мы это делали с самооценкой) и даже чем-то внешним для вас. Все упирается только лишь в уровень вашей веры, техническую изощренность и просто — степень развития вашей фантазии.

Психотехнология «Чудесный магазин»

А в заключение — некий супер. Потрясающей силы и возможностей процедура обмена состояний. Нейросемантическая по сути психотехнология (изобретенная мною задолго до того, как познакомился с нейросемантикой™ М. Холла), которая позволяет как бы менять **От** на **К**. То есть негатив на позитив, то есть любые симптомы и проявления болезни на необходимые компоненты и состояния здоровья. Вот описание ***техники «Чудесный магазин»***.

1. ***Представьте невдалеке от себя прилавок и полки** некоего **чудесного магазина**, в котором вы можете приобрести любые новые состояния. Выберите то, в чем вы сейчас наиболее нуждаетесь и что хотели бы приобрести в первую очередь (например, все то же здоровье — в целом или конкретного органа или системы).*
2. ***Попробуйте увидеть, как выглядит то, что вы хотите приобрести,** дав волю не столько воображению, сколько бессознательному — какие оно имеет цвет, форму, размеры, консистенцию и т.п. Например, здоровье в целом может предстать в виде «ярко-красного шара размером с волейбольный мяч, как бы наполненного энергией» (реальный пример).*

3. ***Определите, чем вы будете платить за ваше приобретение.*** *В вашем чудесном магазине принята довольно странная форма оплаты — здесь принимают только любой «душевный и физический мусор». Например, неэкологичные состояния. Что именно из того, что совсем вам не нужно, вы используете в качестве оплаты? Например, это может быть какое-то нездоровье или симптом болезни.*
4. ***Опредметьте «оплату», т.е. получите к ней доступ.*** *Определите, где именно в вашем теле находится то, чем вы собираетесь оплатить выбранный «товар». Для этого вспомните любую ситуацию, когда вы чувствовали это нездоровье (на случай если вы не чувствуете его прямо сейчас), ассоциируйтесь с собой в этой ситуации и определите «внешний вид» и «внутреннее содержание (в реальном примере это был «колючий шар зеленого цвета, похожий на репейник, но размером с яблоко, который находился внизу живота»).*
5. ***Совершите обмен.*** *Мысленно осторожно извлеките из себя то, что вы выбрали в качестве оплаты, и положите это в воображаемый ящик «Для оплаты» с крышкой, которая открывается только внутрь. Следите за тем, чтобы ничего из «опредмеченной» оплаты не осталось в вашем теле — это особенно касается так называемого «прилога» (А. Ермошин): легких кусочков или зернышек, из которых потом может вырасти новое нездоровье (но если там будет чисто, ему это сделать не удастся). А теперь «возьмите» с прилавка выбранный вами «товар» и поместите его внутрь себя (или на себя) — возможно даже в то место, из которого вы взяли что-то для «оплаты». Однако если «товар» разместится не в том месте, где была «оплата», подумайте, чем можно заполнить образовавшуюся пустоту и «приобретите» это уже ничего не давая взамен (или снова расплатившись «душевным мусором»).*

Естественно, что на этой психотехнологии вы можете работать практически непрерывно, покупая все новый и новый позитив и, соответственно, расплачиваясь за это своими «негативами», буквально меняя болезнь на здоровье.

...Я, пожалуй, никогда не забуду этого клиента — представившегося Иваном Николаевичем пожилого мужчину, который страдал от такого букета хворей, что его вполне хватило бы на то, чтобы занять всех, за редким (гинекологическим) исключением врачей обычной районной поликлиники минимум на год-полтора. После того как мы сделали все необходимое для того, чтобы отвернуть его от болезни и повернуть к здоровью, я приступил к работе в психотехнологии «Чудесный магазин». Но не в описанном выше более простом, а в своем, так сказать, мастерском, варианте: с воображаемым приглашением воображаемого же Целителя, обладающего экстраординарными способностями хилера (есть такие дядечки и тетечки, которые в состоянии особого транса делают операции голыми руками*). И как только клиент «увидел» этого Целителя (без всякого гипноза — просто так, в спонтанном воображении), предложил этому самому Ивану Николаевичу разрешить хилеру излечить себя. Обычно при таком варианте процедуры Целитель самостоятельно «хилерит», меняя больное на здоровье, причем частенько оказывается, что работает он не совсем там, где ожидал клиент (что поделать — врачу виднее!), а сам клиент совершенно неожиданно испытывает во время «операций» вполне реальную боль (хотя куда меньшую, чем она могла бы быть) — и только. На этом

** Один из моих подопечных, для которого я в течение двух лет выступал в качестве не психотерапевта, но как это принято нынче называть, коуча, за 10 000$ выписал такого хилера в Москву; так что я лично наблюдал за подобными операциями и могу вас заверить: шарлатанством там даже и не пахнет...*

же сеансе произошло нечто невообразимое (как часто я жалел потом о том, что не вел видеозапись). Иван Николаевич спонтанно ушел в транс и за четыре (!) часа — прервать его не было никакой возможности — беседуя сам с собой на два голоса (хилера и себя — голоса эти, кстати, заметно отличались) и безо всякого моего участия вылечил у себя все! Именно так: все, в том числе и то, о чем сам даже не догадывался. И мне осталось только в очередной раз подивиться возможностям человеческого бессознательного в излечении и самоисцелении...

Упражнение 35.

➔ Снабдите себя всеми необходимыми ресурсами для исцеления и быстрого выздоровления с помощью психотехнологии «Круг ресурсов».

Упражнение 36.

➔ Осуществите трансформацию всех своих «болезненностей» посредством техники преобразования негативных состояний.

➔ Создайте или усильте у себя состояния радостного и ускоренного выздоровления.

Упражнение 37.

➔ Увеличьте до 10 баллов или как минимум существенно повысьте свою общую самооценку, а также оценку себя как человека, который:
— может выздороветь;
— способен самоисцелиться и
— имеет все возможности для сохранения здоровья.

Упражнение 38.

➔ Создайте «зону обладания» для всех своих больных органов и систем организма, а также для способности к самоисцелению тела и здоровья (это как минимум)

Упражнение 39.

➔ Обменяйте весь свой болезненный «негатив» на здоровый «позитив» с помощью психотехнологии «Чудесный магазин».

Глава 5

Болезни и здоровье в интерьере поведения

«Можно дать другому разумный совет, но этим нельзя научить его разумному поведению».

Ларошфуко

То, о чем я сейчас сообщу, лишь на первый взгляд может показаться чем-то не имеющим отношения к теме самоисцеления. Знаете, многие академические психологи до сих пор выходят из себя, услышав расхожее сравнение человеческой жизнедеятельности с неким театром (часто — абсурда). Но что уж тут поделаешь, если жизнь человека и впрямь сильно смахивает на затянувшееся театральное действо, в котором у каждого из нас есть свои *роли* (то, что мы привычно делаем), *амплуа* (то, как по большому счету мы делаем), *главный сценарный план* (то, что мы осуществляем в ходе всей нашей жизнедеятельности) и *сценарии отдельных повторяющихся эпизодов* (то, как мы действуем в привычных условиях и обстоятельствах). И именно с этими последними — сценариями нашей повседневности — мы сейчас и будем разбираться.

Ибо, как вы уже знаете, болезнь *начинается* с поведения. И в нем же *продолжается*. Это когда в привычный сонм заученных последовательностей, в сумме и составляющих нашу жизнедеятельность, сначала вторгаются, потом внедряются, а далее крепко-накрепко застревают совершенно ненужные и заведомо неэкологичные сценарии болезни. И начинают, а потом и продолжают воспроизводиться с четкостью и неумолимостью хорошо отлаженного механизма. Так что, как говорится, крути не крути, а без исправления вызвавших, реализующих и сохраняющих болезнь сценариев — как *внешних,* так и *внутренних* — ни о каком серьезном исцелении и выздоровлении говорить просто-таки и не приходится.

Впрочем, будем последовательны и для начала вернемся к заученным последовательностям (экий получился каламбур!). С точки зрения нейролингвистического программирования здесь все действительно довольно просто. Ибо на этом — весьма поверхностном — уровне анализа вашей уникальной личности мы имеем дело с весьма несложными бессознательными программками, реализующимися как сценарии поведения и действий в повторяющихся ситуациях повседневной жизни. Имя этим сценариям – легион, и не случайно энэлперы — кто с иронией, а кто и с горечью — утверждают, что на 90% поведение человека является (всего-навсего) *системой заученных последовательностей:* реакций, способов поведения и действий (разумеется, бессознательного плана).

С одной стороны, это хорошо, ибо как бы развязывает нам руки от сиюминутных осознаний, давая — в идеале — заниматься разумным, добрым и вечным. Ну зачем нам, например, *осознанно* ходить, если в этом случае этак 70–80% общей деятельности сознания будет направлено только лишь на поддержание перемещения в нужном направлении и по возможности в вертикальном положении. С другой — очень плохо, потому что заученные нами последовательности могут быть сплошь и рядом неэкологичными (чего стоит, например, бессмысленный набор действий по регулярному употреблению алкоголя или, упаси боже, наркотиков).

Теперь немного о другом, но тоже важном. О том, как *включаются* и *реализуются* сценарии. О том, что все в нашем Сознании и Теле включается (или запускается) триггерами, вы уже знаете. Но вы «не в курсе» того, что остановить однажды запущенную программу оказывается весьма и весьма трудным делом — она должна осуществиться до конца. И в большинстве случаев после срабатывания триггера человек становится буквально *одержим* заработавшей программой. «Процесс пошел», и это как лавина, которую не остановить (именно так, например, реализуют себя приступы вашей болезни). А поскольку любой триггер есть вещь весьма и весьма устойчивая (нет ни времени, ни места объяснять почему), в нейролингвистическом программировании мы его, как правило (но далеко не всегда), сохраняем. Одновременно как бы подключая новую, уже экологичную программу способов поведения, реакции и действий. А если еще и создаем что-то уж совсем новое (на данном, в основном поведенческом уровне), то обязательно делаем для этого нового отдельный и тоже новый триггер — чтобы вас не тяготило сознательное включение этих, уже куда как более совершенных программ, а наоборот, в нужное время и в нужном месте они включались сами — неосознанно для вас.

Так вот, именно переключениями триггеров и переписыванием сценариев мы с вами сейчас и займемся. Для переработки всех ваших болезненных и/или болезнетворных реакций и действий в более здоровые во всех смыслах этого слова. Наибольшее внимание мы, конечно же, уделим «сценарным планам» вашей болезни — как внешним, так и внутренним. Однако, пожалуйста, не забудьте, что с помощью нижепредлагаемых техник вы можете осуществить переделку всего того в вашем поведении, что привело вас к заболеванию.

Итак, далее вы:

- научитесь изменять болезненные и болезнетворные сценарии вашего внешнего поведения;
- создадите в помощь самому себе новые «сценарные» планы (ну разумеется, здоровья);

- замените внутренние сценарии, по которым привычно протекает ваша болезнь;
- запрограммируете собственное автоматическое исцеление.

5.1. Сценарии здоровья и болезни

«Человек есть не что иное, как ряд поступков».

Г. Гегель

Психотехнология замены сценариев

Итак, перепишем «набело» содержание обеспечивающих или обслуживающих вашу болезнь внутренних «кинофильмов». Как и в случае уже знакомых вам контекстных «взмаховых» техник, все здесь начинается с триггера, который в этом случае чаще бывает не визуальным или аудиальным, но кинестетическим или даже дискретным (хотя это вовсе не исключает возможность использования бессознательным триггеров V- и А-модальностей). Поэтому при освоении описанной ниже и чрезвычайно мощной психотехнологии — первой и основной из тех, что используются для изменения неэкологичных последовательностей действий — я прошу вас обратить особое внимание именно на поиск триггера как некоего *предощущения* или даже «*предмыслия*» того, что сейчас начнется, или пойдет нечто то, чего вы явно бы не хотели.

Помните мультфильм, в котором собака, изгнанная из дома по причине старости и ненужности, договорилась с волком о своеобразной инсценировке похищения ребенка, которого эта собака героически «спасла»? Хозяева щедро отблагодарили пса, накормив его до отвала и даже, если мне не изменяет память, пригласили его на праздничную трапезу в избу. Туда же пробрался и волк. Однако, наевшись от пуза, хищник начал предчувствовать, что сейчас наружу вылезет явно неэкологичная реакция воя (неуместная и просто невместная), и даже сообщил об этом и себе, и собаке вслух: «Щас спою». И в конце концов таки спел, и был изгнан в лес и лишен всех благ. Кажется, досталось и псу, но сейчас меня интересует не точное воспроизведение сюжета того давнего мультфильма, а то, что триггер, который вы обнаружите, должен полностью отвечать продемонстрированному в этой мудрой сказке критерию предощущения и «предмыслия» «Щас спою!»

Вообще же данная психотехнология — *техника замены сценария* — позволяет сделать нечто абсолютно необходимое для вашего выздоровления, а именно изменить способ действий, обслуживающих болезнь частей вашего бессознательного. Да, это, конечно же, «из другой оперы» — общепризнанная и (после знакомства с психологией болезней) вполне доступная для вашего понимания теория, согласно которой за любой действительно крупной областью состояний и поведения человека как бы стоит некая часть, или, иначе, Самостоятельная Единица вашего Сознания (СЕС). И она из самых лучших побуждений (дабы облегчить вам жизнь, подарив те самые пресловутые вторичные выгоды — иногда буквально до смерти невыгодные) вызывает у вас болезнь.

Психокоррекция СЕС — это отдельная и довольно сложная область соматической психотерапии, и я ее буду описывать в отдельной книге, посвященной самоисцелению с использованием «продвинутых» техник нейролингвистического программирования. Однако главная задача этой психокоррекции — изменения отчасти глупого способа достижения частью умной цели — вполне может быть решена с помощью описанной ниже психотехнологии, поскольку в ней мы буквально переключаем этот ее (части) неэкологичный способ на девять (!) вполне экологичных.

Делается *техника замены сценария* так.

1. *Вспомните три аналогичных ситуации приступа или обострения своей болезни — разумеется, по очереди и*

так, чтобы в них обязательно присутствовал достаточно продолжительный отрезок ***до*** *начала этого приступа, который мы далее назовем срывом, или, иначе, неэкологичным поведением.*

2. *Разверните эту ситуацию как диссоциированный фильм (т. е. чтобы вы видели в нем себя со стороны) и мысленно просмотрите его, отметив момент, с которого «пошло» неэкологичное поведение — примерно так, как это изображено ниже.*

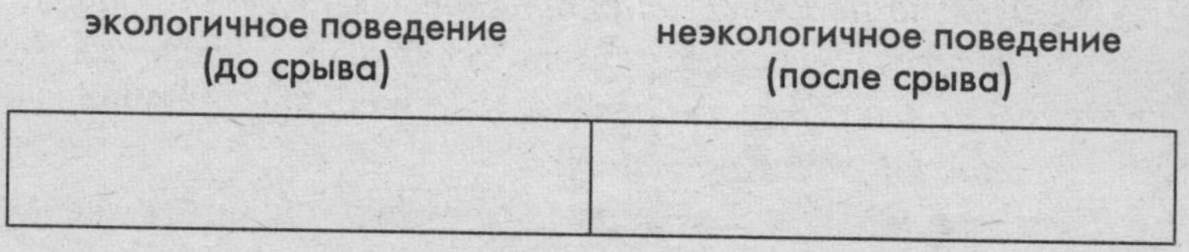

экологичное поведение (до срыва)	неэкологичное поведение (после срыва)

3. *А вот теперь внимание: сейчас мы должны найти триггер — «запускной» момент неэкологичного поведения. Для этого можно увеличить фрагмент фильма непосредственно перед моментом срыва и обратить внимание на то, что перед срывом вы уже подспудно знали, что сейчас сорветесь. Предчувствовали, что сейчас пойдете по накатанной дорожке. Так вот это самое предчувствие (хотя иногда и предвидение и предслышание) и является триггером, запускающим ваше неэкологичное поведение. Обнаружьте этот триггер, но не старайтесь добиться полной его определенности — здесь куда более важно найти эту самую «кнопочку», чем описать ее размеры, цвет и фактуру. В идеале у вас должно получиться примерно следующее*

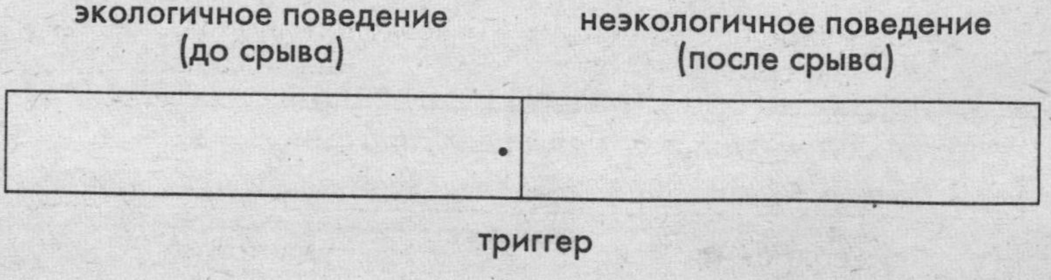

экологичное поведение (до срыва)	неэкологичное поведение (после срыва)
•	

триггер

4. *И еще раз внимание: нам надлежит определить, является ли этот триггер универсальным. Дело в том, что наш мозг является весьма экономным «субъектом» и обычно для* ***одного*** *вида поведения выбирает опять-таки* ***один*** *(единый) триггер. Поэтому сделайте то, что описано в пункте 3, для двух оставшихся ситуаций срыва. И если и в них триггером неэкологичного поведения выступало нечто подобное «запускному моменту», выявленному для первой ситуации (максимально подобное, т.е. практически ничем не отличающееся), можете быть совершенно уверены: вы нашли искомый универсальный триггер, с которым сейчас и будете работать.*

Если же триггеры для разных ситуаций существенно отличаются, вначале проверьте: точно ли вы выполняли инструкции и не приняли ли случайно за триггер что-то другое. И если все было сделано правильно, но триггеры все равно остались разными, значит, у вас имеется не один, а несколько типов неэкологичного поведения, с каждым из которых вам и придется работать (снова подобрав по ***три*** *ситуации).*

5. *Если вы смогли обнаружить единый триггер, считайте, что более чем полдела вами уже сделано. Ибо остальное является простой и в чем-то даже рутинной операцией. И первое, что вы должны в ней сделать, это как бы* ***оторвать*** *вторую часть «фильма» сразу за триггером и до срыва (но ни в коем случае не трогая сам триггер!) и уничтожить ее любым воображаемым способом (например, сжечь).*

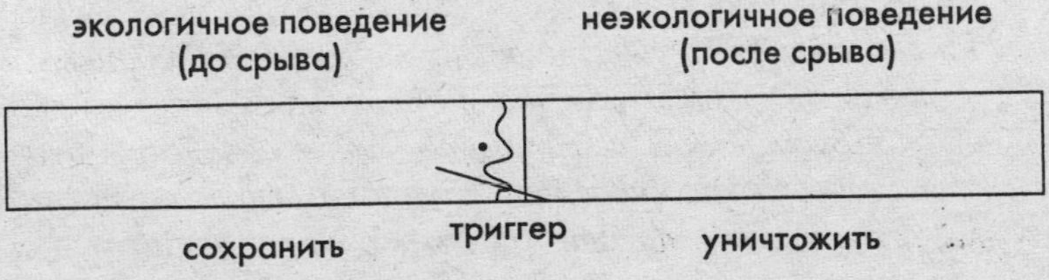

экологичное поведение
(до срыва)

неэкологичное поведение
(после срыва)

сохранить

триггер

уничтожить

6. *Теперь придумайте вариант «сюжета» с нормальным — заведомо экологичным развитием событий. И вообразив это экологичное поведение (снова в виде диссоциированного фильма), присоедините «фильм» к оставшемуся фрагменту, уберите «монтажный стык».*

***Трижды** посмотрите то, что получилось, от начала до конца — **сначала диссоциированно** (три раза), а потом **ассоциировано** (также три раза), т.е. как бы войдя в свое тело и видя, слыша, чувствуя и совершая все, что в нем происходит, изнутри себя (а не со стороны).*

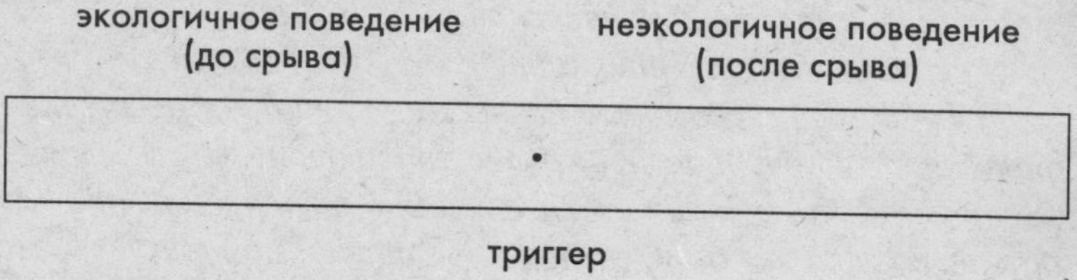

экологичное поведение (до срыва) | неэкологичное поведение (после срыва)

•

триггер

7. *Теперь сделайте все, что описано в пункте 5, еще дважды — с двумя новыми сюжетами, а точнее, вариантами поведения. Каждый из этих «фильмов» также надлежит посмотреть по три раза — сначала диссоциировано, а потом ассоциировано.*
8. *Теперь необходимо взять сначала вторую, а потом третью ситуацию неэкологичного поведения, проделайте то, что описано в пунктах 2–6, с каждой из них (разумеется, опять-таки по отдельности). Как вы, наверное, уже поняли, в результате единый триггер одного неэкологичного поведения станет теперь пусковым моментом девяти форм или видов поведения экологичного.*
9. *А напоследок осуществите проверку проделанной вами работы — и одновременно так называемую подстройку к будущему. Представьте, что в недалеком будущем у вас возникнет ситуация, аналогичная использованным, и вообразите «фильм» о ее развитии — при-*

тии — причем не намеренном, а по принципу «как пойдет, так и пойдет». И если вы обнаружите, что в этом фильме сразу после триггера почему-то как бы «приходит в голову» один из воссозданных (новых и экологичных) вариантов поведения, считайте, что вы добились успеха — вероятность срыва теперь не превышает 10%.

Как следует освойте эту психотехнологию. Но не только потому, что она является универсальной, т.е. как и большинство техник НЛП, пригодной для практически любых случаев. Просто позволю еще раз напомнить, что сам по себе триггер является не более чем торчащей «над водой» верхушкой «айсберга», если не вообще малой частью этой верхушки. В «глубине» под ним, т.е. в глубинах вашего мозга или, точнее, бессознательного — находится некая структура, основная часть «айсберга», обеспечивающая соответствующее неэкологичное поведение и совершающая его ради какой-то неизвестной нам цели. В идеале мы должны работать именно с ней. Но в том то и заключается преимущество техники переключения сценария, что, не изменяя эту самую неизвестную нам пока структуру, мы тем не менее умудряемся и эффективно, и эффектно как бы «подсунуть» ей новый вариант функционирования — заведомо экологичный, который она и принимает как руководство к дальнейшим действиям.

...Этот пожилой чиновник обратился ко мне по поводу непрекращающихся приступов головокружения и тошноты. Диагноз, который ему поставили врачи — вегето-сосудистая дистония, — он понял правильно и не без юмора сообщил мне, что «товарищи доктора лепят эту дистонию всегда, когда ни фига не могут понять». Как вы, наверное, догадались, первой после необходимой подготовки процедурой и выступила у нас техника замены сценария. Три приступа головокружения и тошноты этот чиновник вспомнил, что называется, «влегкую». А вот на определение триггера потратил почти полчаса и ничего не определил и был отправлен мною домой с инструкцией по самонаблюдению. И только после очередного приступа, который, как он сам сказал, протекал как-то вяло (а это всегда так: болезнь не выносит холодного и отстраненного наблюдения, и не случайно одно только ведение дневника своей болезни и облегчает, и даже исцеляет), обнаружил, что ощущение распирания головы, на которое он раньше не обращал никакого внимания, и является искомым триггером, потому как буквально через считаные минуты после него начинается сначала головокружение, а потом уже и тошнота. Что же касается его новых сценариев, то в них превалировали различные варианты «равновесности» (и уравновешенности), а также приятные ощущения во рту и желудке (схожие по сути, но различные по оформлению).

После сеанса этот мужчина неделю (!) ждал очередного приступа, но дождался лишь неожиданно всплывшего воспоминания о возможной его причине: как он впервые в жизни напился, да так, что его три дня «штормило», и спасался он только тем, что плавал в бассейне. Это мы также переработали: по нижеприведенной технике исправления прошлых ошибок.

Не стесняйтесь пользоваться техниками работы со сценариями. Во всех без исключения областях жизнедеятельности своего Сознания и Тела. А прежде всего — в части дурных предчувствий (типа: «Ох, я точно скоро помру!») и прошлых ошибок — прежде всего тех, которые и привели вас в нынешнее плачевное состояние. Ориентированные на это (и описанные ниже) техники НЛП в общем-то являются не более чем вариациями предложенной выше психотехнологии. Но в них есть как некое авторское своеобразие, так и явные отличия, отчего я приведу эти техники как самостоятельные.

Разрушение дурных предчувствий и устранение прошлых ошибок

К сожалению, в нашей жизни, переполненной пессимистическими прогнозами и заупокойными молитвами, творимыми в основном журналистами, почти каждый из нас обладает удивительной способностью, которую в соответствии с библейскими преданиями можно было бы назвать «даром Иова». Потому что сам раз за разом накликивает на себя беды и несчастья, представляя в своей голове *наихудший* вариант развития событий и постепенно (или почти сразу) приходя в уверенность, что именно такой сценарий разыграется. И он действительно разыгрывается — но не в силу злопыхательства или зловредности людей, условий и обстоятельств, а просто потому, что данный сценарий становится *самоосуществляющимся пророчеством* или, чуть иначе, *самореализующимся предсказанием,* которое в силу такой вот своеобразной настройки мозга человека обязательно сбывается. Ибо бессознательно мы планируем свои действия именно в соответствии с этим самым наихудшим сценарием.

Так вот для избавления себя от «дара Иова», а стало быть, и от худшего в вашей болезни, вы можете использовать один из вариантов психотехнологии переключения сценариев — так называемую *технику разрушения дурных предчувствий* /24/.

- *Вспомните одно из обычных для вас состояний навязчивых предчувствий и попробуйте выяснить, чем оно вызывается — конкретным человеком или конкретными обстоятельствами?*
- *Определите причину, из-за которой возникают эти мрачные мысли.*
- *Решите, приносят ли они какую-то выгоду вам и другим (выгода может быть явной и скрытой)?*
- *Подумайте над тем, нельзя ли добиться той же выгоды, не погружаясь в это состояние.*

- *Представьте, как изменилась бы ваша жизнь, если бы вы избавились от этой озабоченности? Как изменилась бы ваша жизнь? И как это повлияло на других?*
- *Если вы убеждены, что подобные мысли не приносят пользы или есть другой способ получить ту же пользу, вновь вообразите те триггеры, которые вызывают у вас такое состояние.*
- *Понаблюдайте за собой в этих обстоятельствах.*
- *Представьте, что вы как бы «проснулись» и уже не реагируете на эти триггеры так, как прежде.*

После подобных фантазий, как после новых сновидений, очень важно «очнуться», так как во сне вы, по крайне мере, не можете поставить себя в глупое положение или навредить другим.

Итак, наблюдайте за собой со стороны и смотрите, как вы совершаете некое другое, желаемое поведение.

- *Если увиденное вас устраивает, мысленно шагните в экран и отрепетируйте новый сценарий.*
- *В следующий раз, когда почувствуете, что впадаете в мрачные фантазии, «проснитесь» и скажите себе: «Я знаю, что это. Неужели мне хочется снова в это погрузиться?»*
- *Если вам этого не хочется, перенесите внимание на окружающий мир. Смотрите вокруг, а не в себя.*
- *Если вам этого хочется, оставайтесь в текущем мгновении. Следите за телесными ощущениями. И спросите себя, какую все-таки пользу приносит или принесет вам пребывание в этом настроении.*

Теперь о прошлых ошибках. В принципе (и вы это должны уже понимать) сформированные сценарии ваших поведения и деятельности зачастую являются следствием прошлых событий и обстоятельств — как правило, «пресыщенных» отрицательными эмоциями и просто неверными действиями и реакциями. А еще ваша болезнь с этой точки зрения представляет собой классическую, сделанную где-то «Там и Тогда» ошибку: бессознательное решение заболеть или просто глупое, но страсть какое болезнетворное поведение. Изменение сформировавшейся в результате программы можно осуществить с помощью еще одного варианта переключения сценариев — *техники «внутреннего видео»* /24/.

Наши прошлые ошибки являются следствием неверной оценки событий. Пришло время оценить их по-новому, точнее.

- *Примите удобное положение и расслабьтесь. Вам предстоит просмотреть занимательный и поучительный видеофильм.*
- *Вспомните прошлый случай, из которого вы хотели бы извлечь урок. Убедитесь, что воссоздаете его, глядя на происходящее снаружи. Иными словами, следите за самим собой со стороны, не занимая место участника событий. Представьте, что стали сидящей на стене мухой.*
- *Наблюдайте за собой. Пусть события разворачиваются в воображении последовательно, как на экране телевизора. Они не вызовут бурных чувств, так как сейчас вы снаружи. Если почувствуете, что вас вот-вот втянет внутрь, вернет к прежним чувствам, представьте, что делаете шаг вперед и снова покидаете сцену событий. Помните, что вы не участник, а зритель.*
- *Досмотрев фильм до конца, отключите телевизор и задайте себе вопрос: «Чего я пытался добиться в том прошлом случае?»*

Здесь возможны три ответа:

1. *В то время вы сами не очень-то понимали чего хотели, и ничуть не удивительно, что вам не удалось ничего добиться.*
2. *Вы понимали чего хотели, но не смогли этого добиться.*
3. *Тогда вы хотели чего-то такого, что в тех обстоятельствах было совершенно неуместным. Это может вызвать желание пересмотреть свои цели.*

Теперь подумайте над следующими вопросами:

* *Какие советы вы дали бы самому себе в тех обстоятельствах, опираясь на преимущество оценки задним числом?*

* *Какие уроки можно извлечь из случившегося, чтобы что-то подобное не произошло в будущем?*
* *Каким вы хотели бы видеть благоприятный исход той ситуации?*

То, что вы сделали в прошлом, было ошибкой. Если подобные действия приносили вам успех в других обстоятельствах, то в чем заключается принципиальная особенность данного случая, из-за которой выбранное поведение оказалось неправильным?

- *Пришло время внести в ваш мысленный видеофильм кое-какие изменения. Представьте, что переживаете тот же случай заново, но на этот раз ведете себя по-другому. Наблюдайте за тем, как ход событий меняется и приводит к более благоприятному для всех участников исход.*
- *Отключите телевизор и мысленно перемотайте пленку к началу.*
- *Повторяйте эксперименты с различными сценариями, пока один из них не принесет чувства удовлетворения.*
- *Просмотрите окончательный вариант по меньшей мере трижды, отключая телевизор после каждого сеанса.*
- *Включив запись в четвертый раз, мысленно шагните прямо в экран. Представьте выбранный вариант, наблюдая за происходящим от первого лица. Следуйте собственным советам и ведите себя иначе. Устраивает ли вас такое развитие событий? Если да, то сохраните его.*

Отделение контекста от поведения

Теперь еще одна «поведенческая» техника, каковая вновь возвращает вас к местам, где вам бывает плохо. К тем контекстам, в которых вам «плохеет», и которые в этом самом «болезнетворном» плане давно уже стали для вас *внешними* якорями негативных состояний.

Конечно же, их также можно трансформировать с помощью описанных в разделе 3.1 техник «установление автоматической связи триггер-ресурс» и «скрещивание якорей». Что для всего «крупного» вы уже и сделали. А вот «мелочи», мелкие якоречки, вплетенные в тонкую ткань контекста, — до них ведь далеко не всегда доходят руки. А работает эта «мелюзга» ничуть не хуже «авторитетных» якорей — просто в силу большого количества. Так вот, для того, чтобы одним махом избавиться от всей этой болезнетворной мелочи, я и предлагаю вам воспользоваться *техникой отделения себя от контекста* /2/.

1. *Подумайте о неприятной (болезнетворной) ситуации и прокрутите ее как короткий фильм. Оцените, как вы реагируете на эту ситуацию.*
2. *Увидьте на картине себя, т.е. перейдите в диссоциированное состояние. И четко разделите себя и контекст. Используйте для этого любые визуальные характеристики, которыми вы можете легко воспользоваться — размер, цвет, дистанция, прозрачность и т.п. Например, если картина черно-белая, увидьте себя в цвете. Если картина далеко, увидьте себя близко.*
3. *Прокрутите фильм вперед с* ***диссоциированным собой, движущимся на удвоенной скорости*** *и* ***контекстом, движущимся на половинной скорости (не*** *наоборот!). И если вы хорошо разделили себя и контекст, то легко увидите, что «приходите» к концу фильма раньше, чем появляется контекст, так что вам придется ждать, пока этот самый контекст не «приплетется» за вами.*
4. *Прокрутите фильм* ***обратно с самим собой, движущимся на половинной скорости, и контекстом на удвоенной скорости (не*** *наоборот!). На этот раз контекст придет к концу фильма раньше, чем вы.*
5. *Теперь прокрутите фильм обычным способом, чтобы проверить, есть ли изменения в ваших ощущениях.*

6. *Если изменений нет, проделайте это еще раз — также в диссоциированном состоянии и сделав себя больше, чем контекст.*

Люди, проделав это, обычно сообщают об ощущении типа «мозги перевернулись вверх дном». Именно поэтому данная техника очень полезна для разрушения заякоренных связей типа «причина – следствие» (между контекстом и болезнетворной реакцией). Когда вы двигаетесь на удвоенной скорости, стимулы появляются после ваших реакций на них, а следствия происходят до причины, что просто лишает их смысла. Так что вы можете использовать эту технику, чтобы «стереть с доски» любые старые неприятные причинно-следственные связи, чтобы вмонтировать какие-либо другие, более приятные.

Кстати, может быть, лично для вас (или для кого-то из вас) очень полезно знать, что именно эту процедуру я обязательно включаю в курс лечения бизнесменов-алкоголиков (и просто алкоголиков). Предлагаю им вспомнить все ситуации (контексты), в которых им приходится пить — по сути хронотопы, или, иначе, пространственно-временные якоря реализации алкогольного поведения. Описать их — очень коротко — и на всякий случай даже как-то записать, дабы ничего не забыть. А после для каждой из них делаю отделение поведения от контекста, разрывая ассоциативную связь выпивания с ситуациями презентаций, посещения саун, визитов к девочкам и т.д. и т.п.

Да, и еще одно... Если вы впадаете в плохое состояние с помощью своих дурных мыслей, можете использовать процедуру — *технику разрушения причинно-следственных связей между вашими мыслями и состояниями* (не очень умными мыслями и соответствующими им негативными состояниями).

Используйте любые визуальные характеристики, чтобы создать различие между мышлением и внутренним состоянием. Затем прокрутите фильм вперед со своими внутрен-

ними состояниями на удвоенной скорости и своими связанными с ними глупыми мыслями на половинной. Потом прокрутите фильм обратно с состояниями на половинной скорости, а мыслями на удвоенной. Сделайте это как в ассоциированном, так и в диссоциированном состоянии, дабы выяснить, что для вас наиболее эффективно...

Мысленная репетиция и генератор нового поведения

Все это время мы занимались поведением и действиями как бы «От» — т.е. переделывали неэкологичное в экологичное. А вот сейчас настала пора приступить к *созданию* новых: тех самых уже заведомо экологичных сценариев вашей жизнедеятельности и прежде всего — выздоровления и здоровья.

Начнем мы все это с, так сказать, подготовительной (но реально работающей) *техники мысленной репетиции*, которая выглядит так /24/.

- *Чтобы мысленно отрепетировать любые успехи, нужно посмотреть на наглядный образец того мастерства, которого хотелось бы достичь. Быть может, у вас есть свой кумир. Посмотрите подлинные видеозаписи его выступлений, а если это невозможно, воспользуйтесь «внутренним видео». Не так уж важно, кто именно выступит в роли образца для подражания. Вы можете просто представить себе, как выглядит со стороны тот, кто в совершенстве владеет выбранным вами умением.*
- *Понаблюдав за образцом, войдите в экран и представьте, что сами выполняете то же самое. Погрузитесь в переживания, ощутите, что действительно делаете все это (подобные чувства возникают благодаря микродвижениям мышц, так как воображение заставляет их делать то, что вы представляете).*
- *Мысленно повторите этот эпизод не меньше десяти раз.*

Теперь поймите, что процесс мысленной репетиции пригоден для любых действий:

- *Вначале представьте, как выглядит то, что вы хотели бы сделать.*
- *Создайте мысленную видеозапись этих событий и наблюдайте за ними со стороны.*
- *Удовлетворившись результатом, войдите в экран и представьте, что сами это делаете.*
- *Проведите достаточно большое количество мысленных репетиций.*

Я привел здесь технику репетиции для того, чтобы вы познакомились с этим очень интересным процессом, каковой можно использовать где угодно и когда угодно. Однако то, как именно стоит использовать эти репетиции, куда лучше передает другая (уже как бы основная) психотехнология — *техника «генератор нового поведения»*, прямо предназначенная для создания новых действий и реакций (напоминаю, что в качестве таковых у вас должно выступать все, что связано с выздоровлением и здоровьем).

Делается эта техника так /1; с. 89–90/.

«1. Прежде всего определите, что именно в своем поведении вы хотели бы изменить или какой новый стиль поведения хотели бы приобрести.

2. Опишите его для себя, представьте себе, как вы должны при этом выглядеть, что можете услышать или ощутить.

3. А теперь вообразите себя самого, осуществляющего этот новый стиль поведения в некоторых конкретных ситуациях. Постарайтесь отмечать все, что вы должны при этом увидеть, услышать или почувствовать, а также помните об ответной реакции людей, включенных в ваше «кино». Если вам не удастся представить себя в таких ситуациях, постарайтесь вообразить кого-то из знакомых.

4. Если при этом что-то не будет вас удовлетворять в полученном образе, вернитесь к этим моментам еще раз и постарайтесь исправить их в своем сознании. Добейтесь такого состояния, которое бы полностью вас удовлетворяло.

5. *Когда получившаяся картинка полностью вам понравится, «войдите» в нее, представьте самого себя, поступающего именно таким образом. И вновь отмечайте все, что вы можете в этой ситуации увидеть, услышать или почувствовать, а также ответные реакции, включенных в «картинку» людей.*
6. *Вы вновь можете что-то изменить в ситуации, вернувшись на стадию 3. Отмечайте при этом любые изменения в «картинке».*
7. *Когда вы будете полностью удовлетворены сконструированным представлением, подумайте о том, что могло бы быть сигналом — внешним или внутренним, зрительным, слуховым или осязательным, — который подсказал бы вам, что пора этот новый тип поведения опробовать на практике. Таким сигналом, например, могла бы быть встреча с кем-нибудь, пребывание в определенном месте или выход на сцену при публичном выступлении, внезапная слабость и т.п.*
8. *А теперь проделайте все это на самом деле. Представьте себе, что условный сигнал получен, время перемен наступило. Обратите внимание на то чувство удовлетворения, которое вас при этом посетит.»*

В вышеприведенном описании, как бы исчез момент использования *чужого* поведения для создания собственного. Поэтому на всякий случай привожу вам еще одну «инструкцию» к методу *«генератор нового поведения»* /7/.

1. *Создайте и диссоциированно проиграйте внутренний сценарий, в котором вы видите, что ведете себя так, как вам нравится. Если не получается сразу, для начала пусть это будет ваш знакомый или герой кинокартины, романа и т.д., справляющийся с ситуацией так, как вам хотелось бы. Когда герой, исполняющий «главную роль в сценарии», выбран*

(может быть, это вы или другой человек), просмотрите этот фильм от начала до конца. А после поместите себя в этот образ и сделайте все необходимые изменения, чтобы теперь именно вы заняли место главного героя, и просмотрите фильм заново. Получилось? Если нет, попробуйте еще раз, чтобы внести эффективные изменения.

2. *Добавьте звуковое сопровождение. Каким вы хотите слышать свой голос? Проверьте, так ли он звучит. Если нет — сделайте нужные изменения.*
3. *Войдите в новый образ себя. Сейчас, когда вы в своем новом образе, подвигайтесь в нем, как бы примеряя его на себя. Чувствуете ли вы себя так, как хотелось бы? Смотря изнутри этого образа, проверьте, действуете ли вы так, как хотели? Когда это новое поведение достаточно подробно изучено и принято, заякорите его, а затем сделайте проверку.*

Переработка негативных сценариев

Есть, однако, в изложенном выше важный момент, который буквально вынуждает меня обратиться к еще одной психотехнологии. Дело в том, что в некоторых случаях нам как бы не удается осуществить адекватную замену проблемного момента — да зачастую так, что с маниакальным упорством он воспроизводится вновь и вновь. И тот же генератор нового поведения или любая другая техника не срабатывают до конца. Мне лично очень хорошо запомнилось, как лет пятнадцать назад, работая с совершенно другими техниками — взятыми из психосинтеза и используемыми в нем для личностного роста символическими картинами, — я никак не мог справиться с одной из них, а именно вывести воображаемый парусный корабль из гавани и отправиться на нем в далекое плавание. Представший в моем сознании порт, из которого я выводил этот корабль, был плохонький (типа ялтинского), а само судно огромным и многомачтовым (навроде самого большого в мире парусника — барка «Седов»). Так что меня все время либо разбивало о мол, либо вообще выбрасывало на берег. Чисто психологически все это было вполне понятно: я был не готов еще оставить «тихую гавань» привычной, но уже, увы, не слишком доходной деятельности консультанта по управлению персоналом, и отправиться «в свободное плавание» в качестве абсолютно независимого энэлпера. Однако понимание это ничуть мне не помогло, и на то, чтобы все-таки выплыть, я угробил не менее двух недель визуализаций. А вот сейчас, хорошо зная психотехнологию, которую описываю далее, я справился бы с этим за считаные минуты.

Итак, в случае если вы прочно застряли на каком-то проблемном моменте, мы имеем дело с двумя визуализациями, ибо налицо:

- что-то, к чему вы стремитесь: экологичный способ разрешения проблемной ситуации, (например, выздоровление), которого вы хотите, но боитесь, что это не произойдет (и даже просто видитс, что не происходит) — назовем это образом позитивным;
- что-то, что вы не хотели бы, чтобы оно случилось (например, продолжение или углубление болезни), но бойтесь, что это произойдет (и видите, что происходит) — назовем это негативным образом.

Раз так, во-первых, сделайте эти образы диссоциированными (как бы выйдя из себя и оставив себя там, если происходящее вы видите как бы из своих глаз — это обычно характерно для негативного образа). Во-вторых, войдите в позитивный образ (как бы впрыгните в него, ассоциируясь с собой Там и Тогда) и посмотрите оттуда на образ негативный — зачастую он просто исчезает уже на этом, втором шаге. Если же нет, то, в-третьих, выйдя из позитивного образа, войдите в образ негативный — вполне возможно, что образ этот сам собой улучшится или вам не захочется действовать этим самым негативным образом. Теперь перейдите в позитивный образ и опять посмотрите на образ негативный — очень может быть, что уж теперь-то он исчезнет. Если же все-таки нет, то, в-четвертых, выйдя из позитивного образа, просто разделите образ негативный на два самостоятельных образа: один, в котором вы соберете весь «негатив», и другой, в котором окажется весь «позитив». Уверяю вас, что нечто положительное есть в любом, пусть даже самом плохом образе! После чего проделайте заново мои «во-первых», «во-вторых» и «в-третьих».

Привожу полный общий алгоритм данной *техники позитивации опыта.*

1. Представьте в своем будущем:

- *что-то, что вы хотите, чтобы произошло, но боитесь, что это не произойдет;*
- *что-то, что вы хотите, чтобы не произошло, но боитесь, что это произойдет.*

Создайте два соответствующих образа.

2. Вышагните из них, если в каком-то из образов вы видите все происходящее как бы из своих глаз.

3. Войдите в позитивный образ (того, что вы хотите чтобы произошло) и посмотрите на негативный образ (того, что вы не хотите чтобы произошло). Что происходит? Он исчез?

4. Если нет или не до конца, попробуйте войти в негативный образ и посмотрите, что происходит. Возможно, у вас исчезает желание это сделать. Или негативный образ становится более позитивным. В любом случае отследите, как изменяются ваши чувства и действия.

5. Теперь выйдите из этого ранее негативного образа и опять войдите в позитивный. Обратите внимание на возникающее в вас чувство комфорта и исчезновение негативного образа.

6. *Если после того как вы вошли в позитивный образ, образ негативный все-таки сохранился, выйдите из «позитива», разделите остаточный негативный образ на два — позитивный и негативный — и повторите шаги, описанные в п. 3–5.*

Упражнение 40.

→ Тщательно определив точные триггеры, осуществите замену сценария всех основных и второстепенных проявлений своей болезни.

Упражнение 41.

→ Избавьте себя от дурных предчувствий и прошлых ошибок «здесь и теперь» — вплоть до полного переписывания того, что было «там и тогда» с помощью соответствующих техник.

Упражнение 42.

→ Освободитесь с использованием психотехнологии «отделение контекста от поведения» от всех «болезнетворных» контекстов.

Упражнение 43.

→ Немного потренировавшись в технике мысленной репетиции, «сгенерируйте» не менее семи вариантов своего нового — здорового! — поведения.

Упражнение 44.

→ Осуществите переработку негативных сценариев своего будущего.

5.2. Исправление внутреннего поведения

«Недостаточно владеть мудростью, надо также уметь пользоваться ею».

Цицерон

О визуализациях процесса исцеления

А теперь внимание: мы переходим к буквально святому и уж, безусловно, важному. К визуализации сценария исцеления, но не внешнего — через переключение приступов и «генерирование» здоровья, — а так сказать, внутреннего. К созданию конкретного механизма замены болезни здоровьем. К разработке вполне конкретной системы «подсказок» вашему бессознательному и управляемому им организму по поводу того, что должно происходить в процессе, дабы был достигнут результат.

Здесь я с удовольствием «предоставляю слово» К. и С. Саймонтонам /35/, которые с помощью этого метода, самостоятельно применяемого их пациентами, умудрились вылечить кучу народа от такой страшной болезни, как рак.

Знакомство с визуализациями мы начнем с главной их части: того, как именно нужно переделывать внутренние сценарии болезни в здоровье. Вначале — самые общие положения /35; с. 94/.

«1. *Подумайте о любом недомогании или боли, от которой вы в настоящий момент страдаете. Мысленно вообразите себе их в том виде, который более всего соответствовал бы вашим представлениям.*

2. *Представьте себе, как получаемое вами лечение уничтожает источник этой боли или недомогания, либо усиливает способность вашего организма самому справиться с ним.*

3. *Представьте себе, как естественные защитные механизмы устраняют источник болезни или боли.*

4. *Представьте себя здоровым, свободным от боли или недомогания.*

5. *Постарайтесь вообразить, как вы успешно добиваетесь поставленных жизненных целей.*

6. *Мысленно похвалите себя за то, что вы сами способствуете своему выздоровлению. Представьте себе, что вы занимаетесь релаксацией и визуализацией три раза в день, сохраняя внимание и сосредоточенность на протяжении всего упражнения.*

7. *Теперь почувствуйте, что мышцы ваших век стали легче. Будьте готовы к тому, чтобы открыть глаза и вновь оказаться в комнате.*

8. *Откройте глаза. Вы можете снова вернуться к своим обычным делам.*»

Работа с онкологическими заболеваниями

Да, это именно так — и с этим страшным недугом можно справляться с помощью визуализаций (в частности) и нейролингвистического программирования (в общем). Свидетельствую это вам как человек, многократно и существенно продлявший жизнь онкобольным. Однако здесь мы используем рак только как пример полного описания визуализации исцеления...

Одно, но важное замечание. Приведенные ниже и аналогичные им указания лучше всего либо записать на магнитофон, либо просто попросить кого-нибудь прочитать вам их вслух. Ибо тот, кто выполняет упражнения, скорее всего будет находиться в легком трансе и оттого не сможет самостоятельно контролировать осуществление данного процесса (он будет находиться внутри него). Но если вы читаете указания для кого-то или диктуете на магнитофон, постарайтесь делать это медленно и с паузами, дабы у выполняющего упражнение было достаточно времени на выполнение каждого этапа. И помните, что своим пациентам Саймонтоны рекомендуют отводить на это упражнение от десяти до пятнадцати минут и повторять его *ежедневно* /35, с. 92–93/.

«1. *Найдите тихое место с мягким освещением. Закройте дверь и поудобнее устройтесь на стуле или в кресле. Ноги поставьте так, чтобы ступни полностью касались пола. Закройте глаза.*

2. *Сосредоточьте внимание на своем дыхании. Сделайте несколько глубоких вдохов и выдохов и с каждым выдохом мысленно произнося слово «расслабься».*

3. *Сосредоточьте внимание на своем лице и постарайтесь ощутить на нем любое напряжение. Мысленно представьте себе это напряжение в виде какого-то образа — завязанной узлом веревки, сжатого кулака и т.п. Затем представьте себе, что они (узел, кулак и прочее) расслабляются, разжимаются и провисают подобно натянутой, а затем отпущенной резинке.*

4. *Ощутите, как расслабляются мышцы вашего лица и глаз. Почувствуйте, как одновременно с этим волна расслабления распространяется по всему вашему телу.*
5. *Напрягите лицо и глаза, сжав их как можно сильнее, а затем расслабьте их и почувствуйте, как расслабляется все ваше тело.*
6. *Повторите то же самое со всеми остальными частями тела. Медленно продвигайтесь от лица вниз, к нижней челюсти, шее, плечам, спине, верхней и нижней части рук, к ладоням, груди, животу, бедрам, голени, щиколоткам, ступням, пальцам ног, пока не окажется расслабленным все тело. Для каждой части тела мысленно представляйте себе напряжение, а потом воображайте, как оно исчезает, тает.*
7. *Теперь представьте себе, что вы находитесь где-нибудь на природе, в приятном для вас месте. Постарайтесь как можно точнее увидеть все подробности — все окружающие вас краски и звуки и все, что вы ощущаете, когда соприкасаетесь с окружающими предметами.*
8. *Продолжайте мысленно оставаться в этом месте в очень расслабленном состоянии в течение двух-трех минут.*
9. *Затем в символическом или реалистическом виде постарайтесь увидеть свой рак. Представляйте его состоящим из очень слабых клеток с неправильным строением. И помните, что в обычном состоянии в течение жизни ваш организм уничтожает тысячи таких атипичных клеток. Зрительно представляя себе рак, подумайте о том, что для вашего выздоровления необходимо, чтобы защитные механизмы вашего тела вернулись к естественному, здоровому состоянию.*
10. *Если вы сейчас получаете какое-то традиционное лечение, представьте, что это лечение поступает в ваш организм определенным, понятным вам образом. Если это радиотерапия, то представьте себе ее как*

луч, состоящий из миллионов энергетических зарядов, поражающих все клетки, попадающиеся им на пути. Нормальные клетки способны восстановить любой нанесенный им ущерб. Раковые клетки этого не могут — они слишком слабы. (Это как раз главный принцип, на котором основана радиотерапия.) Если вы получаете химиотерапию, представьте себе, что введенное вам лекарство попадает в ваши сосуды. Вообразите, что это лекарство действует как яд. Нормальные клетки — умные и сильные — не очень восприимчивы к этому яду, а раковые клетки — слабые, и поэтому достаточно небольшого количества яда, чтобы их убить. Они поглощают яд и умирают, а затем выводятся из организма.

11. *Представьте себе, как ваши белые кровяные тельца приближаются к месту, где находится рак, определяют атипичные клетки и разрушают их. В вашем распоряжении огромная армия белых кровяных телец. Они очень сильны и полны энергии. Кроме того, они очень умные. Они по всем статьям превосходят раковые клетки, и в их победе не может быть никакого сомнения.*
12. *Представьте себе, как рак уменьшается в размерах, белые кровяные тельца подхватывают мертвые раковые клетки и через печень и почки выводят их из организма вместе с мочой и калом.*

Это образ ваших представлений о желаемом.

Продолжайте представлять себе, как уменьшается рак, пока он полностью не исчезнет.

Представьте себе, что по мере того, как рак уменьшается и наконец полностью исчезает, у вас становится больше энергии, улучшается аппетит. Вы хорошо чувствуете себя в окружении семьи, видите, как вас любят.

13. *Если вы ощущаете в каком-то месте боль, зрительно представьте себе, как целая армия белых кровяных телец устремляется туда, чтобы унять ее.*

Какова бы ни была причина этой боли, отдайте своему организму приказ исцелить себя. Представьте себе, как ваше тело поправляется.

14. *Постарайтесь мысленно увидеть себя бодрым, здоровым, полным энергии.*
15. *Представьте себе, как вы добиваетесь выполнения всех тех задач, которые перед собой поставили. Вы осуществляете свои жизненные цели; у всех членов вашей семьи дела идут хорошо; ваши отношения с окружающими становятся все более значимыми. Помните, что если вы будете видеть смысл в том, чтобы поправиться, то это поможет вам выздороветь. Посвятите некоторое время тому, чтобы подумать о своих жизненных ценностях.*
16. *Мысленно похвалите себя за то, что вы сами способствуете своему выздоровлению. Представьте себе, как вы делаете это упражнение три раза в день, сохраняя в течение всего времени сосредоточенность и внимание.*
17. *Теперь почувствуйте, что мышцы ваших век стали легче. Будьте готовы к тому, чтобы открыть глаза и вновь оказаться в комнате.*
18. *Откройте глаза. Вы снова можете возвращаться к своим обычным делам.»*

К. и С. Саймонтоны рекомендуют делать эту визуализацию даже тем, кто не болен раком. Во-первых, потому, что это окажется прекрасной профилактикой этого страшного заболевания. А во-вторых, оттого, что вы сможете проникнуться этим мстодом в степени, достаточной для лечения вашего собственного заболевания.

Визуализации при лечении других болезней

Для того чтобы вам стало понятнее, как работать с воображением, если вы больны не раком, а чем-то другим, К. и С. Саймонтоны приводят несколько примеров. Так, язву они рекомендуют представить в виде круглой ранки в форме кратера на слизистой поверхности желудка или кишечника с неровной, мокнущей поверхностью. Создавая мысленную картину процесса ее излечения, надо вообразить, как лекарственные препараты, обладающие противокислотными свойствами (или некое вещество, которое продуцирует ваш организм), обволакивают всю эту ранку, нейтрализуя действие кислот и успокаивая боль. А далее представить, как на месте язвы появляются нормальные клетки, которые растут, делятся и постепенно затягивают всю мокнущую, неровную, изъязвленную поверхность ранки. Белые кровяные тельца подчищают отходы и оставшийся мусор и оставляют после себя розовую здоровую поверхность слизистой. Далее следует представить, что у вас ничего не болит, вы здоровы и способны справляться с жизненными трудностями, не испытывая симптомов язвенной болезни.

При высоком кровяном давлении К. и С. Саймонтоны предлагают представить, что мышечные волокна в стенках кровеносных сосудов слишком напряжены, а значит, для того, чтобы кровь могла протекать по сосудам, требуется гораздо более высокое давление, чем обычно. Далее вообразить, как лекарства расслабляют эти мышечные волокна (или они сами собой расслабляются) и сердце начинает качать кровь с меньшим усилием, а кровь течет по сосудам легко и спокойно. И наконец, постарайтесь мысленно увидеть, как вы преодолеваете стрессовые ситуации в своей жизни, не вызывая напряжения организма.

При артрите К. и С. Саймонтоны рекомендуют вообразить, что ваши суставы воспалены, а на их поверхности находятся мелкие неровные бугорки. Представить, как к суставам устремляются белые кровяные тельца (или нечто другое, но тоже очень активное) — то, что удаляют эти шероховатые бугорки, расчищая поверхность суставов и делая ее гладкой и ровной. И снова вообразить, что вы активны, делаете то, что вам хочется, и не испытываете болей в суставах.

Критерии работающих визуализаций

По окончании «визуализационной» работы следует обязательно нарисовать свою визуализацию. Это важно потому, что она — визуализация — должна как бы отвечать неким критериям, отличающим «работающие» визуализации от «малопродуктивных». К. и С. Саймонтоны в результате многолетней работы установили, что хорошо работающие визуализации обладают следующими нижеперечисленными свойствами /35, с. 100–101/.

«1. **Больные клетки должны быть слабыми и не иметь жесткой структуры.** Важно представлять себе болезнь как нечто мягкое, что можно разрушить, вроде котлеты или рыбьей икры.

2. **Лечение должно обладать силой и мощью.** Ваши образы должны отражать веру в то, что лечение безусловно способно разрушить болезнь. Воздействие мыслительных образов будет сильнее, если в визуализации будут присутствовать картины непосредственного взаимодействия лечебных средств и болезни так, чтобы воздействие этих средств на болезнь было зримым и понятным...

3. **Здоровым клеткам легко восстановить те небольшие повреждения, которые может им нанести лечение.** Поскольку лечение обычно задевает не только больные, но и здоровые клетки организма, следует представлять себе, что нормальные клетки достаточно сильны и не могут сильно пострадать. Тот небольшой ущерб, который все-таки им наносится, они способны быстро восстановить. Больные клетки разрушаются, поскольку они слабы и не имеют жесткой структуры.

4. **Армия белых кровяных телец огромна и по количеству намного превосходит число больных клеток.** Белые кровяные тельца являются символом естественных целительных сил вашего организма, поэтому в своем воображении вы должны отражать их силу и

мощь. Победа белых кровяных телец над больными клетками должна представляться в ваших визуализациях неизбежной.

5. **Белые кровяные тельца агрессивны, всегда готовы к бою. Они способны быстро обнаружить больные клетки и разрушить их.** И снова, поскольку белые кровяные тельца символизируют ваш собственный защитный механизм, ту его часть, которая поможет вам поправиться, постарайтесь сделать их умными, ловкими и сильными. Они должны во всех смыслах превосходить больные клетки, не оставляя места для сомнений относительно того, кто победит.
6. **Мертвые больные клетки вымываются из организма естественным способом.** Выведение больных клеток из организма является вполне нормальным и естественным процессом, не требующим ни особых усилий, ни каких-то чудес. Представляя себе этот процесс, вы просто выражаете свою уверенность в нормальном функционировании вашего организма.
7. **В конце работы с воображением вы здоровы, свободны от болезни.** Этот образ отражает вашу главную цель. Очень важно ясно представить свое тело здоровым, бодрым, полным жизненной энергии.
8. **Вы видите, как достигаете поставленных целей, выполняете свое жизненное предназначение.** Эта визуализация служит подтверждением того, что у вас есть очень серьезные причины жить. Вы еще раз выражаете свою убежденность, что сможете поправиться, что готовы к жизни».

Самоисцеление по НЛП

Все описанные способы психосоматических излечений являются уже почти «классическими», но почему-то малоизвестными. Однако НЛП и здесь предлагает вам нечто очень важное и нужное. Это дополнительные способы — например, *техника самоисцеления С. и К. Андреас,* которая научит вас, как закодировать мозг на процесс *автоматического* исцеления болезней и травм /3/.

Конечно, гарантий того, что вы непременно выздоровеете с только ее помощью, нет. Однако данные авторы утверждают, что многие люди сумели продемонстрировать феноменальные результаты в восстановлении своего здоровья. После использования техники самоисцеления их организм начал ежесекундно получать бессознательные сигналы к выздоровлению.

Наличие таких сигналов позволяет некоторым людям выздороветь от «неизлечимых» болезней, в то время как другим людям с тем же диагнозом это не удается. Хотя вы уже знаете, в чем различаются эти люди. Да-да, именно в этом. В вере или неверии...

Этап 1. ***Определите, что вы хотите автоматически излечить****. Это может быть либо болезнь, либо травма.*

Этап 2. ***Решите для себя, как вы поймете, что процесс исцеления идет или уже произошел****. Спросите себя: «После того как болезнь пройдет, что изменится в моих ощущениях?», «Что позволит мне понять, что процесс выздоровления идет?», «Какие видимые изменения или изменения в ощущении произойдут, когда болезнь пройдет?»*

Этап 3. ***Подберите только вам присущее ощущение автоматического исцеления****. Представьте что-то, что напоминало бы вам болезнь или травму, которую вы хотите исцелить, но что возможно исцелить автоматически, без какого-либо вмешательства извне. Выберите то, что может пройти независимо от того, что вы сами при этом делаете. То, что просто не может не произойти. Наиболее простыми примерами могут служить порезы, царапины, растяжение связок или простуда. Большинство из вас уже сталкивались с этим, и вы из опыта знаете, что это может пройти само по себе. Итак, представьте, на что похожа болезнь, которую вы хотите исцелить, — такое, что излечивается само собой.*

Этап 4. ***Вспомните о случае, когда все прошло само собой, и представьте, что это происходит в НАСТОЯЩИЙ момент.*** *Если бы вы порезались, или с вами произошло что-то еще, в зависимости от выбранного на этапе 3 — прямо сейчас, вы бы были уверены, что все пройдет само собой, не так ли? Обратите внимание, как вы представляете в своем VAKD, что, например, порезались прямо сейчас, но зная при этом, что все пройдет само собой.*

Этап 5. ***Установите разницу в визуальных характеристиках кодирования опыта автоматического самоисцеления*** *(этап 4) и* ***вашей болезни или травмы*** *(этап 1). Как вы представляете каждое из них, какая между ними разница? Когда вы думаете о своей болезни, которая не прошла, что возникает у вас в сознании и где именно? Видите ли вы это прямо перед собой, в своем теле или немного в стороне?*

Задайте те же самые вопросы и к своему опыту автоматического самоисцеления (этап 4). Когда вы представляете, что порезались прямо сейчас, где вы видите возникший образ? У большинства людей он обычно возникает совсем в другом месте.

Может быть, одно вы видите на теле, а другое где-то перед собой, в пространстве? Например, затягивающийся порез вы можете представить непосредственно на теле, а травма, которую лишь предстоит исцелить, предстает перед вами как бы со стороны.

Обратите внимание на все различия в кодировании. Может быть, одно будет цветным, а другое черно-белым, одно будет слайдом, а другое — фильмом. Может быть, они будут разных размеров и будут располагаться на разных расстояниях. Вам нужно понять, как ваш мозг определяет одно как способное исцелиться самостоятельно, а другое — как неспособное.

Опираясь на свой опыт самоисцеления, можете ли вы сказать, чем та область, где идет процесс заживания, отличается от окружающих ее тканей? Многие люди представляют эту область более крупной, яркой, пульсирующей, светящейся и т.д. Очень важно суметь заметить это, так как именно благодаря этому ваш мозг понимает, что этой части вашего тела следует уделить особое внимание.

В итоге запишите, как вы представляете себе опыт самоисцеления, чтобы лучше его помнить и представлять.

Этап 6. А сейчас ***превратите свое ощущение «неизлечимости» в ощущение самоисцеления****. Вам предстоит перекодировать свою травму или болезнь точно так же, как ваш мозг закодировал болезни, подлежащие самоисцелению. Это означает, что вы превратите свое ощущение неизлечимости в ощущение автоматического самоисцеления. Отныне вы будете представлять свою болезнь или травму, используя тот код, который ваш мозг воспринимает как код самоисцеления. Воспользуйтесь информацией, полученной на этапе 5, и сделайте это.*

Если состояние неизлечимости представлялось вам ранее в виде слайда, изображавшего болезнь, или фильма, в котором вам становилось все хуже и хуже, прежде всего измените это. Представьте, например, что ваше состояние постоянно улучшается, и вообразите тот образ, который возникает у вас, когда вы думаете о самоисцелении.

Затем перенесите ваш ранее неизлечимый опыт в то место, где располагался ваш опыт самоисцеления. Сделать это можно следующим образом.

Если вы представляете процесс исцеления прямо на теле в подходящем для этого месте, то можете представить «неизлечимый» процесс тоже на теле в соответствующем месте. Другими словами, если вы видите заживающий порез на руке и хотите излечить позвоночник, представьте процесс исцеления вашего позвоночника непосредственно у себя на спине.

Если же вы видите процесс заживления пореза не на себе, а на своем образе, находящемся напротив вас, увидьте исцеление вашего позвоночника тоже на этом образе — образе, расположенном точно в том же месте, что и предыдущий образ с порезанным пальцем. Некоторые люди соче-

тают оба эти случая, видя процесс исцеления как на своем собственном теле, так и на образе, стоящем напротив них.

Сделайте так, чтобы образ исцеления болезни полностью совпадал с вашим опытом самоисцеления. Если ощущение самоисцеления сопровождается цветом или выглядит красочно, сделайте «неизлечимый» опыт точно таким же.

Этап 7. ***Проверьте, действительно ли ваша травма или болезнь закодирована на самоисцеление****. Еще раз представьте свое ощущение самоисцеления и сравните его с тем, как вы теперь видите свою болезнь или травму. Если вы заметите, что между ними по-прежнему существуют какие-то различия, устраните их, приведя эти два образа в абсолютное соответствие.*

Если процесс самоисцеления сопровождается у вас какими-либо звуками или словами, непременно включите их в процесс исцеления болезни или травмы. Постарайтесь, чтобы эти слова и звуки не менялись и исходили из того же места.

Как правило, большинству людей бывает вполне достаточно *однократного* выполнения этих этапов, чтобы процесс выздоровления пошел. Ведь вы переориентировали свой организм на выздоровление как на сознательном, так и на бессознательном уровнях. Однако будет лучше, если вы будете делать это регулярно и последовательно — до полного исцеления.

...Это случилось два года назад летом, когда мы с женой в очередной раз вернулись из «всероссийской здравницы» — Турции. Первый же встреченный мною в родных пенатах знакомый после радостных приветствий и завистливых причитаний озабоченно сказал: «А ты знаешь, Леонид-то совсем плох. Представляешь — инсульт, и врачи ничего хорошего не гарантируют...»

А надо вам сказать, что живу я (и, кстати, часто принимаю клиентов) в Подмосковье, в частном доме, а Леонид — это мой сосед справа. И он еще меньше, чем я, похож на нового русского, способного обеспечить себе дорогое лечение. Тем же вечером я с полным пакетом продуктов был у него в нашей Центральной районной больнице (боже — до чего же убогой!). Где обнаружил непрерывно плачущего старика (до отъезда это был крепкий пожилой мужчина) с полностью парализованной правой стороной тела. И сразу же приступил к работе, сначала рассказав (предварительно наорав, чтобы пресечь самоуничтожающую пассивность) с пяток случаев исцеления от инсульта (от Луи Пастера до тех, с которыми я работал сам). А после предложил главное: самоисцеление по НЛП. Я попросил Леонида *сравнивать визуальные характеристики левой — работающей — и правой — парализованной — половины тела, начиная с пальцев рук и одновременно как бы переносить или даже просто перетаскивать эти характеристики «слева направо...»*

Чувствительность правой части восстановилась у Леонида через две недели. А еще через месяц, воспользовавшись моими дополнительными рекомендациями, он просто стал ходить. И сейчас, всякий раз, когда мы с ним встречаемся, на мое дежурное «Как дела?», он демонстративно делает глубокое приседание (с поднятием рук вверх). После чего привычно начинает материть предре кавших ему неподвижность и смерть врачей, уже не то чтобы благодаря меня, хотя все же, наверное, и испытывая эту самую благодарность...

Упражнение 45.

→ Внимательно изучите общее описание процесса визуализации исцеления и представьте, как с его помощью можно было бы исцелить кого-то из ваших друзей, родственников и/или знакомых с похожим на ваше заболеванием.

Упражнение 46.

→ Самостоятельно (используя магнитофон или «чтеца») пройдите визуализацию исцеления от рака.

Упражнение 47.

→ Создайте, опираясь на приведенные примеры, схему визуализаций для своей собственной болезни и проверьте ее по критериям К. и С. Саймонтонов.

Упражнение 48.

→ Приступите к ежедневной визуализации исцеления.

Упражнение 49.

→ Осуществите (и продолжайте осуществлять столько, сколько необходимо) программирование себя на самоисцеление по НЛП.

Глава 6

В борьбе за здоровую веру

«Каждому по его вере».

Из Библии

Вы помните, что *единственно* объединяло всех людей, излечившихся от такой страшной и, по обиходному представлению, неизлечимой болезни, как рак (это я о примере, приведенном в «Основных положениях и посылках»)? Правильно: вера. Истовая, а может быть, и неистовая уверенность в своем исцелении. Глупая в глазах окружающих, но абсолютно естественная для всех этих людей убежденность в том, что, несмотря ни на что, все будет хорошо. И одной только этой безоговорочной веры оказалось достаточно для того, чтобы страшная болезнь, один из бичей бедного человечества, навсегда ушла из их жизни.

Именно подобную — правда, так сказать, базовую — веру мы с вами создавали в начале нашей работы: с использованием психотехнологий создания бессознательной готовности к исцелению. Но теперь надо идти дальше и разобраться с другими вашими убеждениями.

Во-первых, с теми, которые вызвали и/или поддерживают вашу болезнь (назовем их частными). Во-вторых, с теми, которые способствовали ее возникновению, а ныне просто помогают сохранению болезненности (поименуем их общими). Чтобы переработать их в те, которые будут способствовать исцелению (тоже частные, но, так сказать, позитивные) и сохранению здоровья (все еще общие, но тоже как бы со знаком «+»). Ибо в НЛП давно уже доказано, что *убеждения являются самореализующимися предсказаниями, или*, чуть иначе, *самоисполняющимися пророчествами*. И если вы верите, что ваше здоровье несокрушимо, вы будете здоровыми, чтобы там ни происходило. Если убеждены, что исцелитесь, вопреки мнению окружающих и даже врачей, выздоровеете «всем смертям назло». Но и наоборот — тоже. То есть если вы не верите, что можно сохранить здоровье в нашем весьма паскудном (это ваша, а не моя точка зрения) мире, вы его не сохраните, несмотря на самый что ни есть здоровый образ жизни. А если убеждены, что выздоровление невозможно, никакие чудеса медицины не смогут вам помочь.

Получается, что библейское «каждому по его вере» действительно является абсолютной — внепространственной и вневременной — истиной. Истиной, которую даже многие верующие христиане не понимают до конца и, собственно, не видят ее смысла. А ведь все очень и очень просто. *Вы получаете в этой жизни то, во что верите. То, в чем убеждены.* Ибо именно убеждения резче и четче всего селектируют вашу действительность и деятельность на «возможно» и «невозможно». Что порождает ее подразделение на «будет, состоится» и «не будет, не состоится». И если вы твердо говорите себе «это возможно», сколь бы головоломным ни выглядело то, к чему вы приступаете, оно действительно окажется возможным. А если вы, наоборот, твердите «это невозможно», любое, самое пустяшное дело окажется трудным и неосуществимым. Так что, вы здоровы до тех пор, пока верите в это. Заболеваете, когда утратили эту веру в собственное здоровье. И выздоравливаете, как только обретете истинную веру в возможности исцеления посредством предлагаемого вам способа лечения. Ибо *исцеляет не лечение, а вера в его эффективность*. И лечение с верой дает куда больший эффект, чем без оной. Так что стоит не пожалеть ни времени, ни сил на то, чтобы привести ваши убеждения в соответствие с программой вашего самоисцеления...

Вообще-то все сказанное является логическим следствием уже известной вам концепции «Думающий — Доказывающий» Л. Орра. Однако еще более доступно и понятно это (про самоисполняющиеся пророчества) положение было раскрыто Д. Леонардом и Ф. Лаутом /26; с.85/. «Если Вы, — пишут данные авторы, — имели твердое убеждение, что люди изначально злы и склонны к обману, то, встретив кого-нибудь, кто обойдется с вами доброжелательно, Вы, естественно, предположите, что он обманул Вас и имел какое-то плохое намерение. Эта интерпретация поведения человека побудит Вас вести себя таким образом, что заставит этого человека стать злым по отношению к Вам. Если Вы считаете себя плохим водителем, Вы, естественно, среагируете на эту мысль плохим вождением. Если Вы думаете, что у Вас есть тенденция стать бедным, то Вы будете делать все, чтобы привести себя к бедности. Есть много отличных способов объяснить феномен превращения мыслей в реальность, включая некоторые мистические толкования, но утверждение, что мысль создает поведение, а поведение производит результаты — это точно, четко и легко для понимания».

Еще более точно и конкретно о роли убеждений в болезни и в здоровье было сказано в книге Я. МакДермотта и Дж. О'Коннора /27; с. 83–84/.

«У всех убеждений, верны они или нет, есть последствия. Убеждения проявляются в том, что вы делаете, а не в том, что вы говорите. Кроме того, они вызывают биохимические изменения в нашем теле. Убеждения могут быть токсичными, и тогда нашему телу приходится терпеть все передряги, связанные с нашими убеждениями. Как мы уже знаем, враждебность, депрессия и чувство беспомощности берут начало в убеждениях о самих себе и о мире, и все они несут в себе опасность для нашего здоровья. Во многих убеждениях о здоровье предполагается, хотя прямо и не утверждается, что мы беспомощны...»

Дело в том, что убеждения относятся к одному из высших уровней регуляции человеческого поведения и деятельности. Это было бы совсем хорошо и здорово, если бы не одно «но». К сожалению, основной функцией убеждения является *стимулирование человека на непрерывный поиск их подтверждения*. То есть на яростное, особенно если заденут «за живое», стремление еще раз подтвердить, что это вот убеждение — истинно. А вовсе не проверка того, истинно ли оно. Результат — удивительно странная жизнь большинства из нас. «Вглухую», когда человек не вслушивается (просто не допускает до сознания) в аргументы других людей и даже доводы собственного рассудка или бессознательного. И «вслепую», когда он начисто не замечает ничего, что опровергало бы его убеждение, но зато тут же «узревает» все, что это убеждение подтверждает — даже если там нет ничего подтверждающего...

Думаю, что вы уже поняли, сколь многое делают для нас убеждения. И как здорово помогают жить — но только в том случае, если являются экологичными, то есть соответствующими сути жизненной ситуации, помогающими с ней справиться, и стимулирующими на движение и изменения в правильном направлении. Неэкологичные же, или просто ослабляющие вашу волю убеждения могут, как вы, наверное, уже поняли, запросто исковеркать вашу жизнь. И потому вся следующая глава будет посвящена борьбе за здоровые убеждения. При этом в первом разделе вы вначале выявите, а потом переработаете основное и главное конкретно с точки зрения болезни и здоровья. А вот во втором будете разбираться с общими (присущими практически всем), но ослабляющими «верами», после чего по специальным техникам еще более усилите свою уверенность в выздоровлении.

Так что в этой главе вам предстоит:

- определить свои собственные не очень (или очень не) экологичные убеждения относительно болезни и здоровья;

- изменить их на прямо содействующие и косвенно способствующие исцелению верования;
- изучить общие для большинства людей «вредоносные» убеждения по поводу заболеваний и выздоровлений;
- заменить их на те, которые безоговорочно поддержат ваше излечение и, может быть, даже просто его совершат.

6.1. Убеждения болезни и здравия

«Все, что вы делаете в жизни, зависит от ваших собственных установок».

К. Тернер

Определение собственных убеждений

Любая работа с убеждениями, естественно, должна начинаться с их определения с последующим отделением «зерен от плевел» (т.е. экологичных от неэкологичных) для последующей переработки того, что вряд ли помогает вам жить и работать. При этом вы можете, во-первых, определять собственные (новые) уникальные убеждения, а во-вторых, пользоваться уже составленными психологами списками основных неэкологичных убеждений. И в том, и в другом случае ваша дальнейшая работа над собой будет заключаться в изменении выявленного неэкологичного убеждения — превращения его в экологичное путем как бы «разворота на 180°» и замены старого убеждения новым.

Первым, наиболее простым и чаще всего используемым способом определения убеждений является вопрос, который ох как часто я задавал своим клиентам: «По каким правилам вы живете относительно ____________?» (*Техника «правила».*)

А действительно, по каким таким «внутренним установкам» вы лично живете:

Относительно своей *болезни?* Например, неожиданное, но любопытное: «Это кара за грехи». Тогда подумайте, какие.

Относительно *выздоровления?* Например: «Это тяжело и почти невозможно!» И что, вы все еще надеетесь быстро выздороветь?

Относительно *здоровья*? Например: «Здоровье — удел немногих». Так хоть подумайте, принадлежите ли вы к этим немногим?

Что, пробрало от сонма благоглупостей, всплывающих в вашей бедной голове? И вы даже как-то внезапно поняли, что без их — благоглупостей — переработки вряд ли выздоровеете? Ну так и флаг вам в руки: начинайте сначала поиск, а потом уже и трансформацию ваших убеждений — сначала частных, в области здоровья, а потом и общих, так сказать, по жизни, посредством уже описанного и приводимых далее способов.

В так называемом ребефинге, весьма любопытной «психотерапии второго рождения», предлагается другой, второй в этой главе способ определения собственных верований. Он называется *техника исследования представлений по теме* (по: /26/).

Выберите момент, чтобы проверить поток ваших убеждений о болезнях вообще и о вашей болезни в частности. Найдите несколько минут, чтобы просмотреть список, который вы сделали. Мысли, которые вы записали, наиболее вероятно, отражают ваши верования. И вполне возможно, что этот список содержат некоторые мысли, которые не поддерживают вас в процессе исцеления. Так вот, вы можете использовать простой процесс инверсии, чтобы превратить мысли, которые вас не поддерживают, в аффирмацию, которая будет способна изменить ваши нынешние мысли (об аффирмациях и технике аффирмирования подробнее см. далее. — **С.К.**). *Вполне понятно, что подобным образом вы и будете исследовать темы «болезнь», «выздоровление» и «здоровье.*

Третьим в общем-то самостоятельным, но дополняющим описанный способ выявления убеждений является психотехнология, основывающаяся на анализе сопротивлений и сомнений /17/. Дело в том, что некое внутреннее сопротивление на пути продвижения в здоровье является не просто вполне возможным, но даже и обязательным феноменом. Потому что (среди всего прочего сопротивляющегося) в вас просто должны наличествовать сдерживающие убеждения, которые по сути своей выступают ограничивающими. Дабы вывести их «за ушко да на солнышко», то бишь определить, достаточно сделать следующее:

Впишите в пробелы все те мысли, которые возникнут у вас при чтении предлагаемого текста — и тогда, очень может быть, вы получите весьма интересный список убеждений, как бы сопротивляющихся вашему выздоровлению. Да, чтобы вы могли пользоваться этой *техникой анализа сопротивления со стороны собственных убеждений* (название мое) в любой сфере или области жизни, где успели зайти в тупик, я сохраняю почти в неприкосновенности исходный текст, и вы, соответственно, вместо слов «то, чего хочу» ставите «здоровье».

Если я получу то, чего хочу, то________________________
____.

(*Что вы можете потерять или что может пойти не так, если вы получите то, чего хотите?*)

Получить то, чего я хочу, будет означать для меня _____
____.

(*Что плохого для вас или других людей в том, что вы получите то, чего хотите?*)

Из-за того, что ______________________________ все остается по-прежнему.

(*Что мешает ситуации измениться в лучшую сторону?*)

Если я получу то, чего хочу, то ______________________________.

(*Какие проблемы может вызвать то, что вы добьетесь того, чего хотите?*)

Ситуация никогда не изменится, потому что ______________________________.

(*Какие ограничения или препятствия удерживают ситуацию в нынешнем состоянии?*)

Я не могу получить то, чего хочу, потому что ______________________________.

(*Что мешает вам получить то, чего вы хотите?*)

Невозможно получить то, чего я хочу, потому что ______________________________.

(*Что делает для вас невозможным получить то, чего вы хотите?*)

Я не способен получить то, чего хочу, поскольку ______________________________.

(*Какой личностный недостаток мешает вам получить желаемый результат?*)

Лучше уже не будет, потому что ______________________________.

(*Что будет всегда мешать вам добиться успеха?*)

Наконец, четвертым способом определения собственных убеждений выступает поведенческий анализ, разработанный в рамках одного из очень интересных направлений современной прикладной психологии: так называемой рационально-эмоциональной терапии (РЭТ). Терапия эта построена на весьма любопытной и вполне обоснованной идее, по которой одной из причин наших глупых и мешающих жить *эмоций* являются наши же неумные *убеждения*.

Психологический механизм «запуска» любой из этих эмоций одинаков и может быть представлен как «цепочка» A → B → C, где:

A — причина, событие, ситуация и эмоции;

B — отношение к A: неразумные мысли и решения;

C — эмоции и поведение по поводу A в связи с B.

Здесь крайне важно понимать, что нашу реакцию C на причину A формирует не само по себе событие или обстоятельство, а B — неразумные мысли и чувства по его (их) поводу. И изменив B, вы можете полностью изменить C!

Приведенные ниже рекомендации *техники когнитивной работы с убеждениями* (да, уже не только определения, но и работы) построены мною на основании идей Д. Бернса /8/. Ну а сама по себе эта работа сведена мною же в несколько стадий.

Стадия 1. **Проба внутренней почвы**. В контексте болезни, выздоровления и здоровья, в течение ближайших одного-двух дней или более записывайте в приведенной ниже таблице (скопируйте ее) свои Неприятности, Мнения (мысли) о них и Последствия этих неприятностей и мнений (ориентируйтесь на предложенный пример, но учтите, что он сделан намеренно кратким, а вы можете писать сколько угодно — однако **обращая главное внимание именно на мнения и мысли**.

Неприятность	**Мнения и мысли о ней**	**Последствия**
Лечащий врач, проведя обследование, сказал: «Никакого прогресса не видно»	1. Я никогда не выздоровею. 2. Похоже, я обречен	Расстроился(лась) настолько, что до конца дня не мог(ла) ничего делать

В результате этой работы вы скорее всего обнаружите, что ваши негативные мнения и мысли образуют некую повторяющуюся, но довольно-таки ограниченную по объему комбинацию убеждений, которую в традициях рационально-эмоциональной терапии мы назовем НАМ — **Негативные Автоматические Мысли**. Зафиксируйте ее (например, запишите).

Стадия 2. **Опровержение.** Представьте, что эти мнения о вас высказал не кто иной, как ваш злейший враг или просто человек, не заслуживающий доверия. И опровергните их с помощью РОСТ (Рациональный Ответ — Самозащита). В случае если у вас «не хватает для этого пороху», вообразите Идеального друга и/или Защитника и доверьте ему рациональные ответы вашему врагу — Критику внутри вас.

НАМ	РОСТ
1. Я никогда не выздоровлю. 2. Похоже, я обречен(а).	1. Бред и чушь, так как я знаю кучу людей, которые избавились от этой напасти. 2. Глупости — мне уже удалось восстановиться, и, если вспомнить, как я себя чувствовал всего месяц назад, прогресс налицо.

Стадия 3. **Аффирмирование**. Разверните свои НАМ на 180°, создайте ПАМ — позитивные автоматические мысли — и «внедрите» их в бессознательное с помощью описанной мною далее техники аффирмирования.

Анализ экологичности убеждений

Ну все. Хватит уже возиться с определением собственных ограничивающих убеждений, ибо настала пора их устранять и/или трансформировать. Однако не сомневаюсь, что наряду с убеждениями, формулировка и смысл которых вызывали в вас ощущенис легкого ужаса («Боже, и я с этим жил!»), есть в вашем списке и такие, по поводу которых вроде бы сразу и не скажешь: ограничивающие они или нет. Что ж, тогда проверьте все эти верования (каждое из них!) на экологичность. То есть на то, как — позитивно или негативно — оно влияет на вашу жизнь. Сделать это не так уж и сложно, если, сохраняя бесстрастность, отстраненность и холодную аналитичность, вы, во-первых (для, так сказать, простых убеждений, чья неэкологичность более или менее очевидна), зададите себе следующие вопросы (по: /27/).

Что это убеждение делает для моего здоровья?

Укрепляет ли оно его?

Какие действия, подрывающие мое здоровье, я выполняю, опираясь на это убеждение?

Как это убеждение помогает мне?

А во-вторых (для сложных или скрытно неэкологичных верований) осуществите *анализ экологичности убеждения по технике логического квадрата*.

Чтобы сделать это, необходимо всего навсего, записав обнаружившееся убеждение в предназначенном для него месте, заполнить четыре «клетки» логического квадрата, отвечая на записанные в них вопросы.

Формулировка ограничивающего убеждения/ фиксированной идеи

Что случится, если эта идея верна?	Что не случится, если эта идея верна?
Что случится, если эта идея не верна?	Что не случится, если эта идея не верна?

Например, предположим, что в ходе анализа «правил», по которым вы живете относительно жизни (пример намеренно условный), у вас обнаружилось весьма (патологически) распространенное в нашей стране убеждение «жизнь нелегка». Даже не пытаясь оспорить это верование, мы просто начинаем «расписывать» ее по логическому квадрату, отвечая на указанные в нем вопросы. И очень скоро обнаруживаем, что имеем дело с чем-то негативно-убийственным. Ведь **если эта идея верна,** у вас явно **случится** очень нелегкая жизнь, в которой вы буквально будете искать эту нелегкость как приключения на некую часть своего тела. А это значит, что **если она** все-таки **верна,** у вас **не случится** жизнь — в восхитительной легкости и блеске бытия и существования. А как же иначе — ведь в соответствии с убеждением «жизнь нелегка» вы будете угрюмо отворачиваться от всего легкого и приятного и, наоборот, искать трудности даже там, где их и в помине не было...

Если же эта **идея не верна, случится**... жизнь как таковая, как она на самом деле дарована людям, не зашоренным своими убеждениями: ослепительно-прекрасное поле самой увлекательной игры, в которую вы когда-нибудь играли... Да, конечно же, многие просто боятся жизненных бурь и невзгод, обреченно признавая их нелегким делом, с которым поэтому не стоит связываться, но нужно только бороться. Но лично я, например, очень люблю купаться в шторм — однако не борюсь с волнами, а играю с ними как с равными партнерами, признавая силу этих волн, но используя ее не как повод для борьбы, а как способ насладиться игрой «у бездны на краю»...

Ну а **если эта идея не верна, не случится**... ваша собственная идиотски-натужная жизнедеятельность, в коей вы не живете, а боретесь, превращая каждый пустяк в проблему, и не получая удовольствия даже там, где оно даровано всем и каждому. Так неужели вы не хотите от этого отказаться, дабы действительно начать жить? А ведь все, что для этого требуется — так это просто отказаться от ограничивающего убеждения «жизнь нелегка» и заменить его на куда более экологичное «жизнь вполне может быть легкой и приятной».

Весьма любопытно то, что техника анализа экологичности убеждений с помощью логического квадрата может вполне выступать и как психотехнология их — убеждений — устранения. Так называемому расфиксированию фиксированных же идей /40/.

...С ограничивающими убеждениями Федора Николаевича мне пришлось работать с самого начала — еще до того, как мы приступили к формулированию результата. Дело в том, что сразу после того, как я закончил обязательное и вводное для любого нового клиента объяснение сути и принципов нейролингвистического программирования, между прочим, упомянув его (НЛП) краткосрочность, Федор Николаевич сердито засопел и сообщил, что, по его мнению, быстрое лечение — это обязательно плохое лечение. И я понял, что имею дело с ограничивающим убеждением.

Конечно, можно было оставить все как есть и настроиться на ну очень долгое лечение (короткому, как вы поняли, не дало бы осуществиться вышеописанное «верование»). Но мне вовсе не улыбалось полтора-два десятка сеансов заниматься тем, что вполне можно сделать за три-четыре. И потому я приступил к расфиксированию. Для начала я, конечно же, проверил данное ограничивающее убеждение «на вшивость» (в надежде, что с ним можно будет справиться более простыми методами), поинтересовавшись: «Как вы об этом узнали — что быстрое лечение есть обязательно плохое лечение?»

«Всегда знал! — раздраженно буркнул Федор Николаевич, и я решил отказаться от вопросов метамодели, дабы раньше времени не потерять клиента. Метамодель — это один из разделов искусства речи НЛП, который я вообще не описывал в этой книге, хотя это прекрасный, но и немного опасный способ прояснения проблем клиента. Ведь вопросы метамодели запросто могут довести человека до белого каления.

Поскольку фиксированная идея была налицо, первый этап работы по расфиксированию — поиск идей — можно было опустить. И я сразу же перешел к ее раскрепощению, прежде всего поинтересовавшись, в чем преимущества данной идеи. Оказалось, что в том, что «все происходит наверняка и под контролем». Тогда я спросил, кто еще использует эту идею.

«Все», — ответствовал Федор Николаевич, но после серии наводящих вопросов оказался вынужденным признать, что немногие. Установив таким неявным образом, что это именно идея, а не истина в последней инстанции, я расчертил лист бумаги на четыре квадрата, написал в каждом из них по вопросу и предложил Федору Николаевичу ответить на них.

На то, чтобы заполнить этот лист (разумеется — с моей помощью), у Федора Николаевича ушло минут десять. Но еще целых пять минут он, слегка огорошенно, разглядывал, перебегая глазами из квадрата в квадрат, списки, полученные в результате нашего анализа, уделяя основное внимание сравнению двух квадратов: «Что не случится, если эта идея верна?» и «Что случится, если эта идея не верна?» (учтите, что слово «случится» целиком и полностью относилось не к философской категории бытия, а к вполне конкретной жизни и, естественно, здоровью Федора Николаевича). А после поднял на меня глаза и огорченно, делая длинные паузы, промолвил:

«Я и не знал, что это так глупо... Такие последствия... И я в это верил?.. Это, наверное, после того случая... Но нельзя же так обобщать... Не все же врачи такие...»

Я даже не стал выяснять, после встречи с каким именно *таким* врачом у Федора Николаевича возникла его фиксированная идея. А просто потратил еще несколько минут на то, чтобы выяснить, когда идея о том, что быстрое лечение является плохим лечением, может быть подходящей, а когда — нет. Т.е. поместил идею в ситуацию, превратив ее из фиксированной неопределенности в гибкий принцип.

Вообще-то для расфиксирования идеи вполне (и достаточно) подходит последовательное и быстрое задавание вопросов: «Почему это так?» и «Что должно быть верно для того, чтобы это было правильно?» Но я давно уже обратил внимание на то, что «раскрутка» идеи по четырем сторонам логического квадрата позволяет быстро и безболезненно, а главное, силами самого клиента «развалить» и «раздробить» «всплывшую глыбу» его (клиента) застывшей логики...

Очень может быть, что в результате такой вот работы обнаружится, что некоторые из этих убеждений изменить ну очень даже легко, но только в том случае, когда:

- Вы заменяете его убеждением, которое *предпочитаете* иметь.
- Вы *сохраняете* те *выгоды*, которые давало вам старое убеждение.
- Ваше новое убеждение *находится в гармонии* с вашим представлением о самом себе.

Ну а как вообще изменять убеждения? Вообще-то существует множество способов их преобразования и трансформации. Но здесь мы разберем только три из них. Разработанную М. Холлом психотехнологию «Мета«Нет» и «Мета«Да». Весьма своеобразную технику внедрения новых убеждений посредством движения глаз, основанную на работах Ф. Шапиро. И «классическую» психотехнологию «Музей старых убеждений» Р. Дилтса. А вот с четвертым методом изменения верований — так сказать, старой и доброй техникой аффирмаций, неоднократно уже упоминавшейся — вы познакомитесь в следующем разделе.

«Мета«Да» и «Мета«Нет»

Первое, что я вам предлагаю, — это очень изящный и довольно простой, хотя и требующий неких психоэмоциональных и даже чисто физических усилий способ трансформации изменения убеждений, предложенный

М. Холлом. Через так называемые *«Мета«Нет»* и *«Мета«Да»* — очень сильные и интенсивные состояния непринятия и, соответственно, приятия чего угодно. Во-первых, того, что вы действительно абсолютно не приемлете (это состояние используется для разрушения убеждения). А во-вторых, того, чему вы говорите «да» всем сердцем и душой, а также еще и телом (данное состояние применяется для внедрения убеждения нового). Суть психотехнологии, созданной на основе принципа использования состояний «Мета«Нет» и «Мета«Да» довольно проста. Выяснив убеждение, которое весьма трудно признать экологичным, вы вызываете затем состояние «Мета«Нет», и направляете его на это убеждение до тех пор, пока не обнаружите, что вы в него больше уже не верите. После этого вам остается только лишь вызвать в себе состояние «Мета«Да», с помощью которого вы «доводите до нужной кондиции» новое убеждение — то, которое хотите иметь вместо старого неэкологичного. То, как это делать пошагово и конкретно, подробно представлено в описании *техники трансформации убеждений с помощью «Мета«Нет» и «Мета«Да»*.

1. ***Определите новое*** *экологичное, поддерживающее вас и придающее силы* ***убеждение,*** *которое вы хотели бы иметь. Например, «выздоровление — это просто».*
2. ***Выявите альтернативное ему*** *и уже существующее в вашей модели мира* ***убеждение,*** *как бы стоящее на пути этого нового убеждения (например, «выздоровление — это тяжелое дело»).*
3. ***Войдите в состояние, в котором вы говорите действительно сильное «Нет!»,*** *вспомнив или вообразив что-то, на что вы никогда не согласитесь (например, скорее всего вы скажете категорическое «Нет!» предложениям сбросить ребенка с обрыва или стать гомосексуалистом). Повторяйте это «Нет!» снова и снова — до тех пор, пока не почувствуете это состояние всем телом или у себя внутри. Дополните*

данное состояние позой, наклоном или движением головы, дыханием, жестом руки и голосом.

4. ***Уничтожьте ограничивающее убеждение с помощью вашего «Мета«Нет».*** *Войдите в состояние вашего действительно сильного «Нет!» и, ощущая его полностью и совершенно, скажите его, думая о вашем глупом и бесполезном убеждении, препятствующем продвижению вперед. Повторяйте это «Нет!» до тех пор, пока не ощутите, что данное убеждение более не управляет вами и как бы стерлось или даже исчезло из вашего сознания.*
5. ***Войдите в состояние энергичного и мощного «Да!»,*** *вспомнив или вообразив что-то, что вы безоговорочно принимаете — без всяких колебаний и сомнений. Пов торяйте это «Да» до тех пор, пока не ощутите это состояние всем телом или у себя внутри. Дополните данное состояние так, как это описано в п. 3.*
6. ***Укрепите новое убеждение с помощью вашего «Мета«Да»,*** *повторяя его до тех пор, пока не ощутите, что вы целиком и полностью впустили данное убеждение в себя.*
7. ***Осуществите подстройку к будущему,*** *представив, как это новое убеждение улучшит вашу жизнь.*

Обратите, пожалуйста, внимание на то, что вообще-то вы можете использовать «Мета«Нет» для того, чтобы убрать из вашего сознания и тела почти все что угодно — даже включая болсзнь. Аналогично вы можете применять «Мета«Да» в целях включения в вашу жизнь всего, что вам необходимо.

... Такое бывает на тренингах — когда на обязательных в преподавании НЛП демонстрациях на реальном человеке характера и особенностей работы с конкретной техникой, вместо чего-то простого и легко убираемого тебе приходится работать черт знает с чем. И эта женщина, вызвавшаяся в качестве «подопытного кролика» для показа психотехнологии изменения убеждений с помощью «Мета«Нет» и «Мета«Да», сразу вызвала у меня тягостное предчувствие, что сейчас я столкнусь с весьма тяжелым случаем. И я не ошибся, поскольку в ответ на мой дежурный вопрос: «С чем будем работать?», она, сохраняя какую-то неестественную спокойно-отрешенную улыбку на лице, ответила: «С моим нежеланием жить... Точнее — я уже не верю, что выживу...»

А дальше было нечто, по драматизму равное трагедиям Шекспира. Нет, ничего сложного чисто технически, ибо мы довольно быстро нашли альтернативное исходному «Я не верю, что выживу...» убеждение («Я буду жить долго, здорово и счастливо») и подходящее «Мета«Нет» (эта женщина категорически воспротивилась самой мысли о насилии над своей дочерью). Но как она кричала «Нет»! С какой болью, тоской и мукой сначала, потом ожесточением и ненавистью, и только потом — с жесткой и холодной, но какой-то бешеной уверенностью. А потом долго и с трудом подыскивала то, чему может сказать «Мета«Да», и начинать пришлось со счастья все той же дочери, а после постепенно подводить эту не совсем клиентку к тому, чтобы сказать «Да!» самой жизни. По завершении процедуры она расплакалась и убежала из аудитории, даже не дождавшись окончания занятий. А через два месяца пришла на следующий сегмент курса «Практик НЛП» и, выбрав удобный момент, запинаясь, сказала мне: «Я обязана вам жизнью... Ведь у меня диагностировали рак... И я перестала верить в то, что выживу... А теперь диагноз не подтвердился... А иначе и быть не могло — я просто слишком сильно поверила в жизнь...»

Внедрение убеждений с помощью движения глаз

Другой способ работы с убеждениями, позволяющий как бы сразу заменить «каку» на «наку», — это внедрение убеждений с помощью движений глаз.

Основана данная техника на методе, имеющем весьма жуткое название — десенсибилизация посредством движения глаз (ДПДГ), который был разработан американкой Ф. Шапиро /44/. Теория этого метода весьма сложна и вряд ли нуждается в изложении на страницах данной книги. Будет вполне достаточно, если пока вы поймете или просто примите, что *посредством организованных особым образом движений глаз вы как бы расширяете коридор восприятия вашей психики* (обычно он весьма и весьма узок), *в результате чего любой материал* — в данном случае созданное вами после переработки новое экологичное убеждение — *легко и быстро перерабатывается и усваивается человеческим мозгом.*

Для того чтобы воспользоваться *техникой внедрения новых убеждений посредством движений глаз,* вам необходимо сделать следующее.

1. *Определите и точно сформулируйте убеждение, которое вы собираетесь в себя внедрить.*
2. *Пригласите кого-нибудь из своих друзей и попросите его, меняя темп и амплитуду движений, подвигать перед вашим лицом двумя сомкнутыми пальцами: вначале по-горизонтали (т.е. справа — налево и слева — направо) плавно и ритмично (как метроном). Все это время, не меняя положения головы, следите за перемещением пальцев вашего друга, только лишь двигая глазами — определите оптимальный для вас темп и амплитуду движений.*
3. *Оцените по десятибалльной шкале то, насколько изначально вы верите в свое новое экологичное убеждение — исходя из того, что 10 баллов соответствуют абсолютной вере, а 0 — полному неверию.*
4. *Теперь попросите, чтобы друг по вашей команде начал двигать двумя сомкнутыми пальцами горизонтально, с выбранными вами темпом и амплитудой, и сделал это 24 раза. Также начните, отслеживая глазами движения его руки, думать о своем новом убеждении:*

мысленно проговаривая его про себя, представляя это убеждение как написанный лозунг, и т.д. и т.п. (здесь все отдается на откуп вашей фантазии).

5. *После того как закончите цикл из 24 движений глаз с одновременным «думанием» выбранного вами экологичного убеждения, определите, насколько теперь вы верите в него. И не удивляйтесь тому, что эта вера внезапно увеличилась на целый балл, а то и более.*
6. *Продолжайте, думая (именно так: думая, а не обдумывая) новое убеждение, серии из 24 движений глаз вслед за движениями пальцев вашего друга, всякий раз проверяя результат — достигнутый вами балл веры. Предложите своему «тренеру» разнообразить движения пальцев, за которыми вы будете продолжать пристально следить глазами, не меняя положения головы. Пусть он использует:*

— *движения крест-накрест*
— *круговые движения*
— *движения в виде «восьмерки» положенной на бок*

Сделайте столько серий, сколько необходимо для того, чтобы достигнуть веры в минимум 7–8 баллов из 10 возможных.

7. *Если в процессе внедрения убеждения у вас возникнут неприятные эмоции, ощущения или воспоминания (как правило, связанные с формированием того, исходного убеждения, которое вы сейчас перерабатываете), не пугайтесь, а, на время отвлекшись от того, с чем вы работаете, переключитесь на новый, как говорят психологи, всплывший из бессознательного «материал», сосредоточьте на нем свое внимание и делайте серии из 24 движений глаз, пока эти самые эмоции и ощущения не исчезнут, а неприятное воспоминание не станет безразличным. Закончив, вернитесь к работе по внедрению своего нового экологичного убеждения.*

Музей старых убеждений

Техника «Музей старых убеждений» иногда пугает людей своей кажущейся громоздкостью и сложностью. Однако я нашел для вас описание, в котором эти самые громоздкость и сложность присутствуют в минимальной степени. Так что в самом общем виде данная психотехнология делается так /1; с. 105–106/.

«1. *Прежде всего определите, какое из ваших убеждений больше всего ослабляет волю к победе* (является наименее экологичным. — **С.К.**) *и подумайте, что вы хотели бы в нем изменить.*

2. *Затем решите, чем можно заменить это убеждение (желательно, чтобы новое убеждение было выражено в позитивной форме). Удостоверьтесь, что это именно ваше убеждение (а не чье-либо) и что вы в силах его изменить, если захотите. Обратите внимание на то, чтобы ваше новое позитивное убеждение было выражено в динамической, а не в статической форме. Например, лучше считать, что вы совершенствуете свое умение произносить речи на публике, чем утверждать, что вы прекрас ный оратор. Проверьте экологию этого утверждения.*

3. *Приготовьте 6 листов бумаги формата А4, напишите на них фразы, фиксирующие каждую из шести стадий изменения убеждения: нынешние убеждения, готов к критике, музей прежних убеждений, желаемые убеждения, готов к принятию новых убеждений, святое.*

4. *Разложите карточки (формата А4) на полу против часовой стрелки.*

5. *Переходите от одной таблички к другой, пытаясь всякий раз как можно более реалистично представить себе переживания, соответствующие каждой ситуации. Например, вспомните, что вы чувствовали, когда сомневались в каком-либо человеке («готов к новым убеждениям»). Или вспомните какое-либо свое прежнее убеждение, которое в настоящее время не оказывает практически никакого*

влияния на вашу жизнь («музей старых убеждений»). Вспомните ситуации, в которых проявлялись какие-то особо значимые для вас «святые» убеждения. Такие представления являются своего рода «якорем» для каждой из перечисленных стадий убеждений.

6. *Находясь в положении «нынешние убеждения», вновь вспомните убеждение, ослабляющее вашу волю.*
7. *Теперь переместитесь в положение «готов к критике» и подумайте, какие критические замечания вы можете сделать по поводу этого ограничивающего вас убеждения.*
8. *Теперь вспомните свои прежние убеждения и вновь представьте себе ослабляющее вашу волю убеждение, но теперь все они в прошлом.*
9. *Оставьте эти убеждения там, где они и должны быть — в «музее старых убеждений», и перейдите к «желательным убеждениям». Представьте, что вы уже обладаете этими убеждениями.*
10. *Затем переместитесь в позицию «готов к изменению убеждений» и представьте себя готовым к изменению.*
11. *Вместе со своими новыми убеждениями перейдите к «святому» и при этом отметьте, насколько значимы и приемлемы для вас эти новые убеждения.*
12. *И наконец, помня о тех ощущениях, которые вы пережили в положении «святое», вновь переместитесь в положение «нынешние убеждения», также отмечая при этом все возникающие ощущения и изменения настроения.*

Если вам будет удобнее, измените термины или какие-либо другие детали, следите только, чтобы ни один из основных этапов преобразования убеждений не был пропущен. Важно также помнить о том, что самочувствие неразрывно связано с поведением (и поэтому может измениться вследствие изменения положения тела или физиологических характеристик).

Описанное упражнение можно использовать для преобразования практически любого убеждения. Чем более сильными будут ваши переживания на каждом этапе, тем лучших результатов вы достигнете.»

Не пугайтесь — все описанное не столь уж и сложно, и послс небольшого количества повторений получается у всех без исключения.

Упражнение 50.

→ Составьте, используя все три предложенных вам способа, список всех ваших убеждений по поводу

Упражнение 51.

→ Проверьте их на экологичность и, если можно, расфиксируйте хотя бы часть этих «ограничивающих и/или ослабляющих вас» верований по технике «логического квадрата».

→ Убеждения, которые не расфиксировались, разбейте на три группы
– вызывающие тягостные чувства
– глупые, но понятные

Упражнение 52.

→ Замените «чувственные» убеждения на заведомо более экологичные с использованием психотехнологии «Мета«Да» и «Мета«Нет».

Упражнение 53.

→ Внедрите новые взамен старых — глупых, но понятных — верования посредством применения метода движения глаз.

Упражнение 54.

→ Расстаньтесь со старыми философскими ради новых жизнеутверждающих убеждений, применив технику «музей старых убеждений».

6.2. Аффирмирование общих верований

«Каждый человек склонен приписывать ограничения своего собственного восприятия окружающему его миру».

А. Шопенгауэр

Убеждения, присущие всем

Весь прошлый раздел был посвящен выявлению и переработке ваших собственных индивидуальных благоглупостей, причем исключительно в областях болезни, выздоровления и здоровья. А вот теперь — как я и обещал — настало время заняться *общими* ослабляющими убеждениями. Теми, которые на первый взгляд прямо не связаны с «выздоровленческой» тематикой. Но *косвенно* — за счет ослабления вашей личности — создают необходимые предпосылки (своеобразную питательную почву) для возникновения горя и болезней. И здесь, дабы облегчить вам работу, я предлагаю не исследовать опять вашу «убежденческую уникальность», но воспользоваться некими общими списками глупых верований бедного человечества, в изобилии составленные психологами.

Первый из этих списков будет, однако, касаться именно и только болезни и здоровья. Ибо Р. Дилтс /16/ четко, точно и недвусмысленно определил три «верования», которые являются самыми страшными «врагами» вашего выздоровления, а именно убеждения в:

- безнадежности
- беспомощности и
- незаслуженности.

Убеждение в безнадежности присутствует всегда, когда человек не имеет надежды относительно результата. Он чувствует или убежден, что добиться результата просто невозможно. А потому и беспокоиться об этом не стоит. И если, читая мою книгу, вы думаете про себя: «Все равно это ничего не даст», у вас налицо убеждение в безнадежности.

Убеждение в беспомощности имеет в своей основе печальное заблуждение «Другие могут, но не я», в корне противоречащее одному из базовых положений нейролингвистического программирования, по которому «если это возможно в мире, это возможно и для меня». «Да, кто-нибудь точно вылечится с помощью этой книги. Кто-нибудь, но не я. Это, наверное, возможно — излечиться по НЛП, но у меня на это не хватит способностей. А те, кто победил рак, так это, наверное, вообще люди особого сорта — не такие, как я». Нет ли чего-то подобного и в вашей голове? Если да, то у вас явно присутствует убеждение в собственной беспомощности.

И наконец, ***убеждение в незаслуженности***. Здесь все ясно и прозрачно, ибо мы бессознательно позволяем себе добиться только того, что считаем для себя заслуженным. И не только не добиваемся, но, скорее, даже «отбиваемся» от всего, что считаем незаслуженным — собой и для себя. Ну-ка скажите, вы действительно верите в то, что заслуживаете выздоровления? Или где-то там, в глубинах вашего бессознательного, у вас бродят мысли типа: «И поделом. Так мне и надо!» или даже новомодное: «Это моя карма...» Если да, то вы являетесь жертвой убеждения в незаслуженности.

Вот почему, несмотря на то, что мы уже работали с этими «глупыми верами», формируя готовность к результату, именно сейчас, когда вы уже идете к излечению, право же, стоит проверить: не перегородили ли ваш светлый путь три эти воистину убийственные благоглупости...

Болезни и здоровья будет касаться и второй список — уже куда более неявных убеждений относительно неких *общих процессов* болезни, выздоровления и здоровья. Потому как это верования (или принципы) господствующей медицинской парадигмы, по которой ***сохранение здоровья — это вооруженная борьба*** и/или вечная война. Вот эта парадигма не дает нам с вами просто жить, а нашим собственным Сознанию и Телу справиться с недугом и/или сохранить здоровье /27; с. 127/.

«1. Мы существуем отдельно от окружающей обстановки.
2. Мы выдерживаем атаки внешних сил, над которыми у нас нет никакого контроля.
3. Организм постоянно находится в состоянии осады.
4. Сохранение здоровья — это борьба.
5. Мы побеждаем в битвах, уничтожая болезнетворные микроорганизмы.
6. Организм — необычайно сложный аппарат, и только военные эксперты (врачи) допускаются к работе с ним.
7. Иммунная система — это машина для убийства.
8. Прогресс в медицине подразумевает более совершенное вооружение и более сильные лекарства для борьбы с болезнями.

9. Даже умея побеждать в битвах, мы в конечном счете проигрываем войну, потому что умираем.»

Парадоксальным образом эти убеждения, присутствующие в менталитете современного человека, порождают, как следствие, целый сонм благоглупостей, который я привожу ниже /27; с. 81–82/.

«Когда болит голова, лучше всего принять таблетку.

Язву желудка лучше всего успокаивать противокислотным средством.

Докторов нужно слушаться.

Я недостаточно знаю свое тело, чтобы управлять своим здоровьем.

Болезнь неизбежна.

Боль — это необходимая часть процесса взросления.

Чем больше лекарств я принимаю, тем более здоровым я буду.

Роды — вещь опасная, и они должны проходить под присмотром врачей.

Я не могу избавиться от боли без соответствующего медицинского вмешательства.

Я несу ответственность за свою болезнь.

Я могу лишь незначительно влиять на свое здоровье.

Мое здоровье определяется моей наследственностью — или мне повезло, или нет.

Медицина — дело профессионалов.

Чтобы стать действительно здоровым, мне придется расстаться со всем, от чего я получаю удовольствие.

Доктора бесполезны.

Я должен терпеть боль и не жаловаться.

Если мои проблемы со здоровьем длились в течение нескольких лет, то и для их решения потребуются годы.

Изменение всегда проходит тяжело.

Раз уж я достиг возраста... (заполните пропуск), *то мое здоровье будет только ухудшаться.*

Я не могу управлять своими чувствами.

Люди от природы либо здоровы, либо нет.»

Так вот, для того, чтобы не гоняться как за блохами, за этими вторичными убеждениями, куда проще и полезнее будет для вас просто принять «во здравие» убеждения совершенно другую парадигму: ***здоровье*** — это просто ***естественный баланс и равновесие Сознания и Тела*** /27; с. 130/.

«1. Мы являемся частью мира.

2. Здоровье представляет собой равновесие нашего способа существования и окружения.

3. Заболевание является признаком нарушения равновесия.

4. Заболевание может быть признаком здоровья — оно может восстанавливать равновесие.

5. Мы лучше знаем свое собственное тело, потому что мы знаем его изнутри.

6. Тело постоянно находится в контакте с микроорганизмами. Одни являются полезными, другие — вредными, а третьи могут вызывать особенные симптомы в чувствительных организмах.

7. Мы остаемся здоровыми, заботясь о самих себе и обращая внимание на сигналы своего тела.

8. Мы можем оказывать влияние на свои мысли, эмоции и окружение.

9. Иммунная система — это наше физиологическое «я». Она знает, что есть «я», а чего нет. Она удаляет антигены, сохраняя нашу целостность.

10. Выздоровление является естественным процессом. Нам может понадобиться внешняя помощь, если равновесие нарушено слишком сильно.

11. Мы всегда в некоторой степени являемся здоровыми постольку, поскольку мы постоянно так или иначе поддерживаем равновесие.»

Дальше — уже куда проще, поскольку следующие два списка общих убеждений будут иметь отношение не к болезни и/или здоровью, а к жизни вообще. Так вот, «отец» уже упоминавшейся рационально-эмоциональной терапии А. Эллис, утверждает, что наиболее иррациональных убеждений человека насчитывается всего три — все остальные являются как бы их подпунктами. Вот эти три убеждения, как их описал уважаемый мэтр /45, с. 202/.

«Я *должен* добиваться успеха и получать одобрение значимых других, а если я не делаю того, что *должен* и *обязан*, значит, со мной что-то не в порядке. Это ужасно и я ничтожество». Это иррациональное убеждение ведет к тому, что человек впадает в депрессию, испытывает тревогу и отчаяние, сомневается в самом себе. Это *требование* Эго. «Я *должен* добиваться успеха, иначе я — ничтожество».

Второе иррациональное убеждение таково: «Вы — люди, с которыми я общаюсь, мои родители, моя семья, мои родственники и сотрудники — *должны*, *обязаны* относится ко мне хорошо и быть справедливыми! Просто ужасно, что вы этого не делаете — гореть вам за это в адском огне!» Отсюда озлобленность, ярость, убийства, геноцид.

И наконец, третье иррациональное убеждение: «Условия, в которых я живу — окружающая среда, общественные отношения, политическая обстановка, — *должны* быть устроены так, чтобы я с легкостью, не прилагая больших усилий, получал все, что мне необходимо. Разве не кошмар, что эти условия трудны и причиняют мне огорчения? Я не могу этого переносить! Я никак не могу быть счастливым; я или навсегда останусь несчастным, или убью себя». Отсюда низкая устойчивость к фрустрации.»

Т.е. самыми страшными убеждениями, буквально разрушающими вашу жизнь и здоровье, является этакая (явно нечистая) троица, нуждающаяся в немедленной и первоочередной переработке.

- я *должен* добиваться успеха;
- вы *должны* хорошо ко мне относиться;
- жизнь *должна* быть легкой.

Отмечу, однако, что первоначальный список у А. Эллиса был куда как больше, ибо ранее данный автор составил первый перечень «глупых» установок, наиболее широко распространенных в Северной Америке (но только ли там?). Проведенные (пока только там) медицинские исследования показали, что чем больше у человека ограничивающих убеждений, тем сильнее вероятность возникновения острых и хронических стрессов, а также просто болезней. Проверьте, не придерживаетесь ли и вы этих ограничивающих убеждений, воспользовавшись приведенным списком /8/.

а) Вам необходимо постоянно получать доказательства любви и одобрения со стороны людей, мнение которых для вас значимо.

б) Вам беспрестанно хочется доказывать свою безоговорочную компетентность во всем или же, по крайней мере, в каких-то вполне определенных вопросах.

в) Вы рассматриваете свою жизнь как сплошную цепь неудач и невезений, если в ней вдруг наступает черная полоса.

г) Людей, нанесших вам обиду или причинивших вред, вы относите к категории злобных ничтожеств и либо «наказываете» их, либо постоянно рассказываете об этих людях, проклиная их и обличая во всех смертных грехах.

д) Ваши мысли и переживания в основном заняты тем, что представляется вам опасным или вызывает страх.

е) Весь мир испорчен и плох, а если вы не можете найти выход из негативной ситуации, он выступает просто ужасным.

ж) Ваша эмоциональная неудовлетворенность является результатом преимущественно внешних факторов, поэтому вы не можете управлять своими чувствами и избавиться от уныния или враждебности.

з) Для вас легче и привычнее избегать жизненных трудностей и ответственности, чем, сталкиваясь с ними, воспитывать свой характер.

и) Вы постоянно помните о своем прошлом — так, что если что-то однажды повлияло на вашу жизнь, оно и по сей день определяет ваши чувства и поступки.

к) Вы находите счастье, покой или удовлетворенность в бездействии. Настолько, что ваша инертность вполне вас устраивает.

Если какое-нибудь из вышеперечисленных суждений вызвало в вас явную реакцию согласия, можете быть твердо уверены — вы обладаете своим собственным тщательно взлелеянным и холимым источником сохранения и воспроизведения болезненных состояний. Настоятельно советую вам освободиться от него, воспользовавшись либо техниками, описанными выше, либо далее описанным аффирмированием.

Психотехнологии аффирмирования

«Ну хорошо, — скажете вы. — Собственные списки на базе этих общих я уже составил? И даже, хотя вы об этом и словом не обмолвились, переработал эти самые ваши две тройки во что-то, как вы говорите, более экологичное. Ну а что мне теперь делать с оставшимся — перерабатывать по описанным вами техникам или как?»

Ну, что касается вашего «не обмолвился», так это, как говорится, сами уже должны соображать. А вот по поводу «перерабатывать» скажу, что только две «нечистых» троицы верований действительно стоит трансформировать с помощью серьезных, так сказать, методов НЛП. Для всего остального — а также много другого — вполне достаточно окажется использоваать уже анонсированный мною способ работы с убеждениями — их *аффирмировании.*

Не стоит бояться мудреного названия. По самому простому определению *аффирмация* есть любая положительная мысль, которую вы можете сознательно выбрать для того, чтобы ввести ее в свою психику (бессознательное) для достижения желаемого результата. Значит, аффирмировать можно не только убеждения, но и вообще все что угодно в познавательной, эмоциональной и поведенческой сфере. Я предлагаю вам познакомиться с двумя методами использования аффирмаций: простым и более сложным. В первом из них — *технике аффирмирования с ответами* – вам достаточно сделать следующее /23/.

Напишите или напечатайте ваши новые убеждения — аффирмации (строго по одному) на листке бумаги 10–20 раз (т.е. один лист на каждое убеждение), оставив справа поле для эмоционального «ответа». Вдумчиво читайте созданную вами аффирмацию и тут же записывайте автоматически пришедший на ум ответ — те соображения, ощущения, страхи и умозаключения, которые могут возникать. Продолжайте повторять аффирмацию и следите, как изменяются ваши ответы справа. Мощное аффирмирование выявит все негативные мысли, собранные в вашем бессознательном. А повторение аффирмации в достаточном количестве (до тех пор, пока не иссякнут возражения, а после этого еще 5—7 раз) сотрет старые убеждения и фиксированные идеи, проведя желаемые изменения в вашей жизни.

При использовании второго — как я уже отметил, более сложного метода — *техники аффирмирования с дополнительными аффирмациями* (название условное) — вам необходимо будет не только записывать свои автоматически пришедшие на ум ответы, но и «переворачивать» их на 180° тут же превращая в дополнительные «одноразовые» аффирмации, а такжс работать от первого лица. Алгоритм использования этой техники следующий /26/.

1. *Определите, что вы намерены изменить.*
2. *Начинайте с использования самой лучшей аффирмации, которую придумали, чтобы владеть ситуацией. Держите разум открытым для нахождения еще лучшей аффирмации.*
3. *Поставьте звездочку или знак сноски вверху страницы с левой стороны и напишите рядом с ней первое повторение аффирмации.*
4. *На следующей строке в круглых скобках напишите любой ответ вашего бессознательного на аффирмацию. Если окажется, что в вашем сознании нет ответа, напишите, каким должен был бы быть ответ вашего бессознательного, если бы вы его имели. Всегда записывайте ответ на каждое повторение аффирмации (за исключением последней в группе) и никогда не записывайте один и тот же ответ на ту же аффирмацию в течение суток.*
5. *Поставьте другую звездочку или знак на левой стороне ближайшей строчки ниже ответа. Придумайте*

аффирмацию, которая может быть другой трактовкой ответа, который у вас только что был. Если ваш ответ был полностью положительным, то вы либо дурачите себя, либо не нашли еще правильную аффирмацию. Если ваше бессознательное уже полностью принимает аффирмацию, которую вы используете, тогда, конечно, нет причины записывать ее повторения. Всегда увязывайте ваши ответы с новой аффирмацией или различными аффирмациями, если они необходимы...

6. *Теперь пишите другое повторение первоначальной аффирмации. Конечно, вы снова ставите звездочку, потому что однажды уже сделали это. Даже если вы придумаете много великолепных аффирмаций, то будете гореть желанием испытать их. Обычно лучше сделать полный набор оригинальных аффирмаций, нежели перебрасываться от одной аффирмации к другой. Если вы чувствуете сильное желание переключиться на новую аффирмацию, то, конечно, можете сделать это. Доверяйте своей интуиции.*
7. *Запишите любой ответ, который дал ваш разум на это повторение, а затем составьте другую новую аффирмацию, чтобы обратиться к новому ответу. Затем сделайте иное повторение первоначальной аффирмации — и т.д. и т.п.*

Предположим, например, что вы, работая с базовым убеждением «Выздоравливать — это тяжкий труд», преобразовали его в аффирмацию «Выздоравливать легко и интересно». Возможно, что при использовании вышеописанной техники ваша работа будет выглядеть так.

* Выздоравливать легко и интересно (Чушь! Я никогда в это не поверю!)

* Я, _____________, имею достаточно сил и знаний, чтобы поверить в эту очень важную для меня мысль.

Выздоравливать легко и интересно. (Ерунда! Я даже не могу себе этого представить!)

* Я, _____________, теперь представляю себя как человека, который выздоравливает легко и интересно.

Выздоравливать легко и интересно. (Вздор! Мое лечение — это настоящая каторга!)

* Я, _______________, отныне уверен в том, что мое лечение приносит мне удовлетворение и радость.

И так далее, и тому подобное — до тех пор, пока отрабатываемое вами убеждение «Выздоравливать легко и интересно» не «укоренится» в достаточной степени в вашем бессознательном. Кстати, степень этого самого «укоренения» вы можете проверить с использованием ранее описанной для ДПДГ десятибалльной шкалы.

Усиление воздействия аффирмаций

Поскольку мы все-таки работаем с такой косной материей, как убеждения, нелишним будет привести несколько советов — в плане *техники усиления аффирмирования* (по: /23/).

1. *Работайте с одной или несколькими (но не со всеми сразу) аффирмациями ежедневно. Наилучшее время — перед сном, перед началом дня (сразу после пробуждения) или когда вы тревожитесь. Продолжайте работать с аффирмациями до тех пор, пока они не будут устойчиво интегрированы. О том, что это произошло, вы поймете по уверенно-положительным ответам вашего бессознательного на вводимую аффирмацию.*
2. *Включите ваше имя в аффирмацию. Пишите и/или проговаривайте аффирмацию по отношению к себе в первом, втором, третьем лице, например:*

«Я .... верю, что жизнь вполне может быть легкой и приятной».

«Ты .... веришь, что жизнь вполне может быть легкой и приятной».

«Он .... верит, что жизнь вполне может быть легкой и приятной».

3. *В дополнение к «листу аффирмаций» запишите аффирмирующие утверждения на кассету и слушайте ее всегда, когда можете (например, за рулем).*

4. *Сделайте своей постоянной практикой проговаривание аффирмаций вслух перед зеркалом. Продолжайте говорить до тех пор, пока не почувствуете себя расслабленно или пока не увидите соответствующие аффирмации выражения своего лица.*
5. *Наконец, везде, где только можно, просто проговаривайте аффирмации самому себе — особенно, если вам не хочется писать. Это «сработает», хотя именно написание аффирмаций наиболее эффективно, ибо при этом задействуется очень большой спектр чувств, мыслей и эмоций.*

Помимо этого в уже упоминавшемся ребефинге /26/ предлагаются и другие варианты эффективного и приятного использования аффирмаций.

Доказать аффирмации логическим образом.

Использовать письменные или отпечатанные ее повторения без ответов.

Применять письменные или отпечатанные повторения аффирмации с ответами.

Занести ее на карточку и носить эту карточку с собой.

Сделать татуировку аффирмации на обратной стороне руки.

Создать знак аффирмации и поставить его на видное место.

Записать аффирмацию на магнитную ленту.

Представить себе аффирмацию наглядно.

Отрабатывать аффирмацию в разговоре.

Сказать ее тому, кто с ней согласен.

Сказать аффирмацию тому, кто с ней не согласен.

Сказать ее самому себе в зеркале.

Сказать аффирмацию Богу или изображению Христа, Будды, вашего гуру и т.д.

Говорить ее во время любых других упражнений.

Читать аффирмацию про себя или вслух.

Говорить ее мысленно.

Сообщать аффирмацию партнеру до тех пор, пока он не уверится, что она для вас правильна.

Выкрикивать аффирмацию с чувством.

Распевать ее монотонно.

Просто петь аффирмацию на мотив любой песни.

Нарисовать подходящую картину и вписать аффирмацию в мысленный или разговорный пузырь (как в комиксах)...

Основные правила и условия работы с аффирмациями

Как вы уже, наверное, поняли, технику аффирмаций можно использовать не только для того, чтобы трансформировать старые убеждения (болезни), но и сразу для того, чтобы создавать новые (выздоровления и здоровья). Правила и условия работы с подобными аффирмациями хорошо описаны в соответствующей литературе. И потому, не пытаясь изобрести велосипед, я просто опишу те из них, на которые стоит обращать внимание /12/.

Прежде всего упомянем некоторые существенные моменты, о которых следует помнить, занимаясь практикой поддерживающих утверждений (я называю это *«правила содержания»*).

1. ***Всегда выражайте утверждения в настоящем времени, а не в будущем.*** *Формулируйте их, как если бы все нужное и желанное уже существовало. Не говорите: «Я обрету хорошее здоровье», подразумевая «Я когда-нибудь его обрету». Лучше скажите: «Теперь у меня есть* (лучше *теперь я обретаю. —* ***С.К.****) хорошее здоровье», подразумевая здесь и сейчас. Этим вы не обманываете себя, а только признаете тот факт, что все создается сначала на ментальном (умственном) плане, прежде чем проявить себя в объективной реальности.*
2. ***Всегда выражайте утверждения самым позитивным образом,*** *какой только для вас возможен. Утверждайте то, что вы действительно хотите, а не то, что вы не желаете. Не говорите: «Я больше не страдаю от головной боли». Лучше скажите: «Моя голова ясная и свежая». Это будет гарантией того, что вы создаете самый позитивный из возможных мысленных образов.*

3. ***Выражайте утверждения кратко.*** *В общем и целом короткое и простое утверждение является более эффективным. Утверждение должно быть четкой формулировкой, передающей сильное чувство. Чем больше чувства она передает, тем более сильное воздействие она оказывает на ваш ум.*
4. ***Всегда выбирайте те утверждения, которые кажутся совершенно правильными вам, и именно вам.*** *То, что отлично работает для одного, для другого может оказаться пустой тратой времени. Ваше утверждение должно вызывать у вас позитивное, открытое, свободное и/или ободряющее ощущение. Если это не так, найдите другое или попробуйте заменить слова, пока не найдете нужную формулировку. Однако учтите, что вы можете чувствовать эмоциональное сопротивление перед любым утверждением, когда вы впервые используете его. Это просто только начальное воспрепятствование вашего Эго процессу изменения и роста.*
5. ***Всегда, когда вы занимаетесь утверждениями, помните о том, что вы создаете нечто новое и свежее.*** *Вы вовсе не собираетесь редактировать или изменять то, что уже существует. Делая это, вы сопротивлялись бы тому, что существует, а это породит конфликт и борьбу. Поэтому, принимая и поддерживая все то, что уже существует в вашей жизни, вы просто используете представившуюся вам возможность начать создавать то, что вы еще хотите, то, что сделает вас счастливее.*
6. ***Утверждения не должны вступать в противоречия или пытаться изменить ваши чувства и эмоции.*** *Важно принимать и переживать все ваши чувства, включая так называемые «негативные», без попытки изменить их. В то же самое время утверждения способны помочь вам создать новое представление о жизни, благодаря которому вы будете иметь все больше и больше удовлетворительных переживаний.*
7. ***Когда вы применяете утверждения, старайтесь создавать как можно большее чувство веры, убежденно-***

сти в том, что они могут осуществиться. *На время (по крайней мере на несколько минут) избавьтесь от ваших сомнений и колебаний и вложите в утверждения всю вашу эмоциональную энергию.*

Естественно также, что более полезным для вас будет не проговаривать утверждения механически, а попытаться достичь уверенного чувства, что вы действительно имеете силу создавать новую реальность бытия (что фактически вы и делаете!). От этого в значительной степени зависит эффективность вашего аффирмирования.

Теперь о том, как можно и должно осуществлять аффирмации — т.е. о том, что я называю *«правила процесса»*.

Прежде всего вам следует помнить, что во время занятий с подтверждающими утверждениями вам необходимо быть расслабленным и не чувствовать себя слишком зависимым от своих результатов, так как по так называемому закону Йеркса-Додсона «сверхмотивация ухудшает исполнение». Рекомендуется использовать два способа (в дополнение к уже описанному мною письменному):

- устное произношение
- пение и речетатив.

При устном произношении

1. *Проговаривайте поддерживающие аффирмации про себя тихо или громко в течение дня, каждый раз, когда вы вспомните о них или подумаете о своем здоровье — когда вы за рулем, занимаетесь домашней работой или любой другой повседневной деятельностью.*
2. *Проговаривайте их про себя громко, когда смотрите на себя в зеркало. Утверждения особенно полезны в данном случае, так как они усиливают ваше чувство самоуважения и любви к себе. Смотрите себе прямо в глаза и утверждайте то, что должно быть так, как если бы оно уже было. Если вы будете испытывать неудобство, просто продолжайте аффирмирование — до тех пор, пока не сумеете преодолеть барьеры и не будете в состоянии видеть себя целиком и любить себя полностью.*

Пение и речетатив

1. *Обязательно заучивайте песни, утверждающие реальность того, что вы хотите создать для себя и часто слушайте и пойте их. Значительная часть нашего настоящего сознания сформирована совершенно идиотской популярной музыкой, которая создает реальность, где мы чувствуем себя в безнадежной зависимости от любимого человека, где мы готовы умереть, если он нас покинет, и где мы задаемся вопросом, представляет ли жизнь какую-либо ценность, если мы не можем «иметь» при себе этого человека, и тому подобное.*
2. *Сочиняйте свои собственные песни или куплеты, используя те утверждения, с которыми вы хотели бы работать.*

Можно добавить и еще несколько замечаний.

Во-первых, обязательно практикуйте утверждения как сами по себе, так и в сочетании с их визуализацией или представлением.

Во-вторых, продолжайте заниматься аффирмированием до тех пор, пока вы не достигнете цели (или пока у вас сохраняется желание ее добиваться). Помните о том, что наши цели часто меняются еще до того, как они реализуются, что является абсолютно нормальным. И не пытайтесь продолжать упражнения после того, как ваша энергия для них иссякла, — если вы потеряли к этому интерес, то, возможно, просто пришло время по-новому взглянуть на свою цель.

В-третьих, если вы обнаружите, что ваша цель и вправду изменилась, убедитесь в том, что ваше бессознательное восприняло этот факт. Дайте ему понять, что вы больше не фокусируете свое внимание на данной цели. То есть закончите старый круг и начните круг новый.

В-четвертых, если уж вы достигли цели, как следует осознайте, что это произошло. Ибо сплошь и рядом мы получаем то, чего желали, но забываем заметить, что действительно добились успеха! Так что выразите себе благодарность — в любой, но заметной форме. И не забудьте поблагодарить Вселенную за исполнение ваших просьб.

И еще одно. Для того чтобы ваши упражнения по аффирмированию были более эффективными, начинайте со следующих, рекомендованных специалистами фраз (по: /23/).

1. *Я, ____________, родился с бесконечными возможностями к любви, здоровью, эффективности и реализованным взаимоотношениям.*
2. *У меня, ____________, твердая уверенность в том, что мои аффирмации будут работать и мои усилия будут вознаграждены.*
3. *Я, ____________, хочу преодолевать барьеры моего невежества, страха, раздражительности, чтобы мое совершенное «Я» могло выразить себя во всех взаимоотношениях.*
4. *Любящие взаимоотношения — ключевой момент в состоянии моего здоровья и благосостояния.*
5. *Каждая негативная мысль побуждает меня подумать сразу три позитивные мысли.*

Техника «101 утверждения» и убеждения совершенства

А вот теперь — почти последнее (в этом разделе). Описанный ниже способ применения психотехнологии аффирмирования — так называемая *техника «101 утверждения»* — позволяет как бы вплести ваше выздоровление и здоровье в общую ткань жизнедеятельности, сделав исцеление абсолютно необходимым и естественным. Поскольку данную психотехнологию можно использовать для достижения чего угодно, ниже я привожу ее вариант как бы с прочерками, куда лично вы должны вставить сначала «выздоровление», а потом «здоровье» /26/.

1. ______________ существует для моего удобства и выгоды.
2. ______________ является источником наслаждения для меня.

3. Мне легко достичь ___________________________.
4. Каждый получит выгоду от моего ______________.
5. Каждый облегчит мне ________________________.
6. Для меня безопасно обрести _________________.
7. Я уже обретаю и усиливаю ______________ каждый день.
8. У меня есть практическая мудрость для ________.
9. Все части меня действуют так, чтобы наилучшим образом соответствовать мне в ________________.
10. У меня подходящий возраст для ______________.
11. У меня подходящий размер для _______________.
12. У меня правильные генетические характеристики для _________________________________.
13. У меня правильный секс для _________________.
14. У меня правильный внешний вид и манеры для ____.
15. У меня более чем достаточно силы для _____ ______________________________.
16. У меня большой талант для создания _________ ______________________.
17. Я весьма привлекателен для _________________ и _________________________ привлекателен для меня.
18. Я заслуживаю ________________________________.
19. Для меня естественно чувствовать _____________ _____________________.
20. Я знаю, как сделать ___________________________.
21. Я легко могу создать _________________________.
22. Теперь, когда я знаю, что могу наслаждаться всем, я знаю, что буду наслаждаться процессом создания ____.
23. Я благодарен, что мне выпала роль создать ______ ____.
24. Моя естественная тенденция _________________ ____.
25. ____________________ безусловно улучшит мои отношения с любым человеком.

26. У меня более чем достаточно энергии и энтузиазма для ____.
27. Я знаю, как получить поддержку нужных людей для ____.
28. У меня более чем достаточно настойчивости для ____.
29. У меня более чем достаточно времени для ______________________.
30. У меня есть то, что требуется для ____.
31. У меня много ______________________________.
32. Мне хорошо ощущать ______________________________.
33. Мне хорошо иметь ______________________________.
34. Мне хорошо быть в состоянии ______________________.
35. Я прощаю себя за то, что уже нет больше прежнего ____.
36. Я прощаю себя за отрицание ____ в прошлом.
37. Я прощаю себя за то, что я имею не более ____ чем я есть.
38. Я люблю все, что связано с ______________________.
39. Все части меня теперь сотрудничают в достижении ____.
40. У меня высокая мотивация к ____.
41. Мне более чем достаточно хорошо иметь ____.
42. Я хочу делать то, что дает ______________________.
43. Моя мать одобряет меня в достижении ____.
44. Мой отец одобряет меня в обретении ____.
45. Моя семья способствует мне в достижении ____.
46. Мои друзья одобряют меня в обретении ____.

47. __________________ улучшает мою коммуникабельность и чувство юмора.
48. __________________ увеличивает мою свободу.
49. У меня уже есть правильные мысли, чтобы создать ____________________________________, и я создаю все больше правильных мыслей, чтобы создать ____.
50. Я прощаю себе сомнения относительно ______ ____.
51. ___________________________________ делает меня более преуспевающим.
52. Мое желание ______________________ одобрено Богом и обществом.
53. Бог, безусловно, предназначил меня для ________ ____.
54. У меня есть практическая мудрость для _______ ______________________________ и еще скромность.
55. _____________ доказывает, что я хороший человек.
56. ________________ доказывает, что я находчивый.
57. Я знаю, что я буду иметь ______________________.
58. Каждый знает, что я буду обладать __________ ____.
59. Я легко визуализирую _________________________.
60. Я благодарен за ________________________________, которые я уже имею.
61. Я исключительно добрый человек, который обретет ____.
62. Моя семья традиционно способствует мне в ______ ____.
63. Сейчас самое время для меня достичь ______ ____.
64. Мои ритуалы и привычки естественно направлены в одну цель для меня, чтобы я обрел ____________.
65. ______________ есть чувства абсолютно совершенные в отношении меня.
66. Я абсолютно убежден, что я хочу _________________.

67. ____________________ убеждает, что я любящий и сострадающий.
68. Правительство содействует мне в ____________________.
69. Общество содействует мне ____________________.
70. Экономическая ситуация содействует мне в ____________________.
71. Мировой Бесконечный Разум уже имеет мой идеал ____________________, ожидая меня.
72. У меня есть физическая способность для ____________.
73. У меня более чем достаточно умения и ноу-хау для ____________________.
74. У меня более чем достаточно силы и выносливости для ____________________.
75. Даже мои наиболее мятежные части поддерживают меня в ____________________.
76. ____________________ очаровывает меня.
77. ____________________ делает мои чувства светлыми.
78. Я признателен себе за ____________________.
79. Я достаточно чист, чтобы обрести ____________________.
80. Я использую ____________________, чтобы улучшить мое служение.
81. Безопаснее, проще, удобнее и выгоднее для меня достичь ____________________.
82. Я терпелив и деликатен для получения ____________________.
83. ____________________ поддерживает мое честное самовыражение, и мое честное самовыражение поддерживает ____________________.
84. ____________________ увеличивает мою бодрость, процветание и удовольствие от жизни.
85. У меня есть право и обязанность, чтобы обрести ____________________.
86. Бесконечно замечательно, что я существую, так проявляется ____________________, очевидно, легко.

87. ______________________годится для меня.
88. ____________________, безусловно, удовлетворит меня.
89. С начала времен было предопределено судьбой, чтобы я достиг ____________________.
90. ________________ выгодная вещь для человека моего круга быть включенным в это.
91. _________________ стоит того, чтобы его взять.
92. ____________________ сделает меня более сексуально привлекательным.
93. У меня есть практическая мудрость, чтобы создать замечательный план для достижения ________ ____________________________________.
94. Я абсолютно определился для достижения _____ ____________________________________.
95. Я совершенно воодушевлен делать все и любое, что приблизит меня к ____________________.
96. Я подготовился для ____________________, и я подготовлю себя даже более для ______________.
97. Я уже нацелен на ________________, и я вложу даже больше нацеленности на ______________, нравится мне это или нет.
98. _________________ определенно приносит мне больше удовольствия, чем то, что я делаю сейчас.
99. Мой ____________________ увеличивает совершенство Вселенной.
100. Все, что когда-либо случилось, вносит вклад в мое ____________________________________.
101. Вселенная радуется моему ________________.

И наконец, последний штрих к картине или, если хотите, капля в сосуд ваших «исправленных» убеждений. Список подлежащих внедрению в свое Сознание и тело убеждений совершенства /37; с. 364–365/.

«Прочтите перечисленные здесь утверждения и отметьте любое, в которое, во вашему мнению, было бы трудно пове-

*рить, **применительно к себе самому**. Перечитайте утверждения, которые вы не можете отстаивать от всего сердца.*

Когда вы сделаете это для всех утверждений, которые подвергнете сомнению, выберите одно и спросите себя: почему? Запишите свои доводы. Используйте воображение, чтобы вернуться назад во времени, и попытайтесь узнать, почему вы не можете утвердить самого себя. Чей голос вы слышите? Какие слова вам говорят? Какие фигуры вы видите? Какие жесты используете? Способность утверждать себя неизбежно имеет свои корни в том, как одобряют нас другие люди, и наоборот.

Замены негативного утверждения позитивным будет нелегко добиться. Однако если вы верите, что это можно изменить, то в конце концов придете к вере в самого себя.

- *Я — это я, и в мире нет никого точно такого же, как я.*
- *Я уникален.*
- *Я владею всем, касающимся меня, моим телом и всем, касающимся его.*
- *Я владею своим разумом, включая все мои мысли и представления.*
- *Я владею своими глазами, включая образы всех наблюдаемых объектов.*
- *Я владею своими чувствами, какими бы они ни были — позитивными и негативными. Мне могут нравиться одни, а другие не нравиться, но они все равно мои.*
- *Я владею своим ртом и всеми словами, которые произношу, приятными или грубыми, правильными или неправильными.*
- *Я владею своим голосом, громким или тихим.*
- *Я владею всеми своими действиями по отношению к другим или к себе самому.*
- *Я владею своими фантазиями, своими мечтами, своими надеждами, своими страхами.*
- *Я владею всеми своими триумфами и успехами, всеми своими провалами и ошибками.*
- *Поскольку я полностью владею собой, то могу в конечном счете узнать и использовать себя, чтобы действовать в своих интересах.*

- *Существуют вещи, которые меня озадачивают, и другие, которых я пока не знаю. Но пока я дружелюбен по отношению к самому себе, я могу с мужеством и надеждой искать решения головоломок и способы больше узнать о самом себе.*
- *Как бы я ни выглядел и ни звучал в любой данный момент, это уникально и аутентично мне.*
- *Когда я думаю о том, как выглядел и звучал, что сказал и сделал, как думал и чувствовал, я могу отбросить все, что захочу. Я могу сохранить то, что оказалось уместным. Я могу изобрести нечто новое вместо того, что отбросил.*
- *Я могу видеть, слышать, чувствовать, думать, говорить и делать. У меня есть инструменты, чтобы выжить, быть близким другим, быть продуктивным и извлекать смысл и порядок из мира людей и вещей вне меня.*
- *Я владею собой, следовательно, я могу изменить себя.*
- *Я – это я, и я хорош.*
- *Я прощаю себе любую ошибку и проступок по отношению к самому себе.*
- *Я прощаю все обиды, которые причинили мне другие люди.*
- *Я принимаю на себя ответственность за свою собственную жизнь и утверждаю, что никто не имеет власти над моими решениями без моего полного согласия».*

И уж поверьте мне, что хотя эти убеждения в основном касаются вашей скромной (или не очень) персоны, будучи принятыми, они способны изменить вашу жизнь во всех ее областях и сферах, включая выздоровление и здоровье...

Упражнение 55.

→ Определите, в какие такие общие убеждения из предложенных списков вы безоговорочно верите.

→ Осуществите их переработку с применением как описанных ранее техник, так и с использованием психотехнологии аффирмирования.

Упражнение 56.

- Создайте собственные аффирмации выздоровления или отберите те из мною приведенных, которые кажутся вам подходящими для вашего случая. Выпишите эти аффирмации, потом вызубрите их и снабдите каждую сопутствующим визуальным образом и кинестетическим ощущением
- Проанализируйте свою повседневную жизнь, определите в ней моменты, когда вы можете заниматься аффирмированием, и приступайте к

Упражнение 57.

- Продумайте варианты усиления и расширения процесса аффирмирования, обязательно учитывая правила содержания и процесса, после чего включите все это в свою жизнедеятель-

Упражнение 58.

- Приступите к регулярному выполнению техники «101 утверждения» — прежде всего в части выздоровления и здоровья, но также и во всем остальном, что вы хотите включить в свою жизнь.

Упражнение 59.

- Любым способом введите в себя убеждения совершенства.

Глава 7

Окружение, в котором мы болеем и выздоравливаем

«Микроб — ничто; окружение — все».

Луи Пастер

Ну вот мы и добрались почти до конца нашей работы по самоисцелению. И очень может быть, что оно или уже совершилось, или совершается невиданными ранее темпами. Однако впадать в эйфорию рано, ибо известный анекдот, ныне ставший почти притчей, — о том, что только бледнолицый наступает на одни грабли дважды — может стать для вас констатацией печального факта. Это станет очевидным, когда вы снова заболеете — возможно даже, какой-то новой болезнью, а все потому, что продолжаете жить в прежнем контексте (окружении) вашей повседневной жизнедеятельности. Все здесь не просто, и даже очень просто. Ваша жизнь до болезни протекала в каком-то окружении — людей, вещей и т.п., а окружение это (точнее — какие-то его элементы) ну никак не устраивало ваше бессознательное (хотя, может, его не устраивал характер вашей жизни в данном контексте, что суть одно и то же). И оно (бессознательное) не нашло ничего лучшего, как приспособить вас к данному окружению за счет механизма болезни (напоминаю вам, что любое заболевание давно уже рассматривается и психологами, и врачами как своеобразная, но, естественно, не экологичная форма адаптации человека к окружающей среде). И значит, пока вы не разберетесь с этим контекстом-окружением, вероятность возвращения вашей болезни или появления другого «адаптационного» заболевания сохраняется угрожающе высокой.

«Хорошо вам все это говорить, — можете ответствовать мне вы. — А попробуйте-ка изменить это самое окружение, если как по наезженной колее жизнь твоя задана и обусловлена на годы вперед: работой, которую нельзя поменять, семьей, которую надо сохранить; квартирой, с которой никуда не съедешь; городом и страной, из которых никуда не денешься, а еще и обязательствами, в которые влип как муха в паутину. Где уж тут менять — дай бог просто выжить и дожить...»

Согласен с вами — но только отчасти. Потому что процесс необходимых изменений вы рассматриваете как-то уж совсем материально и, так сказать, объективно, совершенно забывая о субъективных возможностях изменения. Ведь та же адаптация давно уже рассматривается как единство двух процессов: *ассимиляции* (изменения среды как бы под себя) и *аккомодации* (изменения себя как бы под среду). А у меня существует неписаный принцип взаимоотношений со своим окружением: «Или меняй, или принимай». Потому как тысячу раз прав был мудрец, сказавший, что нас мучают не вещи, а наше отношение к ним (или с ними. — **С.К.**). И если мы что-то действительно не можем изменить в своей жизни, то — зато! — используя психотехнологии нейролингвистического программирования, можем запросто поменять свои взаимоотношения с этим «что-то». Тем более что нас интересует не все без исключения окружение, а только то, которое, во-первых, «стрессует» вас, а во-вторых, не дает быть счастливым. «Чисткой» этого окружения, т.е. изменением вашей жизни мы займемся в первом разделе этой главы. А вот вторая будет направлена в основном на изменение вашего отношения к неприятному в окружающем и повседневном, а заодно обучению искусству жить. И не пугайтесь того, что глава эта будет довольно большой. Право же, жизнь того стоит...

Итак, сейчас вам предстоит:

- разобраться с проклятием острых хронических стрессов и условиями «антистрессовой» жизни;
- освоить психотехнологии работы с проблемами и неприятностями, а также озаботиться собственным счастьем;
- избавиться от стрессов внутри себя и научиться переосмысливать происходящее в позитивном ключе;
- приступить к изучению едва ли не главного для каждого из нас искусства — жить, чтобы жить.

7.1. Бремя стрессов и страстей

«Изменение и боль являются частью жизни, а страдание — вещь добровольная».

Энон

Проклятие и благо стрессов

...Совсем недавно вы были в форме. Да, работа ваша требовала почти запредельного напряжения, и по вечерам вас хватало только на то, чтобы тупо созерцать окружающее. Да, накапливалась усталость, и вы откладывали на «потом» столь необходимые организму расслабление и отдых. Но все было нормально! И вдруг (ох уж это «вдруг»!) у вас как будто что-то сломалось внутри, и вы больше не хотите (да и просто не можете) принимать решения, разбираться в тонкостях и уделять внимание даже существенному, потому что перегоревший мозг просит и требует только одного — покоя...

...Еще минуту назад вы были полны сил, энергичны и работоспособны. Информация схватывалась буквально на лету, решения принимались мгновенно и безошибочно, и вы просто получали огромное удовольствие от четкости и непогрешимости вашего мышления. И вдруг (опять это проклятое «вдруг»!) нечто новое, необычное и крайне тревожащее начисто выбило вас из состояния блаженной ясности, и на смену чудесной озаренности почти мгновенно пришли опустошенность, усталость и тревога, когда вы оказываетесь способны лишь на отчаянные и бесплодные поиски ответов на три исконных вопроса русской интеллигенции: «С чего начать?», «Что делать?» и «Кто виноват?»...

Знакомо это вам? Скорее всего да, ибо в этом мире вряд ли найдутся люди (разумеется, из тех, кто живет по-настоящему активной жизнью), которые хотя бы раз не переживали два из описанных мною видов дистресса: *хронический* и *острый*.

Вы обратили внимание на использованный мною термин: дистресс. Он не случаен, ибо Ганс Селье, введший в научный, околонаучный и просто ненаучный обиход понятие «стресс», подразделил эту самую «адаптивную реакцию организма на интенсивные воздействия внешней среды» на два типа. Дистресс — разлад, распад, сгорание. И эврстресс — озарение, нахождение решения. К сожалению, эврстресс — творческую реакцию на вызов, брошенный нам миром — имеют только единицы. Большинству людей свойственны дистрессовые реагирования. Так что начнем разбираться с этим самым дистрессом, причем вначале — с его хронической формой.

По данным Д. Грэхема /15/, именно хронические стрессовые состояния являются основными причинами возникновения таких заболеваний, как:

- повышенное кровяное давление
- коронарный тромбоз
- мигрень
- сенная лихорадка и другие формы аллергии
- астма
- интенсивный зуд

- пептические язвы
- запоры
- колиты
- ревматоидные артриты
- менструальные осложнения
- расстройство пищеварения
- гиперфункция щитовидной железы
- диабет
- кожные заболевания.

Далее данный автор утверждает, что будучи вполне психологическим по своей природе, хронический стресс весьма отчетливо проявляется и на уровне психики человека. Здсеь основными его симптомами выступают:

- постоянная раздражительность при общении с людьми
- чувство, что вы не вполне справляетесь с повседневными заботами и у вас появились проблемы с работой, семьей или чем-то, с чем до этого вы справлялись вполне успешно
- потеря интереса к жизни
- постоянный или возникающий от случая к случаю страх заболеть
- непрерывное ожидание неудачи
- чувство, что вы — плохой или даже ненависть к самому себе
- трудности с принятием решений
- чувство, что ваша внешность непривлскатсльна
- потеря интереса к другим людям
- постоянное чувство едва сдерживаемого гнева или ярости
- неспособность проявлять подлинные чувства
- чувство, что вы являетесь мишенью, объектом враждебности со стороны других людей
- утрата чувства юмора и способности смеяться
- безразличие
- страх псрсд будущим
- страх перед собственной несостоятельностью

- чувство, что никому нельзя доверять
- пониженная способность к концентрации
- неспособность завершить одно дело не бросив его и не начав другое
- сильный страх открытого или замкнутого пространства или страх перед уединением.

Однако распознавать признаки накапливающегося напряжения в нашем организме Д. Грэхем предлагает *еще до того, как они проявятся в виде какой-нибудь болезни* — по таким чисто физиологическим проявлениям, как:

- отсутствие аппетита
- постоянное переедание (как результат чрезмерного напряжения)
- частые расстройства пищеварения и изжога
- запор или понос
- бессонница
- постоянное чувство усталости
- повышенная потливость
- нервный тик
- постоянное покусывание ногтей
- головные боли
- мышечные судороги
- тошнота
- одышка
- обмороки
- слезливость без видимой причины
- импотенция или фригидность
- неспособность долго оставаться на одном месте, привычка ерзать на стуле («синдром двигательного беспокойства»)
- высокое кровяное давление.

Условия «антистрессовой» жизни

Если вы обнаружили у себя не один, а несколько из перечисленных симптомов, вам следует начать выполнять некоторые предписания, которые уменьшат напряжение, — дабы вы не стали очередной жертвой хронического стресса, а ваш подуставший организм хоть немного отдохнул и не ушел для этого отдыха в болезнь. Для этого, по мнению все того же источника /15/, надо делать следующее:

- ***работать не больше восьми часов ежедневно;***
- ***иметь по меньшей мере полтора выходных дня каждую неделю;***
- ***отводить не менее часа на обед;***
- ***есть не спеша и тщательно пережевывать пищу;***
- ***культивировать привычку слушать медитативную расслабляющую музыку;***
- ***научиться входить сначала в расслабленное, а потом как бы в измененное состояние сознания***. Если вы чувствуете некоторое перенапряжение, то делайте это каждые два-три часа хотя бы по две минуты. Находясь в «расслабухе», попытайтесь мысленно «перенестись» в приятное для вас место и на какое-то время «задержаться» в нем;
- ***развивать у себя привычку к медленной ходьбе и неторопливым разговорам;***
- ***улыбаться и проявлять как можно больше бодрости при встречах с людьми;***
- ***отводить себе время для ежегодных каникул или отпуска, когда вы можете выбросить из головы все, что вас беспокоит;***
- ***регулярно упражняться на свежем воздухе***. При этом если вы занимаетесь какими-нибудь играми, в которых есть «ударные» моменты (наподобие тенниса или волейбола), то, ударяя по мячу, попытайтесь этим ударом «отбить» и «отбросить» от себя все то напряжение или агрессию, которые в вас есть. Если же у вас нет возможности заниматься этими играми, регулярно отправляйтесь на прогулку и, выбрав безлюдное место, просто бросайте камни, представляя, как с

каждым броском вы освобождаетесь от агрессии и напряжения, которые стесняют и напрягают вас;

- ***придерживаться более ритмичного режима питания***. Будьте умеренны в еде и получайте удовольствие от этой умеренности. Попробуйте понять, какое количество пищи необходимо вам, чтобы поддерживать здоровый вес, и настраивайтесь именно на это количество;
- ***обратиться за консультацией к психотерапевту***, если у вас существуют проблемы в сфере сексуальных или иных отношений;
- ***подумать о возможных альтернативах, если ваша работа не приносит вам удовлетворения*** и, найдя приемлемый вариант, поменять ее;
- ***заполнить свой досуг каким-нибудь творческим занятием***. Это может быть что угодно, причем если ваше «хобби» включает в себя какую-то рутинную деятельность, обязательно найдите способ сделать его интересным;
- ***делать регулярный массаж, заниматься йогой или присоединиться к «группам здоровья»;***
- ***сосредоточиться на настоящем и преодолевать привычку «зацикливаться» на прошлом или будущем***. Вы живете здесь и сейчас, поэтому извлекайте все возможное из настоящего и переживайте каждый его момент. Не предавайтесь страхам по поводу возможного будущего, иначе вы как бы программируете это будущее и заранее конструируете его как негативное. И не задерживайтесь излишне на каких-то негативных моментах своего прошлого, так как в этом случае вы заметно уменьшаете ценность переживаний настоящего и просто мешаете себе жить «здесь и теперь»;
- ***работать систематически***. То есть не начинать очередную работу, не завершив предыдущую. Осуществлять переосмысление, если работа покажется вам скучной, чтобы найти в ней что-то, доставляющее

вам удовольствие. И приступать к любому новому делу без страха, а то иначе оно окажется (потому что кажется) труднее, чем есть на самом деле;
- ***ставить перед собой разрешимые задачи и, достигнув цели, отмечать свой успех и поздравлять себя с ним;***
- ***проявлять свои чувства открыто***, а когда это невозможно, попытаться избавиться от связанного с этим ограничением напряжения любым вышеописанным способом;
- ***не ставить перед собой неразрешимых задач***. А также намечать реальные и реалистичные сроки окончания любого дела или работы;
- ***не прибегать к алкоголю и наркотикам или к постоянной поддержке других людей***, чтобы справиться со своими собственными проблемами. Брать ответственность за свои действия на самого себя;
- ***не играть в игру «поиск виновного»***. Всздс и всегда считать себя причиной, а не следствисм. Но, одновременно, нигде и никогда не обвинять себя в том, в чем вы в действительности не виноваты.

Логические уровни стресса

Однако все описанное — только лишь азы «антистрессовой жизни». Некие общие рекомендации по «антистрессовой жизнедеятельности». Мы же с вами решили разбираться с хроничсскими стрессами всерьез и надолго. И потому я предлагаю вам осуществить анализ так называемых логических уровней факторов стресса. Логические уровни — это как бы «этажи» нашей психики и одновременно организации жизни. Разумеется, анализировать вы будете свои собственные логические уровни, заодно определив и ресурсы, с помощью которых вы эти факторы «погасите» или нивелируете. Описание *техники анализа логических уровней стресса* привожу дословно /27; с. 155–159/.

«Окружение

Что в вашем окружении вызывает у вас стресс? Длительная поездка на работу, тесный и шумный офис, неработающие бытовые приборы, ссора с близким человеком? Ваша работа может вызывать стресс, если к вам предъявляется множество требований, а у вас недостаточно возможностей для их разрешения. Чтобы ослабить стресс, может быть, вам понадобится изменить свое окружение.

Какие ресурсы предлагает вам окружение для работы со стрессом? Одна причина стресса заключается в незнании того, что случится. Информация дает чувство контроля. Исследования над больными показали, что те, кому была предоставлена поддержка и информация об их заболевании, меньше оставались в больнице и быстрее выздоравливали.

Поведение

Что из того, что вы делаете, вызывает у вас стресс? Может быть, выезд на встречу в последнюю минуту и связанное с этим постоянное напряжение, или необходимость отвечать требованиям людей в то время, когда вам не хотелось бы этого делать. Изменения в заведенном порядке могут вызвать стресс. Вы узнаете, что вызывает у вас стресс, если будете обращать внимание на обратную связь, которую передает вам ваш организм.

Какое поведение могло бы служить вам ресурсом? Больше времени проводить в путешествиях — вот один из примеров. Сказанное «нет» время от времени может доставлять удовольствие, если вы обычно говорите «да», и потом сожалеете об этом. Или же сказать «да», если вы чаще всего говорите «нет», а затем чувствуете себя плохо. Физическое удовольствие является превосходным ресурсом, например: музыка, изысканная пища, занятия с детьми, хороший фильм или физические упражнения.

Способности

Если у вас есть способность включать беспокойство у самого себя, следовательно, вы развили определенное умение. Вы почти наверняка сможете легко представить, как что-

нибудь приводит к неудовлетворительному результату. Наверное, вы делаете это, создавая мысленные фильмы о том, как все может расстроиться, а затем представляя себе устрашающие последствия. И это тоже определенное умение. Оно демонстрирует вашу способность представлять себе картины настолько живо, чтобы вызывать существенные химические изменения в своем теле. Вероятно, для этого таланта существуют другие точки приложения. Что произойдет, если ту же способность живого воображения вы примените для того, чтобы представить себе, что будет через 15 минут после удовлетворительного разрешения события, а затем подумать о том, как бы вы могли этого достичь?

Убеждения и ценности

Быть может, вы не думали о том, что убеждения и ценности способны вызвать стресс или оказаться ресурсами против него, но это именно та область, изменения в которой могут привести к значительному эффекту. Мы носим свои убеждения с собой, поэтому они будут вызывать стресс, где бы мы ни находились. Чем жестче наши убеждения и ожидания, тем сильнее переживаемый нами стресс, поскольку мир вокруг нас не свернет со своего пути только для того, чтобы удовлетворить наши нужды.

Какие убеждения могут вызывать стресс? Убеждение о том, что люди недостойны доверия и готовы обманывать вас при первой возможности, будет держать вас «на взводе» и провоцировать стресс. Сама медицинская модель является набором убеждений, чреватых появлением стресса. Она подразумевает, что когда вы болеете, ваше тело выходит из-под вашего контроля, и вам необходимо обратиться к эксперту для прохождения курса лечения. С другой стороны, убеждение в том, что вы сами полностью отвечаете за свое выздоровление, и никто не сможет вам помочь, тоже опасно возникновением стресса.

Все убеждения, ставящие вас в зависимость от других людей или событий или означающие отсутствие выбора в реагировании на различные события, будут способство-

вать стрессу. Ценности тоже оказываются важными в этот момент. Если вы обнаруживаете какой-то стресс, периодически повторяющийся в вашей жизни, значит, вы находите что-то ценное в нем для себя. Чего вы пытаетесь достигнуть? Быть может, лучше было бы достигнуть желаемого без стресса?

Все убеждения, усиливающие ваше чувство контроля над собой и внешним окружением, являются ресурсами. Вера в собственную способность управлять событиями своей жизни будет автоматически снижать уровень стресса. Это убеждение известно под названием «внутренняя сила» (self-efficacy) и глубоко изучалось Альбертом Бендурой и его коллегами из Стэнфордского университета. Они обнаружили, что чем больше люди верят в то, что могут справиться с испытанием, тем менее тяжелый урон может нанести стресс их организму. У людей с таким убеждением оказывается более сильной иммунная система.

Как вы строите внутреннюю силу (self-efficacy)?

- *Путем построения в своем прошлом ряда опорных ситуаций, связанных с успехом или провалом.*

Вспомните свои успехи, даже незначительные. Скоро вы наберете достаточно много таких примеров. Следует учитывать только те из них, в которых вы получали результаты, не приложив никаких усилий, не принимайте в расчет.

- *Путем моделирования других людей.*

Понаблюдайте за теми людьми, которым тоже пришлось столкнуться с такими испытаниями. Какие качества помогают им достичь успеха? В чем заключаются различия между теми, кто преуспевает, и теми, кто терпит провал? Что они делают? Во что верят? Что является важным для них? Если это возможно для них, то почему бы этого не сделать вам?

- *Обращаясь к ментору, человеку, который сможет помочь вам и поддержать вас.*

Ментор не обязательно должен быть реальным человеком, это может быть герой фильма или книги. Нет необхо-

димости в том, чтобы он присутствовал физически, или чтобы вы знали его лично. Это может быть исторический герой, который вдохновляет вас. Когда вам необходимы поддержка или помощь, подумайте про себя: «Как бы он посоветовал мне поступить в этой ситуации?»

Идентичность

Если стресс столь велик, что вы даже не знаете, во что поверить, у вас все еще остается ресурс — ваша идентичность. Когда вы достигаете этого уровня, вы осознаете, кто вы, и с этой позиции начинаете понимать, что вам следует делать. Отчетливое представление о самом себе является мощным ресурсом против стресса. Единственным стрессом на этом уровне может быть ложный образ. Он может проявляться двумя способами. Первый касается отношений между людьми, когда человек не позволяет кому бы то ни было увидеть себя настоящего, и скорее всего работает в тех случаях, когда человек не может выразить себя полностью в своей работе. Второй способ проявления ложного образа — это маска, надетая для своей или чужой пользы, чтобы защитить настоящую личность. Такая маска может возникнуть в детстве, когда человек не знал, как справиться с чем-то, и в качестве средства использовал ложный образ. Когда это происходит, человек еще раз переживает ощущение пустоты, и его поведение утрачивает дополнительную степень свободы для поддержания равновесия.

Выше идентичности

И наконец, выход за пределы существующей идентичности и включение ее в более полное понимание самого себя представляет самый мощный ресурс, который создаст новое представление о связи с другими людьми. Этого можно достичь многими способами — такими как любовь, религия и медитация. В этой области не существует простых ответов, а есть только возможные различные пути, по которым можно — по крайней мере временно — двигаться без стресса.

Логические уровни

	Стрессы	*Ресурсы*
Окружение		
Поведение		
Способности		
Убеждения и ценности		
Идентичность		
Выше идентичности»		

Шкала острого стресса

Будем считать, что с хроническим стрессом мы с вами более или менее разобрались. Однако любое *хроническое* состояние в конечном счете складывается из накапливаемых нашим организмом последствий острых стрессов — событий и обстоятельств нашей жизни, оставляющих в ней весьма заметный след. Американцы Холмс и Раэ даже составили специальную шкалу, в которой каждому событию, вызывающему стресс, соответствует определенное количество баллов. Весьма любопытно, что, по данным этих авторов, «стрессирующими» и весьма чреватыми последствиями являются не только беды и несчастья, но также удачи, радости и победы. Так что, наверное, правы были буддисты, утверждавшие, что совершенный человек всегда сохраняет равновесие духа: он не радуется при победах и не печалится при поражениях...

Проведенные вышеупомянутыми авторами исследования показали, что вероятность возникновения болезни определяется количеством баллов, которые «набрал» человек за год. Так, 150 баллов означают 50%-ную вероятность возникновения какого-либо заболевания, а при 300 баллах она увеличивается до 90%!

Шкала Холмса-Раэ имеет следующий вид (по: /35/).

Сравнительная шкала реакции на отдельные события

Событие	*Количество баллов*
Смерть жены или мужа	100
Развод	73
Расставание партнеров по браку	65
Тюремное заключение	63
Смерть близкого родственника	63
Собственная болезнь или несчастный случай	53
Заключение брака	50
Увольнение с работы	47
Примирение с мужем/женой	45
Выход на пенсию	45
Ухудшение здоровья члена семьи	44
Беременность	40
Сексуальные трудности	39
Прибавление семейства	39
Изменения по работе	39
Изменения финансового положения	38
Смерть близкого друга	37
Изменение сферы рабочей деятельности	36
Изменение количества домашних ссор	36
Заем или ссуда на сумму более 10 000 долларов	31
Потеря права выкупа закладной	30
Изменение обязанностей по работе	29
Начало самостоятельной жизни сына или дочери	29
Конфликт с родственниками мужа/жены	29
Выдающиеся личные достижения	28

Супруг(а) начинает или перестает работать	26
Начало или окончание учебы	26
Изменение жилищных условий	25
Пересмотр личных привычек	24
Неприятности с начальством	23
Изменение условий или времени работы	20
Смена места жительства	20
Смена учебного заведения	20
Изменение привычек проводить свободное время	19
Изменение активности, связанной с церковью	19
Изменения в общественной работе	18
Получение закладной или ссуды на сумму менее 10 000 долларов	17
Изменения сна	16
Изменение частоты общесемейных сборов	15
Изменения в режиме питания	15
Рождество	12
Мелкие нарушения закона	11

Не сомневаюсь, что сейчас вы уже приступили к лихорадочному подсчету баллов и, вполне возможно, начинаете впадать в депрессию по поводу явственных перспектив *нового* заболевания. Успокойтесь и, конечно же, внимательно изучите эту таблицу. Но, делая это (разумеется, с точки зрения случившегося с вами в последние 1—3 года и/или за столько же до возникновения вашей болезни), помните, что *на основании подсчета баллов можно только предположить возможность болезни. Что отнюдь не значит, что она непременно проявится.* Так, в исследовании все того же Холмса 51% испытуемых (более половины!), набравших больше 300 баллов, в конце концов так и не заболели... Все дело здесь оказалось в том, что ***стрессогенным фактором везде и всегда выступает не само по себе событие или обстоятельство, а наша его оценка***. То есть то, насколько вы «западаете» на любую из вышеперечисленных проблем или неприятностей.

Психологи С. Кобаса и С. Медди в середине 70-х годов провели исследование 200 менеджеров Телефонной компании Белла в Иллинойсе /27/. Это было трудное для данных менеджеров время, потому что компания оказалась в каких-то весьма сложных деловых отношениях с другой весьма крупной фирмой. Все менеджеры заполнили анкету относительно стресса и перечень болезней и симптомов. Это были мужчины средних лет, женатые, из среднего класса общества.

Так вот, хотя у всех был один и тот же уровень стресса, лишь 100 сообщили о чрезвычайно болезненном состоянии. У остальных наблюдались только некоторые признаки диагностируемых заболеваний. И обнаружилось, что те работники, которые оставались здоровыми, по-другому думали о происходящих с ними событиях. Во-первых, они относились к изменению как к неизбежной части жизни и возможности для роста, а не как к угрозе для достигнутого. Во-вторых, были убеждены, что, будучи не в состоянии контролировать происходящее, они смогут повлиять на последствия возникших проблем. А в-третьих, эти работники были серьезно увлечены своими семьями и работой, что давало им целеустремленность и энергию. Исследователи эту комбинацию *контроля*, *обязательства* и *готовности принять испытание* назвали ***«психологической устойчивостью»***.

Кстати, после этих исследований в рамках Чикагского проекта изучения стресса в течение восьми лет продолжались наблюдения за здоровьем 259 менеджеров. Оказалось, что в периоды усиления стресса, связанного с условиями труда, у сотрудников с низкой психологической устойчивостью наблюдались куда более резкие ухудшения здоровья.

Итак, что в чисто практичном плане означают для нас перечисленные результаты? То, что для того, чтобы справиться с любым стрессом и стрессором, нам, во-первых, необходим выбор правильного отношения к «стресс-агрессору». Во-вторых — некие поддерживаемые изнутри обязательства (не только перед другими, но и перед самим собой), как бы запрещающие (или не дающие) просто сложить лапки и утонуть в сметане, не взбив ее в масло, как это очень точно описано в известной притче о двух попавших в банку лягушках. А в третьих — готовность принять проблему как испытание или даже просто тренировку, когда вместо горестных сетований на препятствия, вызывающие у вас стресс, вы трезво и по возможности спокойно спрашиваете себя:

Что может означать этот стресс и стрессор?

Какой смысли или значения я хотел бы придать всему этому?

Как я могу превратить это в тренировку или на худой конец в полезное испытание?

Что еще нужно в периоды острого стресса? Умение быстро *переработать* последствия воздействия стресс-агента или стресс-фактора. Ибо, как абсолютно справедливо утверждал отец гештальт-терапии Ф. Перлз, все, что с нами случается или происходит, нужно по этакой «пищевой» аналогии сначала прожевать, потом проглотить, а далее переварить (в роли «едока» в данном случае выступает ваше Сознание). А если этого не произошло, то непрожеванное, непроглоченное и/или непереваренное событие как бы застревает в вашей психике и начинает уродовать Тело. И потому ниже я привожу целых пять психотехнологий НЛП, позволяющих резко ускорить «пищеварительный процесс» для любых проблем и неприятностей.

Психотехнологии работы с проблемами и неприятностями

Начнем с проблем, ибо чего-чего, а уж этого добра в нашей жизни хватает. И хотя проблема — это еще не неприятность, будет куда лучше, если, не дожидаясь превращения «еще» в «уже», вы либо отнивелируете, либо разрешите эту проблемность, воспользовавшись *техникой периферийного процесса*. Делается она так /5/.

1. *Вспомните ситуацию, которая была или является в каком-то смысле для вас проблемной. Увидьте ее в виде картины или фильма.*
2. *Сфокусируйтесь на ощущениях вашего тела. Как вы себя ощущаете вспоминая эту ситуацию?*
3. *Просмотрите картину или фильм вновь. В картине увидьте себя со стороны. Фильм же превратите в серию маленьких, объемных черно-белых картинок, заключенных в рамку.*
4. *Просмотрите картину или фильм опять. Увидьте себя в нем и установите периферийное зрение. Для этого сделайте рамку при помощи рук, а затем раздвиньте ее в стороны так, чтобы краешками глаз видеть свои руки. Не смотрите прямо на периферию — продолжайте смотреть перед собой.*
5. *Просмотрите эти картинки или фильм снова — и диссоциированно, и так, как если бы вы были внутри опыта (то есть не видя себя самого). Сохраняя периферийное зрение, связь с телом и замечая сходство и различия. Спросите себя «Чьи ценности я использую?» «Чему я могу научиться?» Если ценности, которые вы используете, ваши собственные, спросите себя «Как я могу стать другим в будущем?»*

Результатом такого процесса обычно является то, что люди часто создают «Большую, более полную картину». И буквально начинают видеть *отношения* главного объекта своего внимания с другой точки зрения. Между элементами человеческого опыта возникает как бы больше баланса и все его составляющие выстраиваются в перспективу.

Я почти всегда *начинаю* с этой или аналогичной техники — во всех случаях, когда мне кажется, что клиент как-то неполно или искаженно воспринимает свою проблему (а если это действительно проблема, он *обязательно* воспринимает ее неполно и искаженно). Прошу пациента вспомнить и увидеть свою проблему — не важно как. Определить, что именно он увидел — отдельную картину, несколько картин («фотороман») или фильм. И показать мне *размеры* этих самых изображений — отдельной картины, серии картин или же «экрана», на котором он видит этот «фильм» своей проблемы.

А дальше – прежде всего в тех случаях, когда размеры эти небольшие и достаточно четко очерчены — приступаю к описанной технике. Предлагаю клиенту вытянуть руки и, глядя прямо перед собой, начать их разводить до тех пор, пока он еще может их видеть. И, сохраняя такой вот странный характер своего взгляда, когда экран восприятия в результате действия стал не просто широким, но панорамным, снова вспомнить «картинки» или «фильм» проблемы и заново их рассмотреть или просмотреть — входя в это «изображсние» и выходя из него.

После этого остается только поинтересоваться тем, что произошло. Кое у кого картинка или фильм просто исчезают, а на место проблемы приходит решение. У других происходит видоизменение образа проблемной ситуации, и они начинают видеть то, что раньше было «скрыто за кадром». И все без исключения обретают возможность исследовать свою проблему более широко, трезво и беспристрастно...

Если вы осуществили все это, включая обязательную работу по расширению восприятия и извлекли урок из давнишней ситуации, но тем не менее так от нее (этой самой ситуации, а точнее, от связанных с нею неприятных воспоминаний и некой «принудительности» этих воспоминаний) и не избавились, пришла пора заняться более систематическим уничтожением всего этого неприятного и принудительного (преимущественно в визуальной модальности).

Лучше всего это сделать, используя систему техник быстрого разрушения. Однако прежде чем приступить к ней, на всякий случай проведите тщательную экологическую проверку. Разрушение создает амнезию, а ваши мысленные картины (фильм) могут быть каким-либо образом полезны для вас (например, содержать информацию о том, чего не стоит делать в будущем). Если это так, то будет лучше если вы сначала *выделите* полезную информацию и *поместите* ее в какую-нибудь новую картину (вернитесь-ка к технике расширения восприятия!). Или просто воспользуйтесь каким-либо иным, не создающим амнезии вмешательством.

А теперь о том, что можно сделать в этой самой *системе техник быстрого разрушения проблемных состояний и навязчивости* /2/.

Во-первых, ***примените растрескивание***. Это то, что происходит с закаленным стеклом (например, с лобовым стеклом машины), когда оно разбивается. Так что представьте, что тревожащий вас зрительный образ как бы нарисован на лобовом стекле, «врежьте» по нему (стукните как следует молотком или кирпичем) и с удовольствием посмотрите, как оно разбивается и распадается. Если надо, повторите это несколько раз, дабы «растрескать» неприятное воспоминание полностью и навсегда.

Во-вторых, ***просмотрите свои картинки «шиворот навыворот»***. Как и другие энэлперы, я не знаю, что при этом происходит. Но всякий раз когда я предлагал сделать это своим клиентам, они обязательно получали что-то полезное. Обычно фильм или картинка как бы выворачивались, и все, находящееся в центре, внезапно перемещалось (автоматически, а не осознанно!) наружу: а все, что было по краям, «сплющивалось» в центре. Бывало и так, что внезапно, сами собой «картинки» переворачивались вверх ногами, а фильм начинал идти «задом наперед». Однако что бы ни происходило, терапевтический эффект был налицо: навязчивость уменьшалась или просто исчезала.

В-третьих, ***поместите «картинку» на воображаемый экран и представьте, что проекционная лампа прожигает дырку*** в этом и всех прочих кадрах. Если хотите, просто сожгите экран вместе с образом.

В-четвертых, ***для разрушения картины можно*** также ***просто:***

- ***поворачивать ее, как в калейдоскопе;***
- ***смывать, как акварель или рисунок на тротуаре под дождем;***
- ***увидеть образ в зеркале, которое разбивается, или в водоеме, поверхность которого приходит в волнение.***

И т. д. и т. п. — словом, делайте все, что вам придет в голову, дабы образ исчез или видоизменился.

Ну а если неприятность как бы закодировалась в вашем Сознании в виде этакого «фильма ужасов», никто и ничто не препятствует вам воспользоваться очень любимой мною *техникой обезумливания субмодальностей* (только не спрашивайте меня, что это такое!).

1. *Подумайте о неприятном воспоминании или проблемной ситуации и прокрутите его как диссоциированный фильм (если фильм ассоциированный, «диссоциируйтесь» из него).*
2. *Теперь прокрутите тот же фильм, представив, что вы смотрите его по* ***черно-белому*** *телевизору.*
3. *Снова прокрутите черно-белый фильм, но* ***с удвоенной скоростью*** *(обязательно обратите внимание, что «беседующие» или ругающиеся в нем люди — если, конечно, там есть «звуковой» ряд — разговаривают теперь в стиле Чипа и Дейла).*
4. *Опять прокрутите на удвоенной скорости черно-белый фильм — но теперь уже* ***задом наперед*** *(из конца — в начало).*
5. *Снова прокрутите этот черно-белый фильм — задом наперед на удвоенной скорости, но теперь еще и* ***кверху ногами.***
6. *Опять просмотрите все это — но на экране, имеющем раму в виде овала с прорезью внизу.*

7. *А теперь присмотритесь к этой раме и выясните, что вы смотрели свой фильм в судне унитаза. Нажмите на ручку сливного бачка и спустите воду вместе с... остатками фильма.*

Однако я не советую вам усердствовать с уничтожением — особенно, если речь идет о каких-то крупных или серьезных воспоминаниях, пусть даже они остались неприятными или навязчивыми. Ведь это — ваш собственный бесценный опыт. Драгоценный опыт вашей жизни. Который следует не уничтожать, а переосмысливать — в полном соответствии с библейским указанием на необходимость отделения зерен от плевел. Что вы вполне можете осуществить, применив, например, технику «буквальный рефрейминг».

Вообще-то, как вы узнаете дальше, в нейролингвистическом программировании термин «рефрейминг» используется для обозначения **словесного** переформулирования чего-то, в результате это «что-то» приобретает иной смысл и содержание. Помните, например, как Том Сойер «замотивировал» мальчишек покрасить за него забор? Это был классический рефрейминг, который он, кстати, осуществил одной-единственной фразой: «Часто ли мальчикам достается красить заборы?»

Вы еще встретитесь с техникой словесного рефрейминга на страницах этой книги. Пока же я просто сообщу, что буквально «рефрейминг» означает «изменение рамки» (т.е. является визуальным, а не аудиальным словом). Может, именно поэтому эффектом процесса рефрейминга обычно действительно выступает чисто визуальное же помещение проблемного события в какую-нибудь новую рамку или фон. Но можно сделать это и без «словесных выкрутас» — просто и буквально. С помощью *техники «буквального рефрейминга»* /2/.

1. ***Подумайте о ситуации, при мысли о которой вы чувствуете себя плохо.*** *Это может быть все что угодно: старое воспоминание, нынешняя проблемная*

ситуация или ограничение, а может быть, и что-нибудь еще.

2. ***Тщательно рассмотрите визуальную часть своего проблемного опыта, затем мысленно шагните из него назад так, чтобы вы видели себя в этой ситуации*** *(диссоциируйтесь). Если вы не сможете создать эту диссоциацию осознанно, просто «почувствуйте», что проделываете это или притворитесь, что сделали.*
3. ***Теперь поместите вокруг этой картины большую золотую раму в стиле барокко примерно в два метра шириной.*** *И отметьте, как это изменяет ваше восприятие проблемной ситуации.*
4. ***Если изменения недостаточны, поэкспериментируйте.*** *Используйте овальную рамку, какие употреблялись много лет назад для старых семейных портретов; раму из нержавеющей стали с острыми краями или цветную пластиковую рамку.*
5. ***После того как рама выбрана, поразвлекайтесь, украшая «картину» и пространство вокруг нее.*** *Музейное яркое освещение, приподнятое над картиной, «проливает иной свет на предмет», нежели тусклая свеча, стоящая на подставке под ней. Вид реальной обрамленной картины среди других картин на стене в музее, или в чьем-то чужом доме, может создать совершенно «другую перспективу». Если хотите, мысленно выберите знаменитого — или не очень — художника и превратите свою картину в полотно, исполненное этим художником или в его стиле.*

...С этой весьма элегантной дамой — прокурором одного из городов Челябинской области, которую я тут же про себя окрестил «прокуроршей» — мы познакомились в Адлере, в пансионате «Знание», где я когда-то отдыхал вместе с женой и дочерью. Точнее, познакомилась с ней моя жена — на почве «географической» близости, ибо когда-то она переехала в Москву именно из Челябинска. Обе дамы мило проводили время, предоставив мне желанную возможность побыть наедине с собой. Однако в некоторых необременительных их развлечениях типа полуденного кофепития я все-таки участвовал. И обратил внимание на то, что при упоминании темы «смерть» — не важно, чьей и как происшедшей — лицо «прокурорши» вытягивалось и застывало в маску страха...

Обычно я никого не лечу на отдыхе. Но нигде и никогда не отказываю в помощи страдающему человеку. И потому, воспользовавшись удобным моментом, я «раскрутил» «челябинскую даму» и узнал ее историю.

Оказалось, что два года назад умерла ее мать. Во время похорон из-за невнимательности одного из кладбищенских рабочих гроб сорвался с петель и рухнул на дно могилы. И кто-то из присутствующих «доброхотов» со знанием дела объяснил: «Это мать зовет за собой. Значит, скоро за ней пойдет и дочь. Умрет в одночасье»...

Дальнейшее можно не описывать. Депрессия, фобический синдром, многочисленные посещения психиатров, горсти таблеток — больших и малых транквилизаторов, от которых вскоре нарушилась память. И все напрасно. И все без толку. «Эта картина намертво засела в моей памяти, — сказала мне «прокурорша». — С тех пор я не могу спокойно слышать о смерти. И все жду, когда мать позовет меня к себе. Наверное, скоро — я за эти два года совсем потеряла здоровье...»

Я попросил даму описать мне «застрявшую» в ее памяти картину похорон и совершенно не удивился, обнаружив, что она до сих пор продолжает видеть ее как бы из своих глаз — т.е. ассоциированно. И предложил ей расслабиться и всего-навсего воображать и представлять все то, что я буду говорить.

Я предложил клиентке выйти, или вышагнуть из картины, сделав несколько шагов назад (таким образом я добился диссоциации). Потом заключить эту картину в красивую золоченую раму в стиле барокко или рококо и, пригласив воображаемых рабочих, предоставить им возможность повесить эту картину на воображаемой же стене: «там, где она будет лучше выглядеть».

Далее я попросил «прокуроршу» представить, что она находится в одной из комнат Музея Ее Жизни. А представив — выйти из комнаты этого музея, где она только что повесила картину, и перейти в другую комнату: *будущих* «экспозиций» и оттого пока пустую. И обустроить эту комнату, сделав ее пол, потолок, стены, люстры и шторы такими, чтобы сюда было приятно заходить.

После этого я попросил даму мысленно выйти из этой будущей комнаты — через любую дверь, но не ту, в которую она вошла. Вступить в анфиладу комнат Музея Ее Жизни и медленно пойти по ним из настоящего в прошлое, созерцая развешанные на стенах картины ее жизнедеятельности. Вспомнить, что через какое-то время ей придется вести по этим комнатам экскурсию и в качестве гида рассказывать о своей жизни. Ей придется провести некую инвентаризацию картин, развешанных на стенах музея, с тем, чтобы представить свою жизнь «экскурсантам» хорошо и красиво. Например, сделать ярче, переместить поближе или просто лучше осветить все те картины жизни, которые представляют ее в самом хорошем свете и которые просто приятно вспоминать. И повернуть лицевой стороной к стене все те картины, о которых неприятно вспоминать и которые не стоит никому показывать — с тем, чтобы чуть позднее служитель Музея Ее Жизни убрал все эти картины в запасник.

Когда сопровождаемая моими словами клиентка в своем путешествии в прошлое добралась до самых первых картин своей жизни — сразу после рождения, — я предложил ей выйти в вестибюль Музея Ее Жизни, дружелюбно поболтать там со служителем, между делом напомнить ему о необходимости сразу после ее ухода убрать ненужные картины ее жизнедеятельности в запасник, а после, распрощавшись, выйти из Музея и тут же придирчиво изучить и украсить его дверь и вывеску.

И только потом вернуться в здесь и теперь и открыть глаза (они закрылись сами собой еще в начале сеанса) и сказать, что она чувствует прямо сейчас...

Специалисты поймут, сколь сложную метафору я применил в этом случае для взаимодействия с бессознательным клиентки. Однако в основе ее лежал вышеописанный буквальный рефрейминг. Так что просто пользуйтесь им — тем более что после этой терапевтической интервенции у моей челябинской дамы начисто исчезли и страх смерти, и соматические патологии...

Скажите, а после того, как вы прочитали обо всем этом сонме методов быстрого избавления от микронавязчивостей, проблемных состояний и неприятных воспоминаний, которые составляют лишь малую толику из существующих в нейролингвистическом программировании, не возникла ли у вас мечта о некоем едином или интегральном методе, каковой можно было бы использовать если не во всех, то многих случаях наличия в нашей психике всяческих неприятностей? А ведь он действительно существует, и не один. Есть два универсальных метода «перенастройки» своего мозга во всех случаях психических и физических недомоганий — простой и более сложный.

Оба базируются на движениях глаз и той связи, какова имеется между положением глаз и соответствующим им режимам работы мозга. О том, что такая весьма прямая связь существует, вы, может быть, даже и знаете. Но даже в этом случае, наверное, слегка подзабыли об уже упоминавшихся мною возможностях *обратной связи*. О том, что если режим работы вашего мозга задает положение ваших глаз, то изменение этого положения запросто может изменить данный режим! И если вы упорно застреваете в чем-то неприятном или просто находитесь не в лучшем психическом и физическом состоянии, дабы вышибить себя их этого поднадоевшего вам и явно неэкологичного режима работы вашего мозга, иногда бывает вполне достаточно следующей *техники глазодвигательной десенсибилизации* (описание сделано мною).

1. *Репрезентируйте VAKD вашего негативного состояния, то есть то, что вы видите, слышите, чувствуете и думаете в связи с ним или по его поводу (иногда достаточно бывает просто вспомнить о неприятном...).*
2. *Теперь, удерживая этот интегральный образ (и соответствующий ему режим работы вашего мозга), начните примерно минуту (можно больше, но никак не меньше) принудительно двигать глазами:*

- *хаотически*
- *описывая ими «восьмерки» или «круги»*
- *горизонтально*
- *вертикально и/или*
- *крест-накрест (и прямо, и наискось).*

Скорее всего, по окончанию этой процедуры вы обнаружите, что по непонятной причине «вылетели» из своего неприятного состояния. И более того, с каждым повторением этой процедуры возвращение в него становится для вас все более проблематичным, а само это состояние воспринимается как куда менее болезненное.

Однако то, что я описал, может не сработать «до конца». Поскольку является упрощенным вариантом более сложной и уже упоминавшейся в связи с убеждениями психотехнологии, разработанной американкой Ф. Шапиро — кстати, изначально не имевшей никакого отношения ни к нейролингвистическому программированию, ни даже просто к психотерапии /44/.

На создание данного метода эту женщину подтолкнула жизненная необходимость: в тридцать шесть лет она заболела раком молочной железы. После операции по поводу этой болезни Шапиро — литературовед по образованию — никак не могла избавиться от ночных кошмаров и дневных страхов и тревог. Пока не обнаружила, что можно значительно уменьшить их, если интенсивно двигать глазами в разных направлениях. И после долгих экспериментов над собой и другими она «оформила» психотехнологию, каковая, как вы уже поняли, нынче официально называется *техника десенсибилизации посредством движения глаз* (ДПДГ).

Полная схема использования ДПДГ выглядит следующим образом.

1. *Подумайте о своей неприятности и сосредоточьтесь на образе, который представляет ее либо целиком, либо наиболее травмирующую ее часть. Желательно, чтобы в этом образе присутствовал полный VAKD, хотя это и не обязательно.*
2. *Определите или сформулируйте утверждения, характерные для вашего отрицательного самоопределения — т.е. той негативной мысли-самооценки, которая сопровождает эту неприятность (или которую вы из нее вынесли), например:*
   Я бессилен.
   Я ничего не могу предпринять.
   Я ничтожество.
   Я не могу преуспеть.
   Я не достоин успеха.
3. *Создайте суждение, которое будет отражать ваше положительное самоопределение по поводу данной неприятности — т.е. то, что должно присутствовать в вашем сознательном и бессознательном вместо негативной самооценки, в которой вы застряли. Например:*
   Я обладаю необходимыми ресурсами.
   Я могу многое сделать.
   Я — человек, достойный уважения.
   Я вполне могу преуспеть.
   Я достоин успеха.
4. *Оцените собственную веру в это новое положительное самоопределение по семибалльной шкале, где 1 — «полностью не верю», а 7 — «полностью верю». Не удивляйтесь тому, что оценка ваша находится в пределах 1–2 баллов — так, увы, и должно пока быть.*

5. *Теперь уже по десятибалльной шкале оцените уровень своего собственного беспокойства по поводу исходной неприятности. Здесь 10 баллов будут соответствовать максимальному беспокойству, а 1 — минимальному. Опять-таки не удивляйтесь оценке в 8—9—10 баллов — иначе и быть не должно, ведь эта самая неприятность намертво застряла в вас и никуда не хочет уходить без посторонней помощи. А вот уровень оценок в 3—4 балла говорит о том, что вы занимаетесь ерундой — с этим вполне можно справиться и без всякого НЛП и ДПДГ.*
6. *Теперь сделайте последнее в плане подготовки к десенсибилизации посредством движения глаз. Определите оптимальную скорость и амплитуду движения ваших глаз с помощью собственной (но лучше — чьей-нибудь) руки, в которой «точкой фиксации взгляда» будут выступать два сомкнутых пальца — указательный и средний. Проделайте это оценочное определение для:*

- *горизонтальных движений (⇔)*
- *вертикальных движений (⇕)*
- *«диагональных» движений (⇗⇙)*
- *движений по кругу (○)*
- *«большой восьмерки»*

— вертикальной (8) и

— горизонтальной (∞), а также

- *«крестообразных» движений (⇐⇕⇒ и ✕)*

Выберите то из движений, которое вам больше всего понравилось. С него и начните.

7. *Вспомните VAKD своей неприятности и, думая о ней, проделайте серию из 24 движений глаз — например, начните с горизонтальных. Окончив серию, выбросьте все из головы и сделайте глубокий вдох и выдох. После чего вернитесь к образу и исследуйте:*

- *то, что вы сейчас испытываете по поводу этого образа;*
- *то, что вы теперь думаете о своей неприятности.*

А затем оцените уровень вашего беспокойства по десятибальной шкале. И повторяйте все вышеописанное до тех пор, пока уровень вашего беспокойства по поводу неприятности не снизится до приемлемого для вас (точных норм здесь нет, хотя достижение 2–3 баллов близко к достаточному).

8. *Теперь сосредоточьтесь на представлении выбранного вами положительного самоопределения (просто думайте о нем) наряду с воспоминанием о вашей неприятности (ее образе) и продолжите серию движений глаз до тех пор, пока вера в это положительное представление не достигнет приемлемого для вас уровня (обычно 5 и выше).*
9. *И наконец, после того, как положительное самоопределение достаточно утвердится, удерживая и его, и образ неприятности, исследуйте, не осталось ли у вас где-то в теле неприятных ощущений или напряжений. Если таковые обнаружатся, сфокусируйтесь на них и осуществите необходимое количество серий движений глаз — до тех пор, пока все не уйдет: и эти ощущения, и то, что «всплывет», пока вы будете их прорабатывать...*

Кое-что о человеческом счастье

А знаете, что является лучшим средством борьбы как с хроническими, так и острыми стрессами? А, уже догадались... Правильно — ощущение счастья. Ибо, как справедливо сказал уже не помню кто, человек — это удивительное существо. Поскольку одного дня несчастья ему достаточно для того, чтобы забыть все дни счастья. Но, к счастью, добавил этот мудрец, всего одного дня счастья ему достаточно, чтобы забыть все эти несчастья...

Так вот, именно вашим счастьем мы сейчас и займемся. Вначале — с помощью двух упражнений, разработанных Дж. Рейнуоттер — *техники уровня счастья* /33; с. 57–58/.

«Упражнение «Уровень Счастья» (1)

Сядьте удобно.

Сделайте несколько полных вдохов и выдохов.

Каков ваш Уровень Счастья сейчас? Как обычно, 100%?

Если да, примите мои поздравления!

Если нет, постарайтесь с помощью самонаблюдения понять, что мешает вам насладиться обычным 100%-ным Уровнем Счастья.

Вы тревожитесь о будущем?

Вас беспокоит что-то в прошлом?

Вы сравниваете себя с кем-то?

Вы чувствуете, что вас кто-то несправедливо обидел?

Вы хотите отомстить кому-то?

Вы чувствуете, что «все бесполезно, все безнадежно»?

Упражнение «Уровень Счастья» (2) /33; с. 58/

«Составьте список всего того, за что вы можете быть благодарны судьбе в настоящий момент. Проследите, чтобы в ваш список было включено все, что стоит благодарности: солнечный день, сбережения в банке (даже если сумма не очень велика!), свое здоровье, здоровье членов вашей семьи, жилье, пища, красота, любовь, мир.»

А после этого — посредством уже более серьезной психотехнологии: *техники «ежедневный рейтинг счастья»* /27; с. 201–203/.

«Получаете ли вы достаточное количество удовольствий каждый день?

Мы не собираемся выписывать вам рецепт на удовольствия, а просто предлагаем вам поработать больше над тем, что приносит их вам, и начать получать их в большем количестве. Что вы делаете чаще всего из тех вещей, которые вам по-настоящему нравятся?

И извлекаете ли вы максимум радости при этом?

Подумайте о многих приятных переживаниях, которые были у вас в жизни.

Запишите от трех до пяти приятных событий под каждым из следующих заголовков:

1. *На открытом воздухе.*
2. *Профессиональные.*
3. *Спорт.*
4. *Музыка.*
5. *Хобби.*
6. *Путешествие.*
7. *Отношения, друзья и семья.*
8. *Чтение.*
9. *Дети.*
10. *Секс.*
11. *Религия и духовность.*
12. *Одежда.*
13. *Решение проблем.*
14. *Финансы.*
15. *Приготовление пищи.*
16. *Друзья.*
17. *Телевидение.*
18. *Выходные дни.*
19. *Игры.*
20. *Неожиданные проявления доброты.*

Например, первый заголовок «На открытом воздухе». Пять приятных случаев могут быть такими: прогулка после обеда, любование закатом, первый снег, пение птиц в лесу и запах свежескошенной травы. Пять примеров под вторым заголовком можно уточнить: решение проблем на работе, встреча с друзьями, поощрение вашей работы и похвала в адрес других. Неожиданные проявления доброты включают в себя те случаи, когда вы были добры с другими совершенно без всякого повода или другие люди неожиданно проявляли сердечность по отношению к вам. Нам приходилось читать о неожиданных актах насилия, так почему бы не быть неожиданным актам сердечности?

Если вы столкнетесь с трудностью при заполнении какого-то пункта, возможно, вы рассуждаете слишком грандиозными терминами. Эти проявления удовольствия могут быть простыми и короткими: первый глоток во время обеда, краткий миг, предшествующий полному просыпанию, звуки детской игры, лишь бы они были действительно приятными.

Можно пойти другим путем: пробежать последние несколько месяцев и вспомнить приятные события, а затем уже разбить их по категориям.

Какое из этих событий вам кажется наиболее приятным?

Какое из них выше всего поднимает вашу самооценку?

Какие события вы хотели бы записать дополнительно?

Двадцать заголовков по пять примеров в каждом в целом составляют 100.

Сейчас подумайте о последнем месяце. Может быть, вы сделали некоторые вещи несколько раз. Пометьте каждый пример следующим образом:

1. *Вы получили незначительное удовольствие в этом случае.*
2. *Это был довольно приятный момент.*
3. *Это было настоящее наслаждение.*

Общий счет может составить 300. А какой счет у вас? Разделите его на 30, чтобы определить свой ежедневный рейтинг счастья.»

Прояснение своей жизни и инвентаризация факторов здоровья

Наверное, все изложенное вызвало в вас какое-то смутное недовольство тем, как вы живете, и даже — ох, как бы мне этого хотелось! — желание изменить свою жизнь. Так в чем проблема? Начинайте менять, а точнее, прояснять свою жизнедеятельность. Хорошим подспорьем в этом вам будет семидневная *техника прояснения своей жизни* /4; с. 311–318/.

«ДЕНЬ 1 — ОПРЕДЕЛИТЬ АКТУАЛЬНОЕ

Мы хотим попросить вас сделать своеобразный «переучет» жизни, который станет основой для всей остальной программы. Чтобы чего-либо достичь, вам необходимо знать, к чему вы идете. Также важно понять, на каком этапе вы находитесь в данный момент. Только тогда вы сможете обозначить трассу, выходящую из вашего настоящего местопребывания и заканчивающуюся в том месте исполнения желаний.

Почти каждый из нас, подчас не подозревая об этом, делит свою жизнь на то, что он любит, и то, чего не любит. Один из создателей НЛП, Ричард Бэндлер, заметил, что хотя мы хорошо знаем, что нам нравится, а что не нравится, мы, скорее всего, бессознательно совершаем следующее деление: на вещи, которые нам нравятся либо которые мы хотим иметь, но не имеем — к примеру, новый автомобиль, отпуск, повышение, — а также вещи, которые нам не нравятся и которых мы не желаем иметь, но которые имеем, например — излишек веса, нетерпение, плохо воспитанных детей.

Для начала определите, что действительно нравится вам в жизни. Это могут быть «великие» достижения — ведение дома, получение награды или повышение, но это могут быть и мелочи: слушание шума волн, вкус шоколадного мороженого, любование спящим ребенком. Составьте список, не жалейте на это времени — он должен быть длинным. Озаглавьте его: ***«Хочу и имею».*** *Используйте в приведенном ниже образце первую колонку.*

Перейдем к следующему вопросу: «Что вы имеете, но не желаете этого иметь?» Некоторые люди на протяжении всей свой жизни задают себе этот вопрос. Если вы минуту подумаете, то наверняка назовете лишние килограммы или вредные привычки, уличные пробки, дни, когда шеф бывает особенно ворчливым, все, что становится вам поперек дороги. Составьте достаточно длинный список. Озаглавьте его: ***«Не хочу, но имею».*** *Обратитесь к следующей колонке.*

Следующий вопрос: «Чего вы хотите в жизни, но чего не имеете?» Пришло время составить ***«список желаний».*** *Начните с чего угодно — с работы, дома, личной жизни, финансов и т.д.*

Примите во внимание свои главные мечты, но помните также о повседневных мечтах, например, о ясном небе, чистой постели, об ароматном кофе. Не спешите с составлением списка. Озаглавьте его: ***«Хочу, но не имею».*** *Используйте следующую колонку.*

Последняя колонка относится к вопросам из категории, о которой мы практически никогда не задумываемся: «Чего вы не имеете в жизни и не хотите иметь?» Если вы сходны с большинством людей, вы не задумывались об этих вещах, но сейчас вам придется уделить им несколько минут. Есть вполне очевидные вещи, которые не пожелает иметь ни один здравомыслящий человек: страшная болезнь, большой долг, ребенка-инвалида, плохое здоровье, неспособность к работе. Существует также множество вещей, которых вы не собираетесь делать или иметь и даже не желаете пытаться сделать их — тюремное заключение, экскурсия на склады токсических отходов. Выпишите некоторые из них. Озаглавьте список ***«Не хочу и не имею».*** *Используйте последнюю колонку.*

Убедитесь в том, что каждый из перечисленных пунктов реален и конкретен. Последите, чтобы каждая колонка содержала в себе несколько пунктов.

Хочу и имею	*Не хочу, но имею*	*Хочу, но не имею*	*Не хочу и не имею*

В заключение определите:

- *Какой из списков самый длинный/самый короткий?*
- *Составление какого из списков далось вам легче всего/труднее всего?*
- *Какой из списков вам лучше всего знаком/хуже всего знаком?*
- *Когда вы переводите взгляд с одного списка на другой, не теряют ли некоторые пункты своей важности, или же в данном списке — «горы», а в другом — «пригорки».*

Довольны ли вы своими ответами? Вы согласны с тем, что вами написано, или же вам хотелось бы что-либо изменить? Перед тем как вы сегодня заснете, позвольте вашему сознанию «покружиться» вокруг разных ваших дел — как они складываются и как вам бы хотелось, чтобы они сложились.

ДЕНЬ 2: ОТКРЫТЬ НАПРАВЛЕНИЕ МОТИВАЦИИ И ПРИОРИТЕТОВ

Вчера вы определили свое актуальное, равностепенное. Сегодня вы сконцентрируйте свое внимание на двух колонках: ***«Хочу, но не имею»*** *и* ***«Не хочу, но имею».*** *Которая из них в большей степени притягивает ваше внимание? Помните ли вы направление мотивации? Список* ***«Хочу, но не имею»*** *является иным способом описания мотивации* ***К****, а* ***«Не хочу, но имею»*** *— иным способом описания мотивации* ***От.*** *Обратите внимание на то, какой из типов мотивации для вас сейчас важнее. С этого типа и начните, прочитайте все пункты и определите приоритеты. Что вы хотели* *бы изменить в первую очередь? Что затем? Можете применить любую шкалу: А, В, С, или 1, 2, 3, или какую-либо еще на ваше усмотрение. Когда вы закончите определять меру важности пунктов из первого списка, проделайте то же самое со вторым списком.*

Когда оба списка будут составлены в соответствии со степенью важности пунктов, позвольте предложить иной способ мышления о приоритетах. Подумайте, какое изменение (если бы оно произошло) было бы наиболее значительным в вашей жизни? Быть может, вы уже разместили его на самой вершине, а быть может, оно показалось вам менее существенным. К примеру, как изменилась бы ваша жизнь, если бы вы каждый день просыпались в хорошем настроении? Подумайте, что могло бы ежедневно изменять ваше настроение в лучшую сторону — вкусный завтрак, красивый фарфор, прекрасная музыка, беседа, красивый галстук? Еще раз пересмотрите список приоритетов, чтобы отыскать пункты, которые наверняка вызовут большие изменения, отметьте эти пункты звездочкой.

ДЕНЬ 3: ЗАМЕНИТЬ ОПАСЕНИЯ НА МЕЧТЫ

Вновь взгляните на ваш список «Не хочу, но имею». Если этот список занимает первое или второе место по своей длине, то это упражнение станет для вас еще более важным. Если кто-то развил в себе направление мотивации ***От****, он будет концентрироваться на том, чего не любит и не хочет. Хотя это и может быть мотивирующим, в конечном итоге оно не дает большого чувства удовлетворения. Человек, отстраняющийся от того, что ему не нравится, получает облегчение и избавляется от стресса, но это не приносит ему чувства удовлетворения. Чтобы испытать чувство выполненной миссии, необходимо переориентировать свое внимание. Этого можно достичь, отводя внимание от нежелаемого и обращая его на то, чего мы хотим. Это упражнение направит ваше внимание на то,* *чего вы хотите, и отведет от того, что вам не нравится, используя при этом составленный вами список.*

Перепишите в заново определенной последовательности колонку «Не хочу, но имею» на чистый лист бумаги. Затем по очереди прочитайте все, чего вы «Не хотите, но имеете», и придумайте позитивную фразу, имеющую такое же значение, но называющую что-то, чего вы «Не имеете, но хотите». К примеру, если вы не хотите, но имеете лишние килограммы, то наверняка тем, чего вы хотите, но не имеете, является похудение. Если вы не хотите, но имеете работу совершенно бесперспективную, это значит, что вы не имеете, но хотите иметь работу, дающую множество возможностей. Каждое «Не хочу, но имею» замените на «Хочу, но не имею», которое наверняка удовлетворит вас. Запишите все измененные фразы, чтобы обратиться к ним в будущем. «Не хочу, но имею» на «Не имею, но хочу».

ДЕНЬ 4: ЗАМЕНИТЕ МЕЧТЫ И ЖЕЛАНИЯ ДОСТИЖИМЫМИ ЦЕЛЯМИ

Взгляните на свой первоначальный список желаний «Не имею, но хочу» и на новый список «Не имею, но хочу», составленный вами вчера. Соедините их в один список с актуальными приоритетами. Быть может, вы захотите переписать его в новой последовательности. Или включить новые пункты.

А теперь выберите одну из главных целей и пройдите весь путь «Точно выведенных условий реализации цели». Используйте «Вопросы о результатах», которые помогут вам заменить каждый пункт из списка «Не имею, но хочу» из мечты или желания в достижимую цель. Примените это в отношении каждого из пунктов. Обработка всего списка не уместится в один день, а поэтому на сегодня выберите для 5 или 6 пунктов, наиболее важных для вас, а затем разрабатывайте по одному ежедневно как добавление к программе следующего дня.

Вопросы о результатах	*Точно выведенные условия для реализации цели*
Чего вы хотите?	*1. Цель, выраженная в позитивной форме.* *2. Цель была определена и реализуется вами самими.*
Как вы узнаете, что вы этого достигли?	*3. Признаки достижения цели.*
Что вы услышите, увидите, ощутите в доказательство того, что цель достигнута?	
Каковы будут признаки достижения цели?	
Когда, где и с кем?	*4. Желательные обстоятельства для достижения цели.*
Как это повлияет (изменит) на вашу дальнейшую жизнь, работу, семью?	*5. Цель стоит усилий, она оказывает положительное влияние на вашу жизнь.*

ДЕНЬ 5: СДЕЛАТЬ ЦЕЛИ НЕОТРАЗИМЫМИ

Нас всегда притягивает все привлекательное. Оно притягивает к себе все наше внимание и придает определенное направление нашим действиям. Когда вы замените свои мечты и желания на достижимые цели, сделайте их столь соблазнительными, чтобы они естественным образом притягивали все ваше внимание. Помните, что данное упражнение необходимо применять лишь к тем целям, которые имеют выразительные, определенные признаки результата реализации цели. Безрассудные или нереальные цели, естественно, тоже можно сделать привлекательными. Примером может послужить неразделенная любовь или же донкихотские мечты. Однако можно найти лучшее применение для данной техники. Внимательно используйте ее.

Выберите из своего списка одну из приоритетных целей и представьте себе, что вы уже достигли ее. Если она еще не стала фильмом, придайте ей данную форму. Увеличьте размеры и яркость этих образов, добавьте живых красок, сделайте образы трехмерными. Обратите внимание на то, что цель с каждым разом все больше притягивает к себе ваше внимание. Продолжайте увеличивать изображение, его яркость и красочность до тех пор, пока ваши чувства не прекратят усиливаться, задержите их на достигнутом уровне. Обогатите свой фильм волнующей музыкой. Придайте ей стереофоническое звучание, сделайте так, чтобы она доносилась со всех сторон. Услышьте сильные, полные надежды звуки, которые станут для вас допингом, вливающим новые силы для будущих действий. Радуйтесь этому. Сделайте то же самое со всеми остальными целями.

ДЕНЬ 6: СОЗДАВАТЬ НЕИЗБЕЖНЫЙ УСПЕХ

Создание неизбежного успеха предполагает такую направленность сознания на путь, приводящий к цели, чтобы оно работало над этим целый день, независимо от того, осознаете вы это или нет. Когда вы живо представите себе, что цель уже достигнута, и увидите путь, по которому дошли до цели, шагать реальной дорогой станет намного проще. Это процесс разделения пути на короткие отрезки, которые необходимо преодолеть, чтобы пройти весь путь. Чтобы достичь этого, представьте, что входите в будущее, чтобы стать личностью, которая уже достигла цели. Когда вы на минуту станете этим будущим «вы», достигнувшим цели, можете обернуться и посмотреть на те шаги и действия, которые привели вас к успеху. Удерживая в памяти этот путь, вы возвращаетесь к действительности, чтобы запланировать будущее и предпринять необходимые действия в действительности.

ДЕНЬ 7: ВЫРАЗИТЬ ОДОБРЕНИЕ ДАЛЬНЕЙШЕЙ ЖИЗНИ

Любая мировая религия и любое духовное движение предполагает наличие времени, отведенного на отдых. Это время может быть посвящено молитве, обращенной к Творцу, поддержанию мыслей и духа верующих или просто отдыху тела. Чему бы оно ни было посвящено, оно содержит в себе благодарность за предоставленную возможность жить, за дар жизни. В последние годы из-за постоянно растущих требований современной жизни многие из нас отказываются от отдыха, чтобы уладить вопросы, на которые не нашлось времени в течение недели. Быть может, некоторые из нас думают, что тем самым мы отказываемся от архаической традиции и становимся более современными людьми? Если это так, то сможем ли мы когда-нибудь уделить немного времени себе? Найдем ли мы когда-нибудь время, чтобы по достоинству оценить дарованную нам жизнь? Будет ли у нас когда-нибудь время, чтобы другими глазами взглянуть на окружающий мир и по-своему или же согласно традиции прославить Творца?

Сегодняшнее упражнение не менее важно, чем и все остальные в данной программе. Оно представляет основу для позитивных действий и выражения признания.

Вернитесь мысленно в День 1 и обратитесь к списку «Хочу и имею». В нем описаны вещи, которых вы хотите и которые вы имеете. В погоне за неустанным приобретением, получением, достижением легко не заметить, как далеко вы зашли. Сегодня вы должны детально просмотреть данный список. Остановитесь на тех пунктах, которые действительно захватывают вас. Наслаждайтесь ими. Обратите внимание на то, что вам нравится в вашей жизни. Быть может, вы захотите кому-нибудь позвонить, выслать открытку с благодар-

ностью, посвятить несколько часов медитации или молитве либо сделать еще что-либо для того, чтобы эти вещи как можно чаще появлялись в вашей жизни — пусть ваше сердце станет вашим проводником. В любую минуту вы можете что-нибудь добавить к вашему списку.

После того как вы просмотрите список «Хочу и имею», оглянитесь назад, посмотрите на прошедшую неделю или месяц и подумайте, что было сделано вами с помощью этой книги и программы для улучшения своей жизни и для самосовершенствования. Обратите внимание на выполненные вами упражнения и полученные результаты. Может быть, вы пришли к выводу, что могли бы их выполнить лучше, или же что кто-то другой справился бы с ними лучше? В этом нет ничего страшного. Можете допустить присутствие подобных мыслей, чтобы затем сконцентрировать внимание на том, чего вы достигли. По достоинству оцените себя. Подумайте, как бы вы могли отблагодарить себя за этот поступок.

Нам доступно множество жизненных удовольствий. Прогулка по парку, баня, бассейн, встреча с другом, хорошая книга, пикник, развлечение. Начните действовать прямо сейчас.»

Поскольку все это время мы все-таки занимались не жизнью и счастьем, но банальным здоровьем, в заключение, как некий итог, я просто предлагаю вам поработать с *техникой инвентаризации факторов здоровья* /27; с. 221, 212–213/.

«Возьмите два листа бумаги.

На первом запишите все те способы, которыми вы могли бы укоротить свою жизнь. Будьте точны и конкретны.

Воспользуйтесь логическими уровнями, чтобы правильно их организовать. Начните с окружения, затем перейдите к поведению, привычкам и убеждениям.

Это ваши самые важные проблемы, связанные со здоровьем.

На другом листе напишите, тоже сгруппировав их по логическим уровням, все те способы, которыми вы удлиняете свою жизнь. Снова точно и конкретно.

Это ваши самые важные ресурсы.

Жизнь сокращают		*Жизнь удлиняют*
______________		______________
______________	*Идентичность*	______________
______________		______________
	Убеждения и ценности	
______________		______________
______________	*Способности*	______________
______________		______________
______________	*Поведение*	______________
______________		______________
______________	*Окружение*	______________
______________		______________

...Множество исследований было посвящено изучению здоровой старости, включая проект Роберта Дилтса. Вряд ли покажется удивительным существование общего положения о том, что все те факторы, которые подрывают наше здоровье, ускоряют также процесс старения. И наоборот, те вещи, которые тормозят старение, поддерживают здоровье.

Далее приведены основные факторы, ускоряющие биологическое старение:

– стресс;
– волнение;
– чувство беспомощности;
– депрессия;
– враждебность по отношению к себе и другим;
– неспособность выражать эмоции;
– отсутствие близких друзей;
– курение.

Неудовлетворенность работой и финансовые проблемы чаще всего вызывают наиболее сильный стресс и беспокойство.

В противоположность этому основные факторы, связанные со здоровым долголетием, следующие:

— оптимизм;

— надежда;

— чувство самообладания;

— счастье.

Все эти качества вы сможете оценить только самостоятельно.»

Упражнение 60.

→ Начните жить, хоть как-то выполняя общие рекомендации антистрессовой жизни.

Упражнение 61.

→ Разберитесь с источниками хронических стрессов и нивелирующими их ресурсами в логических уровнях вашей жизни.

Упражнение 62.

→ Устраните все застрявшие в вашей психике «осколки» хронических стрессов с помощью всех пяти предложенных психотехнологий работы с проблемами и неприятностями.

Упражнение 63.

→ Осуществите прояснение своей собственной жизни.

Упражнение 64.

→ Проведите инвентаризацию своей жизни на предмет того, что ее удлиняет, а что — укорачивает.

7.2. Как изменить отношение к жизни

«Оптимист может увидеть свет даже там, где его нет, так почему же пессимист всегда стремится задуть его?»

М. ДеСент-Пьер

Стрессы внутри нас

А теперь еще раз обращаю ваше внимание на вышеупомянутый любопытный факт. То, что в знаменитом исследовании Т. Холмса, посвященном изучению влияния стрессов на здоровье человека, 51% (больше половины!) обследованных, набравших более 300 баллов «суммарного стрессирования» (критический, если вы помните уровень, после которого угроза тяжелой болезни становится чрезвычайно реальной), так и не заболели!

Почему так получилось? Да потому, что они не так, как большинство, отнеслись к жизненным испытаниям, которые выпали на их долю. Среагировали на них спокойно — без суеты, напряженности, тревоги, страха, безнадежности и отчаяния. И как бы пропустили мимо себя все то, что почти наверняка должно было бы повергнуть их в изнурительную или даже смертельную болезнь.

Все это можно свести к чрезвычайно важному, если не главному условию сохранения здоровья и исцеления: *необходимости экологичного реагирования на беды и напасти нашей жизни.* Ведь деться от них нам некуда — во всяком случае, в обозримом будущем. Пока все то, что происходит в нашей с вами стране (да и в мире в целом), наглядно свидетельствует, что на вопрос «Когда же станет лучше?», можно смело ответить — ...«не скоро». И нам долго еще придется не жить, а скорее выживать (хотя лучше всего, конечно, просто и радостно жить). Для чего как минимум нужно сохранить или восстановить здоровье — сиречь активность, бодрость и эффективность. Одно из самых страшных китайских проклятий — «Что б ты жил в эпоху перемен!» —безоговорочно осуществилось в нашей с вами жизни. Но другой жизни нам не дано. И другой эпохи — тоже. Что уж тут поделать: «времена не выбирают. В них живут и умирают». Давайте выберем жизнь. И останемся живыми и жизнерадостными, несмотря ни на что...

А для того, чтобы просто жить, надо бы вам уяснить еще кое-что. А именно то, что у каждого из нас есть некий *круг забот и интересов* — весьма обширная область, включающая в себя все, что нас волнует. И *круг влияния* — куда более ограниченная область, в пределах которой оказывается все то, на что мы действительно можем повлиять (см. рис. 11).

Конечно же, излюбленным занятием «дорогих россиян» (да и не только их) — является буквально патологическое стремление *контролировать все и вся*, и в том числе

Рис. 11

кучу всего, чего по определению нельзя контролировать (типа соотношения курса доллара по отношению к евро; вредной политики некоторых западных государств по отношению к России; и, как говорится, и т.д. и т.п.). Причем от невозможности хоть как-то повлиять на то, на что они ну никак влиять не могут, все эти люди впадают в стресс: сначала острый, а потом и хронический — со всеми вытекающими последствиями. А ведь на самом деле все, что лично вам нужно сделать, дабы не пойти по их стопам, так это оценить, *подконтрольна ли вам* сложившаяся или складывающаяся *ситуация* либо нет (*согласно* вашему *кругу влияния*). И, соответственно, реагировать на нее либо действием, порождающим эффективность, либо, наоборот, бездействием, основанным на принятии и способности оставить все как есть. Мы же зачастую весьма глупо либо пытаемся предпринять какие-то действия в заведомо неподконтрольной ситуации, что порождает абсолютно ненужные беспокойство и даже панику, либо бездействуем во вполне подконтрольных условиях и обстоятельствах, впадая в результате в безнадежность, беспомощность и глубокую депрессию.

Особенно это характерно для тех, кто умудрился — хотя зачастую не по своей воле — заразиться *психологической* чумой XXI века: синдромом приобретенной беспомощности или, коротко, СПИБом. В отличие от него синдром приобретенного иммунодефицита, или СПИД, — это *физиологическая* чума данного столетия. Открыт он был, правда, на собаках, которых привязывали или ограничивали любым другим образом и подвергали весьма неприятным воздействиям типа ударов электротоком. Так вот, после того, как исследователи всласть поиздевались над бедными животными в первой части эксперимента, во второй они их отпустили (в смысле отвязали, убрали загородки и т.п.) и вновь продолжили свои издевательства. Но ***только четыре из десяти собак*** (40%) ***покинули место пыток*** (хотя их, напоминаю, ничего уже не удерживало)! Вот так и был открыт феномен СПИБа — весьма неприятного (мягко говоря) пограничного психического расстройства. «Подцепившие» его люди отказываются от направленных на улучшение их состояния действий в ситуациях, когда они объективно могли бы это сделать!

Поскольку синдромом приобретенной беспомощности нынче страдает огромное количество наших соотечественников, разберемся в его механизмах и возможностях излечения от этой проклятущей напасти. Здесь важно, что, согласно исследованию М. Зелингмана и К°, попадет ли человек в ловушку СПИБа или нет, определяется тем, как он или она объясняет происходящее с ними (авторы назвали это атрибутивным стилем). И если вы предпочитаете стиль пессимиста, синдром приобретенной беспомощности скоро примет вас в свои объятия.

Оказалось, что у этого стиля есть три главные составляющие.

- Отношение к любой неудаче как к своей собственной ошибке (т.е. эти люди обвиняют себя и только себя) и/или как к тому, что произошло только с одними («Это я во всем виноват!» и/или «Это только со мной!»).

Убежденность в том, что подобные неудачи будут повторяться и далее («Это навсегда!») и

Уверенность в том, что такие же сбои и провалы будут присутствовать и в других областях их жизни («Это везде и во всем!»)

Значит, для того, чтобы стать хроническим пессимистом, вам необходимо при любой неудаче, во-первых, обвинить самого себя (окружающие и окружающее ни при чем и, в отличие от вас, в полном порядке). Во-вторых, решить, что так будет всегда и что бы вы ни сделали, ничего изменить не удастся. Ну а в-третьих, предположить, что все это повлияет, а то и чудесным образом перенесется на все, что вы делаете или собираетесь делать.

И наоборот: чтобы стать записным оптимистом, вполне достаточно, во-первых, любую неприятность рассматривать как некую комбинацию внешних обстоятельств, а если вы уж действительно что-то сделали не так, принимать сие только как обратную связь и только о вашем поведении, а не о личности в целом. Во-вторых, четко воспринимать то, что случилось, как единичный случай, одновременно с интересом размышляя о том, что лично вы могли бы сделать и какой урок извлечь. Ну а в-третьих, рассматривать неприятность как вполне конкретный эпизод, который вряд ли скажется на других областях вашей жизнедеятельности...

Из всего вышесказанного следует еще одна и весьма простая *стратегия работы со стрессом* /27; с. 159/.

«Когда ваше тело говорит вам, что вы находитесь под действием стресса, проделайте следующее:

1. *Осознайте ощущения в своем теле. Подстройтесь к себе. Эти ощущения реальны, даже если вы думаете, что их не должно быть.*
2. *Сосредоточьтесь на вызвавшем стресс эпизоде.*

3. Какое значение вы придаете этому переживанию?

Когда вы получите ответ, спросите себя: «Что еще могло бы это значить?» А затем: «Какой смысл я хотел бы придать этому эпизоду?»

4. Что вы могли бы с этим сделать?

Находится ли это в области вашего влияния?

Если нет, оставьте все так, как есть, и пусть оно продолжается.

Если да, то какими ресурсами вы обладаете, чтобы изменить положение?

Что бы вы хотели, чтобы произошло в этой ситуации?

Какова ваша цель?

5. Какой урок вы можете извлечь из этого случая, чтобы в следующий раз избежать неприятностей?»

Психотехнологии создания мотивации

А вот теперь — о том, как с помощью нейролингвистического программирования можно изменить свое отношение к тому, что вы не можете изменить (это я каламбурю). Речь пойдет об очень серьезных системах психотехнологий: *рефрейминге и расширении зоны бытия* (не падайте в обморок от мудреных названий — я все вам объясню). Но перед этим я хотел бы познакомить вас с психотехнологиями создания или усиления мотивации, а попросту желания делать. Ибо давно доказано, что *именно неделание того, что просто надлежит делать, является одним из самых больших источников стрессов и неприятностей в нашей жизни*. Так вот, отношение к этому неделанию вам и надлежит изменить в сторону делания за счет усиления мотивации.

Скажите: наверное, прямо сейчас у вас есть нечто такое, чем следовало бы заниматься, но вы не делаете этого, потому что не хочется? Давайте, например, предположим, что это английский язык, учебник которого вот уже две недели лежит у вас на рабочем столе, вызывая одним своим видом позывы тошноты и рвоты. Что ж, давайте воспользуемся тем, что я назвал ***упрощенной техникой создания мотивации***.

1. *Сядьте с открытыми глазами и в течение некоторого времени посмотрите на учебник, одновременно попробовав ощутить то, насколько же он (английский язык) вас «достал».*
2. *Закройте глаза и подумайте о любой ситуации, в которой вы чувствовали желание действовать — или любые другие хорошие чувства, которые вы хотели бы ощущать по отношению к English. Мысленно войдите в себя в этой ситуации и преисполнитесь всеми этими чувствами.*
3. *Теперь на 2–3 секунды откройте глаза, посмотрите на учебник и снова вернитесь к своим приятным воспоминаниям (здесь главное, чтобы приятные чувства у вас не успели полностью исчезнуть).*
4. *Откройте глаза и посмотрите на учебник 5–7 секунд, после чего опять вернитесь к прежним чувствам.*
5. *Проделайте это еще несколько раз, всякий раз увеличивая «время рассмотрения», после чего, выждав несколько минут, проведите то, что в НЛП называется «поведенческой проверкой». Отвернитесь к стене или посмотрите в окно, расслабьтесь, успокойтесь, а после этого снова посмотрите на учебник. И отметьте свою реакцию и чувства.*

Что, это подействовало? Естественно, потому что в нейролингвистическом программировании мы работаем как бы напрямую, изменяя опыт и психику человека без всяких интерпретаторов и посредников, как это принято в «классической» психотерапии.

А теперь официально сообщаю вам, что техника создания мотивации, описанная в начале этого раздела, была намеренно упрощена. И являлась как бы своеобразной «популяризацией» более сложной (но и более эффективной в мотивационном плане) *техники «шоко-*

лад леди Година» (уж простите энэлперов за экзотическое название!). И чтобы «замотивировать» себя на что угодно с помощью этой психотехнологии, необходимо осуществить следующую последовательность действий /2/.

1. ***Мотивирующая картина.*** *Создайте видимую из своих глаз картину некой вещи или деятельности, которой вы испытываете дикое желание наслаждаться (шоколад, к примеру). Быстро отставьте ее в сторону.*
2. ***Картина задачи.*** *Создайте картину самого себя (со стороны), делающего что-то, что вам нужно делать — да так, что вы могли бы заодно и получить от этого удовольствие.*
3. ***Экологическая проверка.*** *Есть ли что-то в вас, что возражает против того, чтобы вы* ***получали удовольствие****, делая дело, относительно которого вы решили, что вам нужно его сделать? Если да, уговорить это что-то.*
4. ***Техника зрачка.***
   - *А. Увидьте мысленным взором картину задачи 2, с мотивирующей картиной прямо* ***позади*** *нее. Быстро откройте маленькое отверстие в центре картины 2, так чтобы вы могли видеть картину 1 через это отверстие. Заставьте отверстие быстро открыться до такой величины, чтобы вы могли получить полную чувственную реакцию на картину 1.*
   - *Б. Теперь быстро уменьшите отверстие, но* ***лишь*** *настолько быстро, чтобы при этом вы могли сохранить чувственную реакцию на картину 1.*
   - *В. Повторите шаги 4А и 4Б еще несколько раз, так быстро, как только можете. В результате надо соединить ощущения мотивирующей картины с картиной задачи.*
5. ***Проверка.*** *Посмотрите на картину задачи 2. Тянет ли вас к ней? Если нет, повторите шаг 4 или же вернитесь к предыдущим шагам, чтобы быть уверенным, что ваши элементы верны.*

Позитивное переосмысление

Теперь о рефрейминге, т.е. о позитивном переосмыслении ситуации. Буквально это переводится как «изменение рамки», т.е. «карты» ситуации: своеобразная *переоценка*, изменение *значения* чего-либо, например, конкретной неприятности и всего, что с ней связано.

Помните анекдот о пессимисте и оптимисте? Первый, как известно, выпил коньяк и мрачно заявил: «Клопами пахнет!» Второй, наоборот, раздавил клопа и радостно констатировал: «Коньячком запахло!» Что, вы хихикнули? Это хорошо. Если, конечно, легкая волна поднявшегося веселья не смоет серьезность заложенного здесь смысла. Дело в том, что наши «карты территории» (сиречь, реальности) можно условно подразделить на два типа: оптимистические и пессимистические (первых, естественно, больше у оптимистов, а вторых — у, соответственно, пессимистов). А любая неприятность как раз и «включает» «пессимистическую» карту (не у всех, но у большинства), отчего наше восприятие действительности невероятно суживается. То есть мы не только начинаем видеть жизнь в черном цвете, но и оказываемся в состоянии обнаруживать в ней лишь то, что этому черному цвету соответствует. Но преодоление любой напасти возможно только в том случае, если пессимистическое следование **От** проблемы вы замените на оптимистическое движение **К** ее решению. Для этого-то как раз и нужен рефрейминг. Чтобы, изменив «рамку» («карту»!), увидеть за неприятным полезное, а за проблемой — решение. А это вполне возможно, так как любая ситуация может рассматриваться с массы самых различных точек зрения.

Как справедливо утверждают специалисты /20/, большинство событий в нашей жизни не являются ни плохими, ни хорошими, а заключают в себя и то, и другое. Причем речь идет не о раскрутке столь любимого психоаналитиками, политиками и большинством населения России защитного механизма «Сладкие лимоны», а о сосредоточении на том, что в любой ситуации есть нечто хорошее, каковое вполне можно использовать.

Для того чтобы с легкостью рефреймировать любую неприятную ситуацию, нужна предварительная тренировка. Поэтому я настоятельно советую вам как бы сыграть с самим собой (как в игру) в поиск «позитива» в разнообразных «негативах». Для начала, например, вы можете составить список из:

- пяти отрицательных качеств и
- пяти отрицательных явлений.

И попытаться найти в них положительные стороны (если надо, доводите дело едва ли не до абсурда). Например, агрессивность легко можно переопределить как переизбыток энергии, каковую следует использовать в других, благих целях, а шараханье правительства из одной экономической стратегии в другую — как творческий поиск наилучшего варианта... Как следует наигравшись, приступите к более серьезной работе. Напишите пять пугающих вас в будущем ситуаций (утрата вкладов, падение доходов, потеря работы и т.п.) и рефреймируйте их, обнаружив в этом «крутом» негативе явный «позитив» (например, утрата работы как минимум дает возможность подолгу спать по утрам). Маленький совет: постарайтесь отыскать не менее пяти выгод по каждой ожидаемой неприятности. И тогда вы уж точно будете готовы ко всему...

Конечно, осуществлять рефреймирование неприятностей всегда нелегко. И именно поэтому энэлперы подготовили вам сюрприз — небольшое описание *техники рефрейминга проблем* /5/.

- ***Вместо того чтобы «атаковать» проблему непосредственно, отступите назад и изучите «карту», в которой она «впечатана». Расширьте и видоизмените точку обзора.***

- *Перечислите (откройте или создайте) пути и средства, при которых содержание проблемы может стать ценным, выгодным или удобным.*
- *Определите вашу собственную вторичную выгоду от существующей проблемы. Что оправдывает эта проблема? Что объясняет? Для чего вы ее используете (чтобы быть/делать/иметь что или наоборот)? Какая польза вам от этого «наоборот» (не быть/не давать/не иметь)? Если эти условия выгоды и пользы исчезнут, с чем вам еще придется справляться?*
- *Теперь определите свою собственную цель в рефрейминге: что вы хотите получить от переформулирования проблемы? И начинайте рефреймировать до тех пор, пока вы это не получите.*

Ну а для того, чтобы получить желаемое в рефрейминге одновременно расширив «карту» ситуации, поразмышляйте о тех мыслях и идеях, которые возникли у вас по прочтении следующих вопросов *техники расширения «карты» проблемы /6/.*

1. *Если бы эта ситуация была смешной, то над чем бы я посмеялся?*
2. *Как бы я решил эту проблему, если бы я был на двадцать лет старше? Или на двадцать лет моложе?*
3. *Что бы я сделал, подумал, сказал по-другому, если бы столкнулся с противоположной проблемой?*
4. *Как прежнее решение работало в прошлом? Почему сейчас такое решение превратилось в проблему?*
5. *Что произошло бы, если бы эта ситуация была прямо противоположной тому, чем она мне представляется?*
6. *Как бы эта ситуация выглядела с точки зрения другого человека?*
7. *Частью какой более крупной проблемы она является?*
8. *Чего на самом деле хочет человек или организация, создавшие эту проблему?*
9. *Эта проблема является системной? Если так, то как мне ее обойти?*

10. Какие эмоции, испытываемые или блокируемые мной, заставляют меня реагировать на проблемы по привычке или по устаревшей программе поведения вместо того, чтобы действовать свежо и творчески?

Чтобы позитивное переосмысление оказалось для вас не только приятным, но еще и полезным, рекомендую воспользоваться составленной мною в печальные времена дефолта (помните такой?) «Памяткой» по *технике принятия решений и предприятию действий в кризисных ситуациях*, которую с удовольствием довожу сейчас до вашего сведения.

1. ***Ничего не принимайте и не предпринимайте*** *до тех пор, пока не сделаете то, что описано ниже. Хотите вы того или не хотите, но кризисная ситуация активизировала ваши пессимистические «карты», и вы уже не можете рассуждать здраво (хотя вам и кажется, что можете).*
2. ***Снимите стресс, если это необходимо.*** *Заорите во весь голос, разбейте пару тарелок, а лучше отожмитесь от пола или побейте грушу — но все это до изнеможения.*
3. ***Расслабьтесь с помощью техники расслабления*** *— любой, которую вы знаете. Не пытайтесь успокоиться (это пока не получится), а именно расслабьтесь — расслабление неизбежно приведет к успокоению. Но доведите расслабление до конца, а не до момента, который считаете «достаточным».*
4. ***Переключите режим работы вашего мозга.*** *Именно сейчас он застрял в тревоге, беспокойстве или депрессии — и это не тот режим вашего биокомпьютера, при котором стоит что-либо решать или предпринимать. Используйте технику глазодвигательной десенсибилизации, займитесь техникой осознания «здесь и сейчас» (см. далее) или просто не менее трех минут изучайте собственный стол, телефон или любой другой предмет так, как будто вы его видите первый раз в жизни, а*

через пять минут вам нужно будет сдавать экзамен на знание этого предмета до мельчайших подробностей.

5. ***Расширьте и/или видоизмените свою карту ситуации**. Можете не сомневаться, что, и без того узкая, она сейчас сузилась еще больше. Поэтому, например, воспользуйтесь техникой «периферийного зрения». Добейтесь того, чтобы «картинка» ситуации расширилась до размера ваших разведенных рук.*
6. ***Диссоциируйтесь от ситуации**. Будучи в нее включенным, вы никогда не увидите полной картины. Посмотрите на нее со стороны, обязательно увидев в этой картине себя. Используйте различные перспективы рассмотрения (близко-далеко; сверху-снизу-сбоку), добавьте визуальные характеристики цвета, яркости и резкости (фокусировки).*
7. ***Деперсонифицируйте свою «карту» ситуации**. Воспользовавшись в качестве якорей несколькими стульями или просто точками на полу, подумайте, как увидели бы эту кризисную ситуацию и что решили и предприняли бы*
   - *Супермен*
   - *Микки Маус*
   - *Терминатор*
   - *Джинн из сказки об Аладдине*
   - *Сам Аладдин*
   - *Рет Баттлер*
   - *Скарлет О'Хара*
   - *Морган (пират)*
   - *Морган (банкир)*

и т.д. и т.п. Не забудьте фиксировать наиболее интересные идеи, какими бы безумными они вам не казались.

8. ***Исследуйте кризисную ситуацию** (ее новую, видоизмененную вами картину). С помощью любой техники анализа проблем, например, воспользовавшись составлением схемы «карта проблемы», каковая делается следующим образом:*

выделите Главную проблему, выпишите ее в центре листа и обведите в кружок;
определите проблемы-следствия, выпишите их вокруг Главной проблемы, так же обведите их в кружок и соедините с центральным кружком стрелками;
теперь, если каждая из проблем-следствий уже имеет решения, запишите эти решения, обведите их кружками и соедините стрелками с соответствующей проблемой-следствием. Если же нет, продолжайте свой анализ до тех пор, пока не наткнетесь на решение. То, что у вас получится, будет иметь примерно такой вид:

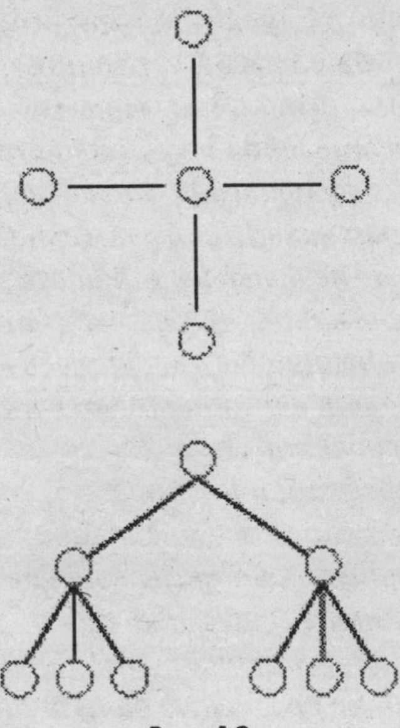

Рис. 12

9. ***Определите вашу цель** — искомый результат, который вы хотели бы получить в кризисной ситуации. Распишите ее по схеме «хорошо сформулированного результата»:*
   Цель (чего я хочу)
   Признаки (как я узнаю, что добился цели?)

- *Условия (где, когда, как и с кем мне это нужно/не нужно и желательно/нежелательно?)*
- *Средства (что мне нужно — какие ресурсы, чтобы добиться этой цели?)*
- *Ограничения (что мне может помешать?)*
- *Последствия (что произойдет/не произойдет, если я достигну/не достигну своей цели?)*
- *Ценность (насколько важен для меня этот результат — то, чего я хочу?)*

10. ***Составьте несколько вариантов планов действий** — лучше всего по схеме «НС→ЖС». И приступайте к их реализации.*

Бывают, однако, случаи, когда кризисная ситуация оборачивается для человека серьезной психотравмой. В этом случае к описанному алгоритму добавьте следующее — *технику осмысления проблемной ситуации.*

1. ***Поговорите с кем-нибудь о случившемся**. Этим кто-то может быть и ваше отражение в зеркале, если вы никому больше не доверяете. Расскажите ему все, что вы видите, слышите, чувствуете и думаете по поводу кризисной ситуации. Выговоритесь «до донышка».*
2. ***Придумайте или вспомните что-то, что является***
   - *большей проблемой*
   - *меньшей проблемой и*
   - *проблемой такого же масштаба,*

как и кризисная ситуация. Фразы «это ничто по сравнению с мировой революцией» или «Что угодно, лишь бы не было войны» придуманы достаточно умными людьми.

3. ***Переосмыслите кризисную ситуацию как нечто положительное**. Воспользуйтесь не только рефреймингом, но и просто чувством юмора, дабы это положительное все-таки отыскать (между прочим, потеря денег в числе прочего означает, что вам теперь не надо беспокоиться об их использовании и сохранении).*
4. ***Прекратите обвинять себя**. Вспомните один из основных постулатов НЛП: «Никогда не обвиняй себя*

за прошлые ошибки, ибо тогда ты сделал все, что мог, в рамках того, что знал и умел». И объясните кому-нибудь (можете и своему отражению), как этот принцип применим к данной ситуации.

5. ***Найдите тем не менее что-то, по отношению к чему вы могли бы быть причиной** (но не стали). По каким правилам вы жили в отношении этого не сделанного? Выделите их как фиксированные идеи или ограничивающие убеждения и подвергните переработке.*
6. ***Определите, чему из всего этого можно научиться и какой положительной цели все это служит в вашей жизни**. Вспомните, что жизнь учит нас языком событий и обстоятельств — так что она хочет сказать лично вам этой самой кризисной ситуацией?*
7. ***Сделайте необходимые выводы из случившсгося, определите правила, навыки и умения, которые вам могут понадобиться, и потренируйтесь в них.** Это не обязательно делать реально — вполне достаточно будет вашего воображения, подкрепленного взмахами, «генератором нового поведения» или чем-то еще.*

Ежедневный рефрейминг

И еще одно. До тех пор, пока вы не укрепились в таком вот «нейтральном» восприятии мира, займитесь-ка *позитивацией* всего и вся, что вам встречается в жизни. То есть постоянным превращением этой жизни буквально в райский сад. Поверьте: это вполне возможно — в том случае, когда вы сделаетет своей постоянной практикой *техники внешнего и внутреннего рефрейминга*.

Что это такое? Да всего-навсего умение находить хорошее в плохом, как бы меняя «рамку» (фрейм) рассмотрения того, что произошло. А поскольку жизнь наша регулярно подвергает нас новым испытаниям и в целом протекает в не слишком благоприятной среде, обучиться такому вот «позитивирующему» изменению «рамки», право же, стоит — всем и каждому.

Условно *саморефрейминг* можно подразделить на внутренний (субъективных проблем) и внешний (проблем объективных). В первом случае он используется как средство своеобразной регуляции самооценки (постоянно подвергаемой ударам извне), а во втором — как способ изменения видения проблем или ситуаций с неблагоприятного на благоприятный /28/.

Субъективный (внутренний) саморефрейминг осуществляется по формуле:

Я ________________. Зато я ____________________.

Например, *«Я ленивый, зато основательный»; «Я трусливый, зато осторожный»; «Я толстый, зато покладистый»* и т.п. Данную форму саморефрейминга можно делать как в целом для имеющихся или кажущихся недостатков личности (и тогда он становится самостоятельным психотерапевтическим приемом), так и (обязательно) во всех тех случаях, когда возникшая реакция на внешнюю или внутреннюю ситуацию оценка самого себя ощутимо снижает общую самооценку (кстати, подобный саморефрейминг хорошо «работает» в «острых» диалогах, например: *«Ты неряшлив!» — «Зато обаятелен!»*).

Объективный (внешний) рефрейминг делается по другой формуле:

X есть Y. Но это и хорошо. Потому что ________________.

Например:

- *«Погода сегодня дождливая. Но это и хорошо. Потому что прибьет и смоет всю пыль»;*
- *«Запад откажет нам в помощи. Но это и хорошо. Потому что, наконец-то, мы будем надеяться только на свои силы и поддерживать отечественного производителя»;*
- *«Моя жена тиран. Но это и хорошо. Потому что при другой жене я бы совсем разленился и разболтался».*

А для того, чтобы вам легче все это было делать, предлагаю вашему вниманию технику этакого буквально *вербального* рефрейминга А. Арсеньева. Для чего вам достаточно сформулировать свою проблему и поставить ее в конце следующих фраз, которые нужно просто прочитать /32; с. 161–162/.

«1. Хор ветеранов поет:
2. Женщина упала в лужу, лежит и говорит:
3. Сталин говорит Берии:
4. Встретились два лжеца. Один говорит другому:
5. Один компьютер посылает сообщение другому:
6. Заголовок в газете:
7. Надпись на могильной плите:
8. В море выловили бутылку с запиской:
9. Вы проснулись через сто лет и сказали:
10. Мозг решил пошутить и послал такую мысль:
11. Лучший способ испортить себе жизнь — думать, что:
12. Вот какая мысль пришла в голову слону:
13. Великий колдун признался друзьям:
14. Заразный микроб делился с друзьями:
15. Петух взгромоздился на забор и крикнул:
16. Вы включили радио и услышали:
17. Вдали раздался смех, а рядом вы услышали шепот:
18. Начало речи президента:
19. Генерал обратился к стоящему по стойке «смирно» солдату:
20. Папа говорит маленькому сынишке:
21. Пароль для шпиона:
22. Надпись в женском туалете:
23. Пьяница проснулся в вытрезвителе и сказал:
24. Плохая еда вызывает плохие мысли. Например, такую:
25. Тот, кто ест огурцы, думает:
26. Чтобы не достичь желаемого, надо думать:

27. Плакат, висящий в кабинете президента США, гласит:
28. Сумасшедший говорит соседу по палате:
29. Через 10 лет вы с улыбкой вспомните, что когда-то думали:
30. Начинайте знакомство с новым человеком словами:
31. Папирус в гробнице фараона начинался словами:
32. Вы подплываете к тонущему и говорите:
33. Пилот горящего авиалайнера говорит штурману:
34. Выбирая профессию, надо учесть тот факт, что:
35. Проснувшись утром, повторите не менее пяти раз:
36. Тост в новогоднюю ночь:
37. Великолепный анекдот:
38. Сожгите записку со словами:
39. Причина развода, которую заявил в суде муж:
40. Войско берет крепость с криками:
41. Штопая носки, хорошо думать:
42. Хотите порадовать врача? Скажите ему:
43. Папа Карло прорезал рот Буратино. Его первыми словами были:
44. Неизвестное откровение Будды:
45. Вор-карманник не выходил на работу, если вспоминал:
46. Детская игра под названием:
47. Вы едете в поезде, и в стуке колес вам слышится:
48. У величайшего врача была проблема. Он говорил о ней так:
49. Оживили труп. После оживления он сказал:
50. Возьми громкоговоритель, выйди на площадь и скажи:»

Возвращение в бытие

А теперь подумайте: а на фига нужно все это переосмысление? Правильно: для того, чтобы жить, а не бороться. Наслаждаться жизнью Здесь и Теперь, а не откладывая это наслаждение на далекое Там и Тогда. Быть счастливым не в отдельные «пиковые» моменты, а повседневно и повсеместно. Считаете, что такое невозможно? Ну тогда я вас разочарую. Потому как вы просто не умеете жить Здесь и Теперь...

В основе описанной ниже психотехнологии лежит нечто весьма грандиозное: буддийская *випасана,* которая, по утверждению адептов, ее практиковавших, вполне могла привести человека к Просветлению. Наша, однако, задача в контексте означенной психотехнологии куда как проще, хотя по-своему тоже грандиозна: вернуть вам (или усилить в вас) ощущение жизни в полном и истинном ее осознании, т.е. без попыток втиснуть великолепие человеческой жизнедеятельности в прокрустово ложе привычных для вас оценок и категорий (хорошо — плохо, правильно — неправильно и т.п.).

Дело в том, что в нашей жизни мы можем пребывать как бы в трех зонах этого самого осознания. *Внешней* — это когда мы видим, слышим и ощущаем окружающий мир. *Внутренней* — когда мы в основном ощущаем, но при некотором усилии еще и видим и слышим только свое тело и процессы в нем. И *средней* — это когда мы размышляем по поводу первого или второго или просто занимаемся мыслеблудием, как правило, включающим оценки и обвинения (не важно — по поводу ссбя, других, жизни и мира).

Именно в данной зоне пребывает большинство существующих в этом мире людей — существующих, а не живущих так как жить можно только лишь во внешней и внутренней зоне, ибо они суть подлинное восприятие мира, тогда как средняя зона является только лишь мыслями по его (восприятия) поводу. Не случайно индийские мудрецы снисходительно улыбались в ответ на обвинение в том, что они якобы не живут, а медитируют, ибо в своих медитациях они как раз и жили, познавая мир от и до. Нам этого не дано, ибо вместо того, чтобы пристально, до конца и полного понимания, изучать нечто во внешней или внутренней зонах осознания, мы привычно и трусливо убегаем в среднюю зону своих скоропалительных выводов и оценок, а также основанных на них негативных чувств и суждений. Этот момент подлинной жизни удивительно тонко, точно и конкретно подмечен в известной дзеновской притче /11; с. 33/.

«Наставник винаи Юань поинтересовался у Чжаочжоу: «Вы продолжаете заниматься духовным воспитанием?» — «Постоянно занимаюсь этим». — «Каким же образом?» — «Когда подносят рис, я ем; когда подступает усталость, я засыпаю», — ответил Чжаочжоу. «Все так поступают. Получается, что все занимаются духовным воспитанием, подобно вам!» — «Не совсем». — «Почему?» — «Когда приходит время трапезы, они не просто едят; их тяготят разные мысли. Когда наступает час для сна, они не засыпают; их заботят бесчисленные поиски выгоды».

И как вам это? По мне, так не в бровь, а в глаз. Кстати, любителям ортодоксальных религий (на случай, если таковые найдутся среди читателей моей книги) сообщаю, что, например, по преданию, пророк Мохаммед утверждал: «Один час созерцания перевесит шесть лет богослужений (Хадис)». Так вот, именно такое медитативное созерцание я вам и предлагаю.

Знаете, как горько порой наблюдать за глупостью людей, упускающих возможность насладиться собственным бытием! Причем не на работе, где бытийственность эта, исходя из поверхностно понимаемой сути «трудовой деятельности», отходит на второй план (хотя вообще-то это глупость), на отдыхе, где, как говорится, сам бог велел просто наслаждаться жизнью. Например, когда-то, задолго до оранжевой революции, ежегодно мы с женой отдыхали в Крыму в прекрасном санатории «Днепр». Ездили мы туда на поезде, и сразу после того, как он отходил от перрона, я оставлял Москву и все связанные с ней проблемы Там и Тогда, чтобы сполна насладиться Здесь и

Теперь путешествия. Болтал с проводниками, выходил на каждой остановке, осторожно принюхивался к выносимым местным населением яствам и даже что-то из них покупал, дабы побаловать себя чем-то, не входящим в мой привычный рацион. Или просто пялился в окно или валялся на полке в купе. Словом, жил, наслаждаясь тем самым мигом, который, как известно, и называется жизнь. А в одном из соседних купе, всегда ехали два, не постесняюсь этого слова, идиота, которые вместо того, чтобы пребывать в этом прекрасном Здесь и Теперь, умудрились сразу же вылететь в туманное Там и Тогда. И вместо того, чтобы получать кайф от путешествия, ждут не дождутся конечной станции, тем более терзая себя идиотскими вопросами «А не опоздает ли поезд? А как там с такси и сколько оно будет стоить? А будет ли в этом сезоне хорошая погода? А поселят ли нас в удобный номер или нет? А не случится ли чего дома?» Идиотскими, потому что поезд придет точно тогда, когда придет. Такси будет, если будет. Стоить оно будет столько, на сколько вы сговоритесь. Погода будет такая, какая сложится. Номер будет удобным прямо пропорционально вашей наглости и коммуникабельности, а также размерам и качеству подношений администрации. Дома случится только то, что случится. Так чего ради тогда загодя копья ломать, выдирая себя из прекрасного и вполне реального Сегодня ради прозрачного Завтра или ушедшего Вчера? Как говорят японцы, Вчера уже было, Завтра еще не наступило, так что остается только Сегодня...

Как вернуть себя в Здесь и Теперь? Да как раз за счет приведенной ниже психотехнологии, которой, право, стоит посвятить все время, когда вы не заняты какой-либо деятельностью или чем-нибудь не увлечены (в общественном транспорте, в очереди, на скучном заседании, и т.д.). Делать же вам надлежит следующее.

Отпустите свое внимание и позвольте ему блуждать во внешней зоне. Затем всякий раз, когда оно на чем-

тесь или вслушайтесь в то, что остановило ваше «attention», но не просто так, а как бы с детским изумлением и любопытством, одновременно проговаривая про себя: «Сейчас я замечаю и осознаю...» (розетку, блеск лампы, гудок машины за окном, скрип открываемой двери и т.д. и т.п.). Делайте это не какое-то строго определенное время, а просто — пока не надоест. А после сразу «нырните» во внутреннюю зону, последовательно перебирая все ощущения в теле, которые привлекут ваше внимание с одновременным проговором фразы: «Сейчас я замечаю и осознаю...» (бурчание в животе, дрожание в левой икре, мурашки в области таза — и т.д. и т.п.). Когда вам и это надоест, опять вернитесь во внешнюю зону (и побудьте в ней до тех пор, пока хочется).

Такой вот цикл, иногда именуемый циклом «контакт — уход» проделайте не менее трех раз, после чего как бы отпустите себя и с интересом понаблюдайте, куда теперь рванет ваше внимание. Очень может быть, что оно направится в среднюю зону, но зона эта к данному конкретному моменту уже будет как бы куда как более пуста (на треть, на половину...). Потому что многие из глупых мыслей и беспричинных негативных эмоций, живущих как раз в данной, отнюдь не золотой середине и мешающих вам наслаждаться благолепным великолепием Великого Здесь и Теперь, не дождавшись вас, уберутся восвояси. Почти как в анекдоте: «Однажды к нему в голову пришла мысль. Но, не застав никого дома, тихо удалилась».

На всякий случай привожу алгоритм использования этой *техники осознания «Здесь и Теперь»*.

1. *Расслабьтесь и направьте свое внимание во внешнюю зону осознания (внешний мир). Фиксируйте все, что его привлечет, сопровождая эту фиксацию словами «Сейчас я замечаю и осознаю...» Делайте это до тех пор, пока не надоест.*

2. *Переместите свое внимание во внутреннюю зону осознания (собственное тело). Фиксируйте все, что его привлечет, сопровождая данную фиксацию словами «Сейчас я замечаю и осознаю...» Делайте это до тех пор, пока не надоест.*
3. *Проделайте цикл «Контакт (внешняя зона осознания) — Уход (внутренняя его зона)» не менее трех раз.*
4. *Отпустите ваше внимание и понаблюдайте за тем, что произойдет. При его спонтанном возвращении в среднюю зону осознания (мысли + чувства) оцените, как вы теперь относитесь к тому, что там варится, и вообще — как себя чувствуете и о чем думаете.*

Скажите, а не хотели бы вы помимо полноты бытия обрести кое-что еще? А именно три совершенно уникальные способности. ***Спокойного присутствия*** — где угодно и когда угодно. ***Наслаждения*** от пребывания ***в*** бесконечном Здесь и Теперь вашей жизни. И ***незамутненный*** «пылью ложных страстей» ***взгляд на действительность***? Если да (а какой дурак скажет нет?), то тогда вам нужно дополнить вышеописанную психотехнологию еще одной техникой. Дополнить потому, что и сами по себе упражнения осознания «Здесь и Теперь» могут, в конце концов, привести вас к обретению всех этих трех потрясающих способностей. Однако вы можете значительно ускорить процесс их «заполучения», если начнете регулярно практиковаться в *технике «остановки мгновения»*. С учетом того, что я уже довольно обстоятельно обговорил основные моменты осознания «Здесь и Теперь», позволю себе привести лишь алгоритм данной техники /19/.

1. *Приобретите или одолжите на достаточно продолжительное время наручные электронные часы с сигналом.*
2. *Настройте их так, чтобы они подавали этот сигнал каждые полчаса, кроме, разумеется, времени вашего сна.*

3. *Всякий раз, где бы вы не находились и чтобы не делали, по сигналу прекратите (приостановите) любую деятельность и сами себе ответьте на вопрос: «Я «Здесь и Теперь» или уже улетел (меня унесло) в какое-то «Там и Тогда»?*
4. *Вернувшись в «Здесь и Теперь», как бы укорените себя в текущем моменте, ответив себе на четыре вопроса: «Что я вижу прямо сейчас?» (всмотритесь и увидьте), «Что я слышу прямо сейчас?» (вслушайтесь и услышьте), «Что я чувствую прямо сейчас?» (вчувствуйтесь и ощутите), «Что я думаю прямо сейчас?» (вдумайтесь и непредвзято оцените, чем заняты сейчас ваши мысли).*

Упражнение 65.

➔ Четко определите свой круг влияния, после чего на все остальное реагируйте с позиции Анти-СПИБовых рекомендаций и стратегии работы со стрессом.

Упражнение 66.

➔ Определите дела, которые вам надлежит сделать, но которые вы не делаете, и усильте свою мотивацию с помощью соответствующих техник.

Упражнение 67.

- Взяв за основу пять своих отрицательных качеств и пять прошлых неприятностей, попробуйте их позитивно переосмыслить.
- Подумайте о настоящих и, возможно, будущих проблемах и неприятностях и разрешите их, воспользовавшись техникой рефрейминга проблем и расширения карты проблемы.

Упражнение 68.

- Если вы все-таки «влетели» в серьезный кризис (или все еще переживаете его), попробуйте разобраться с этой своей ну очень крупной неприятностью с помощью психотехнологий принятия решений и предпринятия действий в кризисных ситуациях и осмысления проблемной ситуации.
- Сделайте саморефрейминг постоянной практикой.

Упражнение 69.

- Научитесь (непрерывно учась!) жить Здесь и Теперь и расширьте (постоянно расширяя) свою зону осознания.

Список использованной литературы

1. Алдер Х. НЛП: современные психотехнологии, Санкт-Петербург, Питер, 2000.

2. Андреас К., Андреас С. Измените свое мышление — и воспользуйтесь результатами. — М.: КСП+, 1999.

3. Андреас С., Андреас С. Сердце разума.— М.: Институт Общегуманитарных Исследований, 2001.

4. Андреас С., Герлинк К., Фолкнер Ч., Халлбом Т., МакДональд Р., Шмидт Д., Смит С. Миссия НЛП. — М.: Институт Общегуманитарных Исследований, 2000.

5. Аткинсон М. Мастерский курс НЛП, 12–24 сентября 1995 года. Институт Групповой и Семейной психотерапии, 1995.

6. Аткинсон М. Нейролингвистическое программирование в работе с семьями, М., ЦПП «Катарсис», 1996.

7. Аткинсон М. Стратегия продаж. Материалы тренинга, проведенного в Институте Групповой и Семейной психотерапии 4–6 октября 1996 г., М.: ИГИСП, 1996.

8. Бернс Д. Тайна настроения. — М.: «РИППОЛ КЛАССИК», Вече, 1997.

9. Бремер Х, Консбах Х. Материалы мастерского курса 7–18 мая 1996, Институт групповой и семейной психотерапии, 1996.

10. Бэндлер Р. Используйте свой мозг для изменения, Санкт-Петербург, Ювента, 1994.

11. Вон Кью-Кит. Энциклопедия дзен, М.: ФАИР-ПРЕСС, 2000.

12. Гавэйн Ш. Созидающие визуализации, Минск–Москва, Вида-Н-Либрис, 1997.

13. Гагин Т., Уколов С. Новый код НЛП, или Великий канцлер желает познакомиться. — М.: Издательство Института психотерапии, 2003.

14. Гриндер Дж., Делозье Дж. Черепахи до самого низа, Санкт-Петербург, прайм-ЕВРОЗНАК. — М.: ОЛМА-ПРЕСС, 2005.

15. Грэхем Дж. Как стать родителем самому себе. Счастливый невротик.— М.: Независимая фирма «Класс».

16. Дилтс Р. Изменение убеждений с помощью НЛП. — М.: Независимая фирма «Класс», 1997.

17. Дилтс Р. Фокусы языка. Изменение убеждений с помощью НЛП. — Санкт-Петербург, Питер, 2000.

18. Дилтс Р., Халлбом Т., Смит С. Убеждения. Путь к здоровью и благополучию, Екатеринбург, ЭКОНЭН-РОФ, 1994.

19. Кабат-Зинн Дж. Куда бы ты ни шел — ты уже там.— М.: Независимая фирма «Класс», 1999.

20. Каппони Т., Новак. Сам себе психолог. — СПб, Питер-Пресс, 1996.

21. Карелин А. Психология изменений. — М.: КСП+, 2000.

22. Кинг М., Цитренбаум Ч. Экзистенциальная гипнотерапия. — М.: Независимая фирма «Класс», 1998.

23. Козлов В. Искусство осознания, Минск, ООО «Полi-Бiг», 1995.

24. О'Коннер Дж. Нестандартное решение повседневных ситуаций.

25. О'Коннер Дж., Сеймор Дж. Введение в НЛП, Челябинск, Версия, 1997.

26. Леонард Д., Лаут Ф. Ребефинг. Техника дыхательных трансов для психотерапии и самосовершснствования. — М.: Центр самосовершенствования «Breathe», 2000.

27. МакДермотт Я., О'Коннор Дж. НЛП и здоровье, Челябинск, Библиотека А. Миллера, 1998.

28. Мужицкая Т., Герасимов А. Как научиться видеть позитивные стороны жизни, или Рефрейминг в быту. Вестник НЛП, выпуск 2/2000. — М.: КСП+, 2000.

29. Найт С. Руководство по НЛП, СПб, Речь, 2000.

30. Нейхард Д., Властелин эмоций, Санкт-Петербург, Питер, 1997.

31. Психотерапевтическая энциклопедия. Под ред. Карвасарского Б.Д., Санкт-Петербург, Питер, 1998.

32. Путеводитель по НЛП: толковый словарь терминов/Сост. В.В. Морозов — Челябинск; Библиотека А. Миллера, 2001.

33. Рейнуоттер Дж. Это в ваших силах. — М.: Прогресс, 1992.

34. Руководство по использованию восьмицветового теста М. Люшера. Сост. О.Ф. Дубровская. — М.: Фолиум, 1995.

35. Саймонтон К., Саймонтон С. Возвращение к здоровью. Новый взгляд на тяжелые болезни, Санкт-Петербург, Питер, 1995.

36. Скиннер Р., Клииз Дж. Семья и как в ней уцелеть.— М.: Независимая фирма «Класс», 1995.

37. Стюарт В. Работа с символами и образами в психологическом консультировании. — М.: Независимая фирма «Класс», 1998.

38. Уилсон Р. Квантовая психология. — К.: Якус (Janns books), 1998.

39. Уилсон Р. Психология эволюции, София. — К.: Якус (Janns books), 1998.

40. Фанч Ф. Преобразующие диалоги, Киев, Ника-центр, Вист С, 1997.

41. Фанч Ф. Пути преобразования. Общие модули процессинга, Киев, Ника-цент, Вист С, 1997.

42. Хэй Л. Исцели свою жизнь, свое тело. — М.: Медицина, 1998.

43. Цветков Э. В поисках утраченного «я». — СПб: Питер, 2002.

44. Шапиро Ф. Психотерапия эмоциональных травм с помощью движения глаз.— М.: Независимая фирма «Класс», 1998.

45. Эволюция психотерапии. Том 2. — М.: Независимая фирма «Класс», 1998.

Ковалев Сергей Викторович

Сведения об авторе

Психолог, психотерапевт, консультант по управлению, политический консультант.

Доктор психологических наук, профессор, академик IIA.

PhD, GrPhD, Full professor.

Психотерапевт Европейского регистра, сертифицированный мастер–тренер НЛП и специалист по эриксоновской гипнотерапии.

Действительный член Российского психологического общества и Общероссийской Профессиональной Психотерапевтической Лиги (ОППЛ).

Президент межрегионального отделения нейролингвистического программирования: НЛП-консалтинга, коучинга, психологии и психотерапии ОППЛ; консультант, сертифицированный сообществом; официальный преподаватель и супервизор практики международного уровня ОППЛ.

Генеральный директор ООО «Центр НЛП-технологий»; вице-президент Агентства Социальной безопасности, вице-президент WUDSES.

Организационные структуры

В настоящее время деятельность С.В. Ковалева осуществляется в рамках двух организационных структур: Центра НЛП технологий и Межрегионального отделения НЛП-консалтинга, коучинга, психологии и психотерапии. В области деятельности этих организаций входят:

- индивидуальная психотерапия
- содействие в психосоматических исцелениях
- организация личностного роста
- дизайн человеческого совершенства
- проведение сертификационных учебных программ для специалистов
- осуществление обучающих курсов для широких слоев населения
- психологический, управленческий и политический консалтинг
- развитие групп и организаций
- осуществление корпоративных программ по бизнес-НЛП
- индивидуальный, групповой и организационный коучинг
- создание программного и аппаратного обеспечения психофизиологической оптимизации состояния человека
- разработка методологических, теоретических и методических основ Восточной версии НЛП, а также нейросинергетического программирования.

Сертификационные программы

В настоящее время С.В. Ковалев осуществляет межрегиональный учебный проект «Восточная версия НЛП: консалтинг, коучинг, психокоррекция и психотерапия», включающий в себя следующие обучающие циклы:

- НЛП-консалтинг (07–08.10.2006)
- Психокоррекция в контексте НЛП (11–12 и 18–19.11.2006)
- Психотерапия личной истории (16–17.12.2006)
- Психотерапия Самостоятельных Единиц Сознания: субчастей, частей и субличностей (27–28.01 и 03–04.02.2007)
- Психотерапия сценариев жизнедеятельности (03–04.03.2007)
- Коучинг человеческого совершенства (07–08 и 14–15.04.2007)

Успешно прошедшим курс выдаются сертификаты Практика НЛП (Practitioner in the art of NLP) и НЛП-консультанта.

Корпоративные тренинги

В настоящее время С.В. Ковалев специализируется на следующих эксклюзивных корпоративных тренингах

- НЛП-менеджмент: психотехнологии эффективности
- Оптимизация деловых взаимодействий
- Стратегия и тактики продаж
- Навыки высокоэффективных менеджеров
- Построение собственного совершенства
- Осуществление стратегического менеджмента
- Создание системы маркетинга.

По заказу частных лиц и организаций С.В. Ковалев осуществляет индивидуальный бизнес-консалтинг топ-менеджеров, а также оказывает услуги по персональному коучингу.

Обучающие курсы

Для самых широких слоев населения С.В. Ковалев проводит двух-четырехдневные курсы направленные на существенное улучшение состояния дел обучающихся в области «пяти великих проблем человека», а именно:

- здоровья (его восстановления, улучшения и сохранения)
- работы (карьеры)
- материального достатка (денег)
- супружеских, семейных и иных отношений, а также
- любви и секса.

Программное и аппаратное обеспечение

С.В. Ковалевым совместно с ООО «БиЭнерджи» создан уникальный программно-аппаратный комплекс «ИН», позволяющий осуществлять системную оптимизацию и оздоровление физиологических, энергетических и психологических характеристик человека и предназначенный как для профессиональных пользователей (как АРМ-врача, психолога, целителя), так и для индивидуальных потребителей.

Условия взаимодействия

Вы можете принять участие в любом из учебных проектов С.В. Ковалева или организовать его осуществление в вашем регионе на взаимовыгодных условиях, если обратитесь по нашим контактным адресам и телефонам.

Тел.: (495) 566-56-14; 8-501-453-85-29; (495) 746-55-36 и 8-905-587-28-03
E-mail: kovalevnlp@sovintel.ru; kovalev@nlp-center.ru
Web: www.nlp-center.ru
Контактный адрес: 143430, Красногорский р-н, г. Нахабино, а/я 11

Библиографическая справка
книги С.В. Ковалева
по нейролингвистическому программированию

1. «Исцеление с помощью НЛП». М.: «КСП+», 1999 г.; 2001 г.; 2006 г. — 576 с.

2. «НЛП: перепрограммирование собственной судьбы» М.: «КСП+», 2000 г.; 2002 г. — 784 с.

3. «Основы нейролингвистического программирования». Учебное пособие. М.: Флинта, 1999 г.; Москва–Воронеж: НПО «Модэк», 2001 г. — 160 с.

4. «Психотерапия личной истории и психокоррекция Самостоятельных Единиц Сознания». Москва–Воронеж: НПО «Модэк», 2001 г. — 160 с.

5. «Семь шагов от пропасти. НЛП-терапия наркотических зависимостей». Москва–Воронеж: НПО «Модэк», 2001 г. — 192 с.

6. «НЛП педагогической эффективности». Москва–Воронеж: НПО «Модэк», 2001 г. — 208 с.

7. «Введение в современное НЛП». Учебное пособие. М.: Флинта, 2002 г. — 512 с.

8. «НЛП человеческого совершенства». М.: «КСП+», 2003 г., 2006 г. — 512 с.

9. «Семь шагов от пропасти. НЛП-терапия наркотических зависимостей, а еще стандартизированный модуль любых высокоэффективных преобразований себя и других». М.: «КСП+», 2003 г. — 256 с.

10. «Введение в современное НЛП». Учебное пособие. М.: Флинта, 2004 г. — 552 с.

11. «Основы НЛП или введение в человеческое совершенство». Ростов-на-Дону, «Феникс», 2004 г. — 256 с.

12. «НЛП эффективного руководства». Ростов-на-Дону, «Феникс», 2004 г.; 2006 г. — 256 с.

13. «На врача надейся, а сам не плошай». М.: «Астрель», 2006 г. — 384 с.

14. «Современное НЛП. Психотехнологии совершенства, и благополучия и удачливости». М.: Московский психолого-социальный институт, 2006 г. В печати.

15. НЛП-консалтинг, или введение в человеческое благополучие. Книга 1 серии «Восточная версия НЛП». М.: Московский психолого-социальный институт, 2006 г. В печати.

16. «Самоисправление Храмой Судьбы, или как взять бразды управления своей жизнью в собственные руки». 2006 г. В работе.

Научно-популярное издание

Серия «Здоровая жизнь»

Сергей Ковалев

ПОШЛИ БОЛЕЗНЬ НА...

Программы самоисцеления
Простые и доступные методики работы над собой
Ни лекарств, ни врачей

Зав. редакцией *Т. Минеджян*
Редактор *Е. Погосян*
Младший редактор *А. Погосян*
Технический редактор *Т. Тимошина*
Корректор *И. Мокина*
Компьютерная верстка *А. Борисовой*

ООО «Издательство Астрель»
129085, г. Москва, пр-д Ольминского, д. 3а

ООО «Издательство АСТ»
170002, Россия, г. Тверь, пр-т Чайковского, д. 27/32

ООО «Хранитель»
129085, г. Москва, пр-д Ольминского, д. 3а, стр. 3

Наш электронный адрес: www.ast.ru
E-mail: artpub@aha.ru

ОАО «Владимирская книжная типография»
600000, г. Владимир, Октябрьский проспект, д. 7.
Качество печати соответствует качеству предоставленных диапозитивов